助産学実習プレブック 第2版

助産過程の思考プロセス

町浦美智子・山田加奈子 編著

医歯薬出版株式会社

執筆者一覧

●編　集

町浦（まちうら） 美智子（みちこ）　大阪府立大学・武庫川女子大学名誉教授

山田（やまだ） 加奈子（かなこ）　大阪公立大学看護学部講師

●執　筆（五十音順）

宇田川（うたがわ） 直子（なおこ）　地方独立行政法人 大阪府立病院機構 大阪母子医療センター看護部主任

髙（こう） 知恵（ちえ）　大阪公立大学看護学部講師

佐々木（ささき）くみ子（こ）　鹿児島国際大学看護学部教授

古山（ふるやま） 美穂（みほ）　大阪公立大学看護学部准教授

町浦（まちうら） 美智子（みちこ）　編集に同じ

山田（やまだ） 加奈子（かなこ）　編集に同じ

This book is originally published in Japanese
under the title of :

JOSANGAKUJISSYU PREBOOK
JOSANKATEI-NO SHIKOU PROCESS
(Preparation and Training Book of Midwifery Practice)

Editors :
MACHIURA, Michiko
Emeritus Professor, Osaka Prefecture University/Mukogawa Women's University
YAMADA, Kanako
Lecturer, Osaka Metropolitan University, School of Nursing

ISHIYAKU PUBLISHERS, INC.
7-10, Honkomagome 1 chome, Bunkyo-ku,
Tokyo 113-8612, Japan

はじめに

高齢社会が急速に進んでいる現在，少子化は大きな社会問題となっています．そのようななかで助産学実習をする学生は，家族の出産という大変貴重なライフイベントの一場面に立ち会っています．そこでは臨床助産師の多大なる指導・助言が必須であり，分娩期の援助をする一事例の助産過程をていねいに進めていくことが求められます．

本書の初版を2015年に刊行してから約8年が経過し，その間さまざまなガイドラインが発刊・改訂され，エビデンスに基づく助産実践が定着してきています．助産学実習では正常分娩の介助が原則ですが，正常に経過していても，分娩進行の過程で正常から逸脱する事例もあります．また，高年妊娠や無痛分娩の増加に伴い，助産学生がハイリスク産婦や胎児・新生児の援助をする機会もあることでしょう．このような産科医療，実習現場の変化に合わせて本書を改訂し，第2版を発刊することになりました．

本書の特徴は，「事例のアセスメントに必要な知識の確認」⇒「アセスメント」⇒「助産診断（または看護診断）」⇒「助産計画（または看護計画）の立案」の4段階で構成し，助産過程の思考プロセスに沿って事例を展開していることにあります．この基本構成は第2版でも踏襲し，知識の確認やアセスメントはさまざまなガイドラインの科学的根拠に準拠しています．また，本書は姉妹編である『母性看護実習プレブック 第2版』とともに，より詳細な情報からアセスメントとケア計画を“自己学習できるワークブック”として位置づけています．

第2版での改訂点の一つは，初版では別立てとしていた「産婦」と「新生児」のアセスメントやケアを，一連の流れとして学べるよう統合し，理解しやすくしたことです．「Ⅰ．産婦・新生児のアセスメントとケア—基本編」では，初産婦の事例，経産婦の事例，生後24時間までの新生児の事例を，「Ⅱ．正常分娩から逸脱した産婦・新生児のアセスメントとケア」では，予定帝王切開，分娩誘発，疲労性微弱陣痛による促進分娩，回旋異常による遷延分娩，分娩停止による緊急帝王切開分娩，胎児機能不全による吸引分娩の事例を提示しています．また，「Ⅲ．ハイリスク産婦・新生児のアセスメントとケア」では，妊娠高血圧症候群，妊娠糖尿病，早産に加えて，新たに「無痛分娩」の事例を収載し，より臨床に即した助産過程を学べるようにしました．

助産学生は，実習前あるいは実習中に臨床で必要な知識とアセスメント能力を養うために，本書を活用しながら助産過程の基本的な展開について学んでもらえばと考えます．臨床助産師にとっては助産過程の基本を学びなおす良い機会になるでしょうし，助産学生の指導・助言に役立てていただければ幸いです．

本書を通して，事例のアセスメントに必要な知識の確認・整理，アセスメントポイントの理解，事例の個別的なケアにつながる助産診断（または看護診断），助産計画（または看護計画）への理解を深めていただくことを期待しています．

最後になりましたが，第2版の企画から出版に至るまで長期間にわたり根気強く支援してくださり，いつも的確なご助言をいただきました編集部の皆様に心より感謝申し上げます．

2023年　秋　　　　編者

CONTENTS

装丁・本文デザイン：松 利江子　　カバーイラスト：たかなかな

本書の引用・参考文献『産婦人科診療ガイドライン 産科編　2023』（日本産科婦人科学会，日本産婦人科医会編集・監修）では診療行為の推奨レベル（強度）が以下の３段階で示され，本書においても必要に応じて推奨レベルを付記しています．
A：（実施すること等が）強く勧められる
B：（実施すること等が）勧められる
C：（実施すること等が）考慮される（考慮の対象となるが，必ずしも実施が勧められているわけではない）

本書の特徴と使い方

- 本書は，すべて事例に基づいて考えられるように構成しています．
- 助産学生の方は第Ⅰ編と第Ⅱ編から学習を始めるとよいでしょう．臨床助産師の方は第Ⅲ編から学習を始めていただき，ハイリスク産婦とその産婦から生まれた新生児のアセスメントとケアについて，復習をかねて学習を進めていくとよいでしょう．ご自分の学習の仕方に合わせて自由にご活用ください．
- 本書の全事例は以下に示す 4 つの段階で構成され，各段階にある質問に答えながら読み進めていくと，助産過程（看護過程）に沿って学習ができるように構成されています．

① アセスメントに必要な知識
② 事例の情報整理と情報の分析・解釈・統合（アセスメント）
③ 事例の助産診断の導き方と助産診断の決定
④ 助産計画の立案（目標と具体策）

＊ただし，③④については一部の事例で「助産診断」を「健康課題」，「助産計画」を「看護計画」と記載しています．

① アセスメントに必要な知識

まず，事例の助産過程を展開するうえで必要となる知識について確認していきます．重要な用語は赤字で示しています．市販の赤色のチェックシートで隠して考えながら読み進めていくと，学習効果をより高めることができます．

② 事例の情報整理と情報の分析・解釈・統合（アセスメント）

事例から得られた情報を整理し，アセスメントにつなげていきます．アセスメント内容はすべて赤字で記載しています．ここでもチェックシートを活用し，まずは自分のアセスメントを考えてから，赤字の記載内容（解答例）と比較することで，不足している視点を明らかにすることができます．

③ 事例の助産診断（健康課題）の導き方と助産診断（健康課題）の決定

分娩経過が正常に経過していると判断する場合，助産診断（健康課題）は現在の状態を維持しつつ，さらによりよくしていくためにはどのように援助していけばよいかという「ウェルネス」の視点で考えます．ハイリスク産婦で何らかの問題が考えられる場合は，「～の可能性がある」「～が必要である」などのように健康問題を助産診断として記載しています．そして，その事例にとってもっとも重要な助産診断は何かを判断し，その優先順位を決定します．新生児の場合は看護職者がケアする場合もあるため，助産診断ではなく健康課題と表記しています．

④ 助産計画（看護計画）の立案（目標と具体策）

ここでは助産目標と具体策を考えていきます．助産目標は産婦の立場で記載し，具体策は観察プラン，ケアプラン，指導・説明・支持プランを立案します．新生児の場合は前述のように看護職者がケアする場合もあるため，助産目標ではなく看護目標と表記しています．

I 産婦・新生児のアセスメントとケア―基本編

1. 初産婦の分娩期 1) 分娩第1期 電話連絡時

助産所における分娩期の搬送率は約5%であり，正常に経過した産婦の20人に1人は正常から逸脱しています．一方，ハイリスク妊婦であっても細やかな医療とケアによって正常に経過しています．事例を通して，分娩が正常に経過しているか，正常から逸脱していないかをアセスメントできる力をつけましょう．

あなたは23:00に電話をしてきた初産婦の翔子さんに対応することになりました．この事例をアセスメントし，援助していくプロセスを一緒に考えていきましょう．

1 アセスメントに必要な知識

1 助産師主導で管理できるローリスク産婦か，産婦人科医師に相談のうえ協働管理すべき産婦かを，「助産業務ガイドライン2019」[1]や「産婦人科診療ガイドライン　産科編2023」[2]で確認しましょう．

助産師が管理できる対象者は以下の4項目に該当します．

①妊娠経過中継続して管理され，正常に経過しているもの
②単胎・頭位で経膣分娩が可能と判断されたもの
③妊娠中，複数回，産婦人科医師の診察を受けたもの
④助産師，産婦人科医師双方が助産所または院内助産で分娩可能と判断したもの

2 初産婦が適切な時期に受診の連絡ができるように，妊婦健康診査での説明内容を確認しましょう．

①分娩開始が近づいた自覚症状

- 子宮底の下降感，胎児の下降感とともに心窩部の空虚感や胃部圧迫感の軽減がみられる．これは児頭の骨盤腔への下降，子宮体部の前方への傾斜による．
- 前駆陣痛*1，腰痛，下腹部の緊張感
- 血性分泌物（産徴），頻尿，胎動の減少，恥骨の痛み，白色帯下の増加

*1 前駆陣痛とは，分娩発来前にみられ，自然に消退し分娩には至らない低強度の子宮収縮をいう．分娩準備状態と考えられ，子宮頸の軟化，展退すなわち成熟をきたす作用がある（日本産科婦人科学会編：産科婦人科用語集・用語解説集．改訂第4版，p.199，日本産科婦人科学会，2018.）[3]．

②初産婦の一般的な分娩進行

③異常徴候

・破水，出血，胎動を感じない

3 電話を受けた助産師が来院の要否を判断するために必要な問診項目を確認しましょう.

・**名前，年齢，診察券番号**
　⇒同姓同名に注意し，年齢から若年妊娠，高年妊娠の有無を判断する.
　診察券番号は同姓同名の場合，電子カルテなどで識別できるため.

・**分娩予定日と現在の妊娠週数**
　⇒妊娠の時期診断をし，早期産の場合は即入院してもらう.

・**初産，経産**
　⇒正常からの逸脱や異常の有無など分娩進行状態を診断し，予測するため.
　初産婦の場合，分娩開始の有無と入院時期を判断するため.

・**陣痛周期，陣痛持続時間**
　⇒分娩進行状態を診断し，分娩が切迫しているようであれば即入院してもらう.

・**産徴，破水，出血の有無．破水や出血ありの場合は，時刻と性状，量**
　⇒正常に経過しているかを判断し，破水や異常出血などがあれば，即入院してもらう.

・**胎動の有無**
　⇒児の健康状態（生死）を確認するため.

・**妊娠中に医師から特に指摘されたことの有無**
　⇒妊娠中の異常の有無を判断し，妊娠高血圧症候群や妊娠糖尿病，胎児推定体重が妊娠週数に比べて小さいことなどを指摘されていれば，ハイリスク妊娠のため即入院してもらう.

・**病院までの距離，交通手段，所要時間**
　⇒入院の時期を判断し，病院まで車で 1 時間以上かかる場合は，余裕をもって早めに入院してもらう.

・**携帯電話番号**
　⇒予定時刻に来院しない場合，急速な分娩進行に備えて移動中の産婦と連絡をとり，分娩進行状態を確認するため.

4 電話対応時の留意点を挙げてみましょう.

・必ず産婦本人と話す.

・話すときの息づかい，声の調子，言葉の使い方，間のとり方，陣痛発作時の対処の仕方，呼吸の仕方，発作時に話ができるか，うなり声などから陣痛の周期，強さ，産婦の心理状態をアセスメントする.

2 事例の情報整理と情報の分析・解釈・統合（アセスメント）

23:00 に電話で翔子さんと話をした結果，あなたは以下の情報を得ました．

翔子さんとの電話で得られた情報

「今日は妊娠 38 週 6 日です．昼食後より不規則なお腹の張りと，少量の血液が混じったおりものがありました．夕食は 18:00 過ぎに普段どおりに食べました．陣痛はお風呂に入った後，20:00 くらいから 10 分間隔でくるようになりました．今は 7～10 分おきになり，痛みは 20 秒くらい続きます．眠れそうにないので電話しました．赤ちゃんは動いています．破水はしていません．妊娠中，医師から特に気をつけるように言われたことはありません．病院までは車で 15 分かかります」翔子さんは助産師の質問に落ち着いて答えたが，「これからどうしたらいいでしょうか？」と心配そうに聞いた．

1 これらの情報を統合し，分娩開始の有無，現在の分娩経過，入院の必要性についてアセスメントしましょう．

・分娩開始の有無，現在の分娩経過

⇒翔子さんは 20:00 から 10 分おきに陣痛が開始し，現在は 7～10 分間隔で，陣痛持続時間 20 秒ですので，分娩は開始していると判断します．

破水や異常出血はなく，妊娠中の異常も特に指摘されていませんので，現時点ではローリスク産婦であり，分娩第 1 期の潜伏期にあると考えます．妊娠 38 週 6 日は正期産の範囲です．

・入院の必要性

⇒翔子さんは落ち着いて話しており，分娩が切迫している様子はありません．また，病院までは 15 分で来られるので，今すぐ入院する必要はないと判断します．次にどのような状態になれば再度連絡するのかをていねいに説明して，自宅で様子を観察してもらいます．

心配そうな様子がみられるので，翔子さんの話をよく聞いて，不安が少しでも軽減できるように支援する必要があります．

2 上記のアセスメントをもとに，翔子さんが次に連絡してくるまでに，助産師としてすべきことは何か考えてみましょう．

・これまでの産科歴，今回の妊娠経過の詳細を把握し，正常から逸脱する可能性やリスクの有無を判断する．

・分娩室の準備として，必要物品・薬品が整っているかを点検しておく（**表 1**）[4]．

表 1　分娩室備品

	推奨レベル※1	医療機器	医薬品	物品
母体用	A	分娩監視装置 聴診器 血圧計 体温計 酸素吸入器 吸引器 パルスオキシメータ 酸素マスク※2 アンビューバッグ 心電図モニター 精密輸液装置 分娩用吸引装置または鉗子	子宮収縮薬 ・オキシトシン注射薬 ・メチルエルゴメトリン注射薬 昇圧薬 ・ドパミン塩酸塩 ・アドレナリン 人工膠質液 ・ヒドロキシエチルデンプン 各種輸液用製剤 局所麻酔薬	膀胱内留置カテーテル 尿測バッグ 腟・子宮腔充填用ガーゼ※3
	B	喉頭鏡 自動血圧計 超音波断層装置 バイトブロック AED （自動体外式除細動器）※4	子宮収縮薬 ・プロスタグランジン製剤 硫酸マグネシウム製剤 ・マグセント®（またはマグネゾール®） 抗不安薬（抗けいれん薬，催眠鎮静薬） ・ジアゼパム注射薬 降圧薬 ・ニカルジピン注射液 （またはヒドララジン注射液）	気管挿管チューブ およびスタイレット 子宮腔内バルーン※5
	C		トラネキサム酸 ニトログリセリン ステロイド グルコン酸カルシウム水和物 止血薬 ・トラネキサム酸 脂肪乳剤	経鼻エアウェイ ペンライト 打腱器
新生児用	A	インファントウォーマー 新生児用聴診器 新生児用経皮的血中酸素飽和度測定装置（パルスオキシメータ） 酸素吸入器※6 バッグ・マスク換気装置 吸引器	アドレナリン 生理食塩液	
	B	新生児用喉頭鏡		新生児用気管挿管チューブ （ラリンゲアルマスクでも可） 胃管チューブ
	C	精密輸液装置 血液ガス分析機器 簡易血糖測定機器 新生児用呼吸循環監視装置 （心電図モニター）		

※1：推奨レベルについてはp.vii参照.
※2：リザーバつきが望ましい.
※3：腟・子宮腔充填用ガーゼ：滅菌ガーゼ（単ガーゼ，長ガーゼ，つなぎガーゼ）など.
※4：AED：病棟内（または院内）にあれば可.
※5：子宮腔内バルーン：Bakri® 分娩後バルーン（保険適用），アトム子宮止血バルーン（保険適用），オバタメトロ，フジメトロなど.
※6：酸素濃度を調節できるブレンダーの使用が望ましい.
（日本産科婦人科学会，日本産婦人科医会編集・監修：CQ401.「産婦人科診療ガイドライン　産科編 2023」. p.200，日本産科婦人科学会，2023．より）

あなたは，翔子さんの外来カルテから今回の妊娠経過やバースプランなどについて以下の追加情報を得ました．

追加情報

翔子さん，30歳，既往歴・現疾患なし，産科歴は2妊0産，2年前自然流産．
身長158 cm，非妊時体重55 kg（BMI 22.0），現在65 kg（非妊時より10 kg増加）．
月経歴：初経12歳，28日型，持続5日，月経障害なし．
血液型A型，RhD（+），不規則抗体（−）
感染症なし，飲酒・喫煙なし．
栄養士として学校勤務．夫は32歳教員，2年前に結婚し，2人暮らし．夫婦ともに望んだ自然妊娠．

妊娠経過

妊娠6週	初診
妊娠10週	頭殿長(CRL)と最終月経で分娩予定日を算出． Hb 12.3 g/dL，Ht 36%，随時血糖値98 mg/dL．
妊娠12週	つわりで体重が2 kg減少，切迫流産なし．
妊娠19週	胎動あり．
妊娠30週	超音波検査：胎児推定体重1,470 g，頭位・胎盤の位置正常，AFI 8 cm． 50 gGCT 120 mg/dL，HbA1c（NGSP値）5.0%，尿糖（−）．
妊娠32週	RBC 310×10^4/μL，Hb 11.5 g/dL，Ht 33%，Alb 3.8 g/dL，AST 24 IU/L，ALT15 IU/L，血圧110/60 mmHg台，尿蛋白（−）．
妊娠33週	GBS（−），アレルギー・禁忌なし，喘息なし．
妊娠38週0日	子宮底長32 cm，腹囲90 cm，血圧126/68 mmHg，尿蛋白（−），尿糖(−)，浮腫(−)，子宮口開大2 cm，展退30%，児頭触れず，胎動あり． 胎児心拍数は右臍棘線中央で130 bpm，胎児推定体重3,000 g，第2胎向頭位． BPS（biophysical profile score）スコア10点，エジンバラ産後うつ病自己評価票(Edinburgh postnatal depression scale；EPDS)得点3点．

就労妊婦であり，明るくおおらかな性格で職場に相談相手もいて，精神的に安定している．通勤緩和など働く女性の母性健康管理措置を活用し，妊娠34週から母性保護規定による産前休業中．夫と家事・育児の役割調整もでき，両方の実家や育児サポーターの支援が得られるため，産後休業終了後に職場復帰を予定している．
夫婦ともに立ち会い分娩を希望し，出産施設と地域の両親学級を受講した．早期母子接触，母乳育児を楽しみにしており，Baby Friendly Hospital[*2]を選んだ．
バースプラン用紙には，「赤ちゃんが元気に産まれるように，夫と一緒に，呼吸法や腰部マッサージなどでリラックスできるように頑張ります」と記載している．

[*2] 「赤ちゃんにやさしい病院」のこと．WHO・ユニセフが「母乳育児を成功させるための10カ条」を長期にわたって遵守，実践している病院を「赤ちゃんにやさしい病院」に認定し，日本国内では66施設が認定されている（2021年10月現在）．日本母乳の会：http://www.bonyu.or.jp/index.asp?patten_cd=12&page_no=11（2023/7/10アクセス）

3 上記の情報から，翔子さんの産科歴や今回の妊娠経過をアセスメントするために必要な知識について確認しましょう．

①妊娠前の体格，非妊時 BMI と妊娠中の体重増加の目安について確認しましょう（表 2）．

表 2　妊娠中の体重増加指導の目安

妊娠前の体格※	BMI（kg/m²）※	体重増加量指導の目安
低体重	18.5 未満	12～15 kg
普通体重	18.5 以上 25.0 未満	10～13 kg
肥満（1 度）	25.0 以上 30 未満	7～10 kg
肥満（2 度以上）	30 以上	個別対応（上限 5 kg までが目安）

※ 妊娠前の体格は日本肥満学会の肥満度分類に準じ，自己申告による妊娠前の体重をもとに算定した BMI を用いる．
（日本産科婦人科学会：妊娠中の体重増加指導の目安について．日本産科婦人科学会雑誌：73(6)：642，2021．http://fa.kyorin.co.jp/jsog/readPDF.php?file=73/6/073060642.pdf/厚生労働省：妊娠前からはじめる妊産婦のための食生活指針～妊娠前から、健康なからだづくりを～解説要項．p.15，2021．https://www.mhlw.go.jp/content/000776926.pdf　ともに 2023/7/10 アクセス）

妊娠前の体格と妊娠予後との関連をみると，やせ女性は切迫早産，早産，および低出生体重児分娩のリスクが高く，肥満女性は妊娠高血圧症候群，妊娠糖尿病，帝王切開分娩，死産，巨大児などのリスクが高い傾向にある．

2021 年の指針の改訂では，個人差を考慮したゆるやかな指導を心がけることや，肥満の区分を 1 度と 2 度に分類したことがこれまでの指針と異なっている（表 2）．

②妊娠初期に検査する感染症や分娩時の産道感染のリスクがある感染症について確認しましょう．

- 母子感染は親から子へと感染する垂直感染であり，その感染時期には胎内感染，分娩時感染，授乳時感染がある．分娩時感染の感染経路には，陣痛により母体血から病原体が胎児血内に移行する経胎盤感染と，産道や母体血中の病原体が胎児に感染する産道感染，腟・子宮頸管の感染症が上行する上行性感染がある．
- 妊娠初期に検査する項目には，B 型肝炎ウイルス（HBV），C 型肝炎ウイルス（HCV HCV-RNA），梅毒，ヒト免疫不全ウイルス（HIV），成人 T 細胞白血病ウイルス 1 型（HTLV-1），B 群溶血性レンサ球菌（GBS），風疹抗体価，クラミジアの有無，子宮腟部細胞診が含まれる．

③病原体のおもな感染経路について整理しましょう（表 3）．

- 連携する産婦人科医師と相談のうえ，協働管理すべき対象者として「母子感染の危険性がある感染症の治療を行った場合」があげられており，そのなかには性器クラミジア感染，GBS の陽性者，出産後に母子感染の危険性がある HTLV-1 陽性者が含まれる[5)]．

④ GBS 陽性妊婦の分娩中の取り扱いや新生児への影響を確認しましょう．

- GBS は 10～30％の妊婦の腟・便中から検出され，母児垂直感染症（肺炎，敗血症，髄膜炎など）の原因となる．
- GBS の検査は妊娠 35～37 週に培養検査を行う．検体は腟入口部ならびに肛門から採取する[6)]．
- 周辺培養検査で GBS 検出，前児が GBS 感染症，今回妊娠中の尿培養で GBS 検出，GBS 保菌状態不明で，破水後 18 時間以上経過，または 38℃以上の発熱がある場合，母子感染予防のために経腟分娩中あるいは前期破水後，ペニシリン系薬剤などの抗菌薬の点滴静注を行う[6)]．

表 3　病原体のおもな感染経路

病原体		胎内感染（経胎盤感染）	分娩時感染（産道感染）	授乳時感染（母乳感染）
ウイルス	風疹ウイルス	●		
	サイトメガロウイルス（CMV）	●		
	ヒトパルボウイルス B19	●		
	水痘・帯状疱疹ウイルス（VZV）	□	●	
	単純ヘルペスウイルス（HSV）	□	●	
	B 型肝炎ウイルス（HBV）	□	●	
	C 型肝炎ウイルス（HCV）		●	
	ヒト免疫不全ウイルス（HIV）		●	
	成人 T 細胞白血病ウイルス 1 型（HTLV-1）			●
クラミジア	クラミジア・トラコマチス		●	
細　菌	梅毒トレポネーマ	●		
	淋菌		●	
	B 群溶血性レンサ球菌（GBS）		●	
真　菌	カンジダ・アルビカンス	□	●	
原　虫	トキソプラズマ	●		

●：代表的なもの　□：ときにみられるもの

⑤妊娠期に行われる超音波検査について知識を整理しましょう（図 1，表 4）.

・胎児推定体重（estimated fetal weight；EFW）は，児頭大横径（biparietal diameter；BPD），腹囲（abdominal circumference；AC），大腿骨長（famur length；FL）を次の推定式に当てはめて計算する．

$$EFW = 1.07 \times BPD\ (cm)^3 + 0.30 \times AC\ (cm)^2 \times FL\ (cm)$$

（日本超音波医学会，2003 による）

それぞれの部位は図 1 に示す断面を用いて計測する．

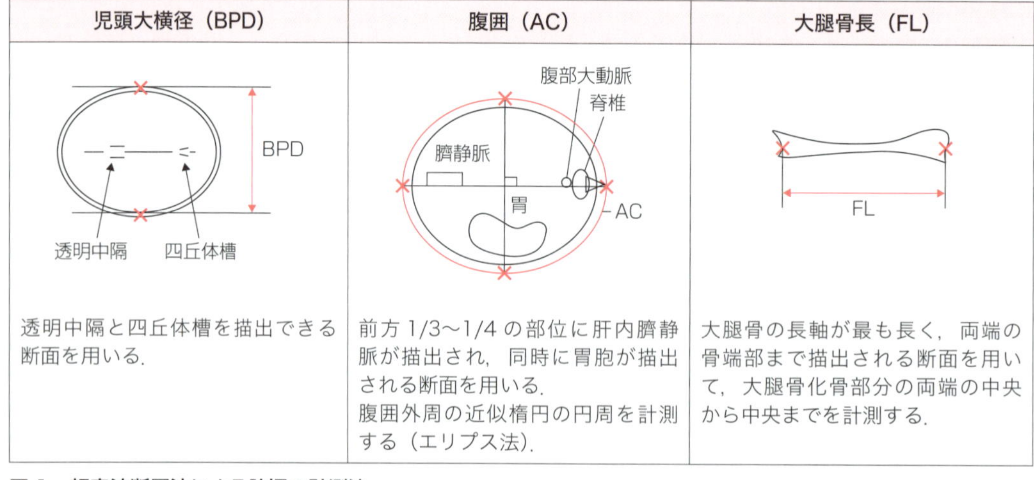

図 1　超音波断層法による胎児の計測法

（日本産科婦人科学会周産期委員会提案：超音波胎児計測の標準化と日本人の基準値．日本産科婦人科学会雑誌，57（1）：97，2005．をもとに作図）

表4　胎児体重の妊娠週数ごとの基準値

gestational age	EFW (g)				
	-2.0 SD	-1.5 SD	mean	+1.5 SD	+2.0 SD
18 W + 0	126	141	187	232	247
19 W + 0	166	186	247	308	328
20 W + 0	211	236	313	390	416
21 W + 0	262	293	387	481	512
22 W + 0	320	357	469	580	617
23 W + 0	386	430	560	690	733
24 W + 0	461	511	660	809	859
25 W + 0	546	602	771	940	996
26 W + 0	639	702	892	1,081	1,144
27 W + 0	742	812	1,023	1,233	1,304
28 W + 0	853	930	1,163	1,396	1,474
29 W + 0	972	1,057	1,313	1,568	1,653
30 W + 0	1,098	1,191	1,470	1,749	1,842
31 W + 0	1,231	1,332	1,635	1,938	2,039
32 W + 0	1,368	1,477	1,805	2,133	2,243
33 W + 0	1,508	1,626	1,980	2,333	2,451
34 W + 0	1,650	1,776	2,156	2,536	2,663
35 W + 0	1,790	1,926	2,333	2,740	2,875
36 W + 0	1,927	2,072	2,507	2,942	3,086
37 W + 0	2,059	2,213	2,676	3,139	3,294
38 W + 0	2,181	2,345	2,838	3,330	3,494
39 W + 0	2,292	2,466	2,989	3,511	3,685
40 W + 0	2,388	2,572	3,125	3,678	3,862
41 W + 0	2,465	2,660	3,244	3,828	4,023

（日本超音波医学会：「超音波胎児計測の標準化と日本人の基準値」の公示について．超音波医学，30：J415-J440，2003．/日本産科婦人科学会周産期委員会提案：超音波胎児計測の標準化と日本人の基準値．日本産科婦人科学会雑誌，57(1)：92-117，2005．）

- EFW が胎児体重基準値の－1.5 SD 以下の場合は，胎児発育不全（fetal growth restriction；FGR）の目安とするが，体重の経時的変化，胎児腹囲および羊水量なども考慮する．
- 胎盤は胎盤の付着部位や老化の程度，肥厚について検査する．通常胎盤は子宮底部に付着する．子宮頸部に付着する前置胎盤では経腟分娩の可否を判断する．胎盤の厚さは妊娠週数と同じくらいである．
- 羊水量の評価には羊水ポケット（幅 1 cm 以上の羊水ポケットの最深部位を垂直に測定する）や AFI（amniotic fluid index；子宮を 4 分割して各々の深さを足す）を指標とする．羊水ポケットの正常値は 2～8 cm，AFI の正常値は 5～24 cm が一般的である．

⑥ノンストレステスト（non-stress test；NST）について知識を確認しましょう．

NST は胎児の健康状態を判断する胎児-胎盤機能検査のひとつである．NST による reactive pattern では，心拍数が 15 bpm 以上増加し，15 秒以上持続する一過性頻脈が 20 分間に 2 回以上出現する．それ以外を non-reactive pattern とする．NST では reactive pattern を確認することが重要である．

⑦ BPS（biophysical profile score）について知識を確認しましょう（表5）.

NST と超音波検査による胎児呼吸様運動，胎動，胎児筋緊張，羊水量の4項目を合わせた5項目を観察し，胎児の健康状態を判定する方法である．合計点8～10点が正常，4点以下は胎児のアシドーシスが疑われる．

表5　BPS の評価法

項目	正常（2点）	異常（0点）
ノンストレステスト (non-stress test)	20～40分の観察で，15 bpm 以上かつ15秒以上の一過性頻脈が2回以上	20～40分の観察で，15 bpm 以上かつ15秒以上の一過性頻脈が1回，もしくは認められない
胎児呼吸様運動 (fetal breathing movement)	30分間の観察で，30秒以上持続する胎児呼吸様運動が1回以上認められる	30分間の観察で，30秒以上持続する胎児呼吸様運動が認められない
胎動 (gross fetal body movement)	30分間の観察で，胎児体幹や四肢の運動を3回以上認める（連続した運動は1回と数える）	30分間の観察で，胎児体幹や四肢の運動が2回以内
筋緊張（fetal tone）	30分間の観察で，四肢の伸展とそれに引き続く屈曲運動，もしくは手の開閉運動を1回以上認める	30分間の観察で，四肢の伸展屈曲運動もしくは手の開閉運動を認めない
羊水量（amniotic fluid volume）	羊水ポケットが2 cm を超える	羊水ポケットが2 cm 未満

〔村林奈緒，佐川典正：胎児－胎盤機能検査．日本産科婦人科学会雑誌，59(7)：N196，2007．より引用〕

4 翔子さんの追加情報（p.6）から産科歴や今回の妊娠経過をアセスメントしましょう．

・産科歴

⇒2年前に自然流産していますが，特に分娩経過に影響するような産科歴はありません．

・妊娠経過

⇒妊娠12週でつわりにより体重が2 kg 減少していますが，非妊時の BMI は22.0と普通体型ですので，妊娠中の体重増加10 kg は適正範囲であると考えます．感染症もなく，血圧，尿検査，血糖検査は正常であり，妊娠性貧血もありませんので，妊娠経過は正常であり，現時点ではローリスク産婦であると判断します．

・母体の健康状態

⇒感染症，妊娠高血圧症候群や妊娠糖尿病もなく妊娠経過が正常であったことから，妊娠・分娩に影響を及ぼす疾患はありません．母体の身長と胎児推定体重からみると児頭骨盤不均衡（cephaloplevic dispropotion；CPD）はないと判断します．

・胎児の健康状態

⇒妊娠38週0日の超音波検査では胎児推定体重3,000 g は＋0.5 SD であり，妊娠週数相当体重（appropriate for dates；AFD）児です．本日38週6日の胎児推定体重は，妊娠末期の胎児推定体重の増加が150 g/週程度であるので3,150 g 程度と推測します．胎児心拍数130 bpm は正常範囲にありますが，より的確に胎児健常性（well-being）を判断するためには胎児心拍数モニタリングが必要です．BPS スコア10点および羊水量の AFI 8 cm

は正常範囲です．

・**心理・社会的背景**

⇒分娩に向けて夫婦で両親学級を受講し，Baby Friendly Hospital の病院を選び，夫立ち会い分娩，早期母子接触や母乳育児を楽しみにするなど分娩に向けて前向きな準備状況がうかがえます．しかしながら，両親学級を病院と地域の両方で受けるなど分娩に向けた不安を抱えている可能性もあります．夫も一緒に分娩時の呼吸法やマッサージを支援できるよう援助していく必要があります．

就労妊婦で産後休業後に復職する予定ですが，産後に育児支援も得られる状況であることから，夫や家族との関係性は良好であると推測します．

メンタルヘルスの指標となる妊娠 38 週 0 日の EPDS 得点は 3 点で特に問題はありません．しかしながら，初産婦であることから産後の育児不安，夫や家族との関係性の変化なども予測されますので，分娩時や産後の翔子さんや家族の様子をていねいに観察し，アセスメントしていきます．

3　事例の助産診断の導き方と助産診断の決定

1 翔子さんの現在の助産診断を考えてみましょう．

・**時期診断**

⇒妊娠 38 週 6 日であり，正期産である．分娩は開始しており，現在分娩第 1 期の潜伏期である．

・**経過診断**

⇒分娩に影響するような疾患はなく，現時点で分娩は正常に経過している．

・**経過予測診断**

⇒現時点で分娩の経過予測をすることは難しいので，翔子さんからの次の連絡あるいは入院時の状態から分娩の経過予測をする．

4　助産計画の立案（目標と具体策）

1 どのような助産目標が考えられますか．

・翔子さんが自宅待機しながら順調な分娩進行がみられ，次に連絡する時期を判断でき，適切な時期に入院できる．

2 翔子さん本人が自分で観察し，判断できるように，自宅での過ごし方や次の連絡時期などの具体策について考えてみましょう．

【観察プラン】

・陣痛の状態（周期，強さ，間欠），胎動，破水の有無，血性分泌物，いきみたい感じの有無（翔子さん自身で観察）

【ケアプラン】

①電話で翔子さんと直接話し，本人の訴えをよく聞く．

②分娩第1期の潜伏期であるので，自宅でなるべくリラックスし，翔子さん自身が安楽な体位で過ごせるようにする．

【指導・説明・支持プラン】

①どのような状態になれば連絡したほうがよいかについて具体的に説明する．

②陣痛周期が5分になったら一度連絡するように伝える．

③正常から逸脱した症状（鮮血を伴う出血，痛みの急激な増強，破水，胎動を感じない）について説明し，これらの症状があればすぐ連絡することを伝える．

④陣痛発作時はなるべく体に力を入れないようにして，ゆっくりと呼吸する．部屋の電気は薄暗くして，産痛があれば両親学級で学んだように自分で，または夫にマッサージしてもらう．水分は1～2時間おきに100～150 mL程度摂取し，トイレは我慢せずに2～3時間おきに行くように説明する．空腹時はエネルギー源となる炭水化物などを少しでも食べるように促す．

⑤入院時は化粧をせずにマニキュアを落とし，爪を切っておくように説明する．

助産師として，翔子さんの次の連絡や入院に備えて分娩室の環境整備，薬品，物品の確認をしておきましょう．

文献

1）日本助産師会助産業務ガイドライン改訂検討特別委員会：助産業務ガイドライン2019．p.18，日本助産師会出版会，2019．
2）日本産科婦人科学会，日本産婦人科医会編：CQ414．「産婦人科診療ガイドライン産科編2023」．pp.249-252，日本産科婦人科学会，2023．
3）日本産科婦人科学会編：産科婦人科用語集・用語解説集．改訂第4版，p.199，日本産科婦人科学会，2018．
4）前掲2）　CQ401．pp.199-201．
5）前掲1）　p.10．
6）前掲2）　CQ603．pp.302-304．

参考文献

・佐々木くみ子責任編集：助産師基礎教育テキスト2023年版．第5巻，p.118，日本看護協会出版会，2023．

1．初産婦の分娩期 2）分娩第1期 入院時

あなたは，3:15 に再度翔子さんから「午前 3:00 にさらっとした水っぽいものがあった」と電話を受けました．陣痛周期は 4〜5 分で，陣痛持続時間は 30〜40 秒です．破水の可能性を考えて翔子さんにすぐ入院するように伝えました．

1 アセスメントに必要な知識

1 分娩期第 1 期の内診の目的[1]について確認しましょう．

- 分娩開始の徴候や陣痛発来から分娩開始を予測した場合，分娩開始の診断や異常の有無を判断する．
- 軟産道における変化〔子宮頸管の開大，展退などを Bishop score（表 6）で判定〕や胎児の先進部と骨産道の関係など〔正軸進入[*3]の有無（図 2），児頭の回旋状態〕について情報収集し，分娩経過を診断する．
- 出血などの異常徴候があった場合は，異常の原因を追究し，診断・悪化予防をする．

表 6 Bishop score（子宮頸管成熟度）

因子＼点数	0	1	2	3
頸管開大度（cm）	0	1〜2	3〜4	5〜6
展退度（%）	0〜30	40〜50	60〜70	80 以上
児頭下降度	−3	−2	−1〜0	+1 以上
子宮頸部の硬度	硬	中	軟	
子宮口位置	後	中	前	

9 点以上を成熟とし，分娩開始が近いとされる．

[*3] 正軸進入とは左右頭頂骨が同じ高さで骨盤腔に進入し，矢状縫合がほぼ正しく骨盤軸上を下降していく様式．

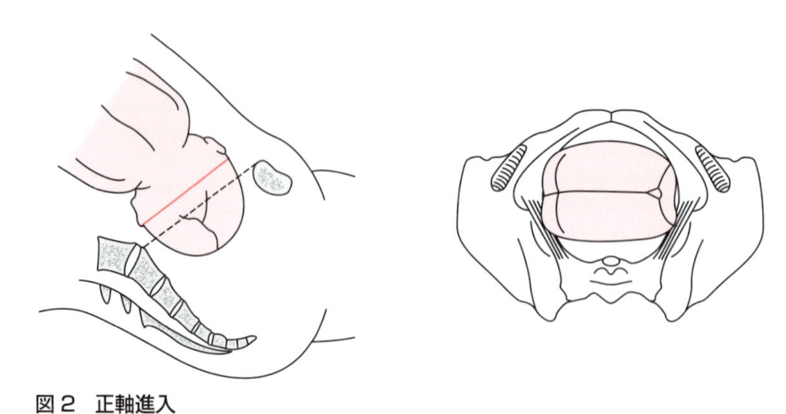

図２　正軸進入

（池ノ上 克，他編：NEW エッセンシャル産科学・婦人科学．第３版，p.341，医歯薬出版，2015 を参考に作成）

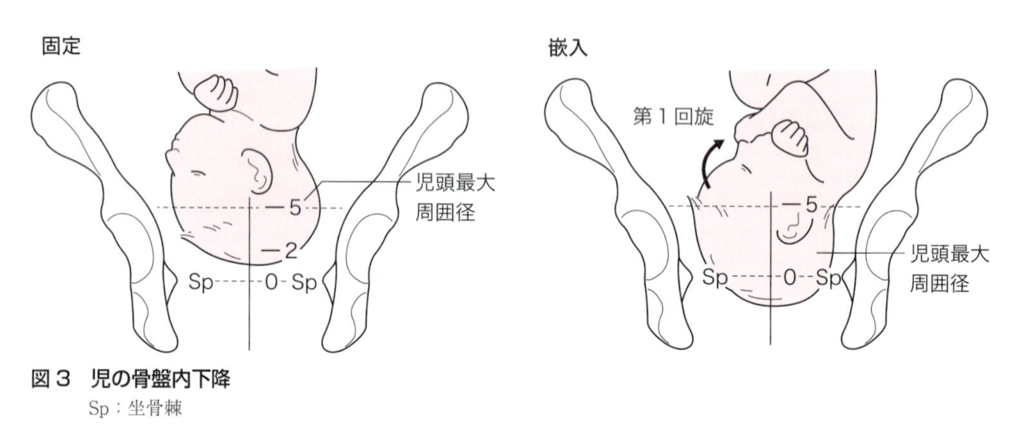

図３　児の骨盤内下降

Sp：坐骨棘

2 児頭の固定と嵌入について学びましょう（図３）.

- 児頭の固定は，児頭最大周囲径が骨盤入口部にはまり，移動性を失った状態である.
- 児頭の嵌入は，児頭が第１回旋を経て下降し，児頭最大周囲径が骨盤入口部を通過した状態を指す.

3 破水の診断について確認しましょう.

- 低位破水とは，胎児先進部に形成される胎胞の部分で卵膜が破れるもので，完全破水である.
- 高位破水[*4]とは，子宮口あるいは胎児先進部よりも高い位置で卵膜が破れた場合をいう．高位破水では羊水の流出は少量の場合が多く，児頭が下降すると羊水の流出が停止することもある.
- 破水を確認する方法として，低位破水では腟鏡診により水様性帯下の持続的な流出や胎児先進部が直接確認できる（子宮口開大による）．または表７に示す破水を確認するおもな検査により確認する．高位破水の場合は内診にて卵膜を触れることが特徴的である.

[*4] 高位破水とは，破水は胎胞の部分の卵膜が破れて起こるが，子宮口あるいは胎児先進部よりも高い位置で卵膜が破れる場合をいう.（日本産科婦人科学会編：産科婦人科用語集・用語解説集．改訂第４版，p.67，日本産科婦人科学会，2018.）

表 7　破水を確認するおもな検査

1. pH 検査法
腟内の pH 4.5〜6.0，羊水の pH 7.1〜7.3 であり，腟内がアルカリ性を示せば破水している可能性が高い．出血や，トリコモナス腟炎，精液，石けんなどにより偽陽性となることがある．
・リトマス紙：青変すればアルカリ性．
・BTB 試薬：アルカリ性であれば，黄色から青色に変化．
・ニトラジン法（エムニケーター®）：あらかじめ綿棒に，指示薬であるニトラジンイエローを浸したもの．青変すれば破水の可能性あり．90% の正診率．

2. がん胎児性フィブロネクチン法（ロムチェック®）
羊水中のがん胎児性フィブロネクチンの存在により診断する．98%の正診率．

3. 胎児毳毛（ぜいもう）証明法
子宮口からの漏出物から，胎児の毳毛を確認する．

4. α-フェトプロテイン（α-fetoprotein；AFP）
胎児由来の物質であり，羊水中には母体血中より高濃度に存在する．尿中や腟分泌液中にはほとんど含まれていない．羊水中の物質として特異性が高く，腟内から検出されれば破水と診断される．

5. インスリン様成長因子結合タンパク質 1 型（insulin-like growth factor-binding protein-1；IGFBP-1）
インスリン様成長因子に結合するタンパク質の一種で，羊水中に高濃度で存在する．正常妊娠妊婦の腟中にはごく微量しか認められないため，破水診断の指標となる．

（森　恵美，他：系統看護学講座専門分野Ⅱ　母性看護学各論．第 14 版，p.218，医学書院，2021．をもとに作表）

4 胎児心拍数陣痛図を読むうえでのポイント[2)]を押さえておきましょう．

- 胎児心拍数基線は 110〜160 bpm が正常で，5 bpm 刻みで表す．
- 一過性頻脈は 15 bpm・15 秒以上の心拍数の上昇である．
- 基線細変動は振幅 6〜25 bpm が正常である．
- 一過性徐脈は一般に 30 bpm 未満の心拍数の下降がみられ，早発一過性徐脈，遅発一過性徐脈がある．急速に 15 bpm 以上に心拍数が下降する場合は変動一過性徐脈である．
- 子宮収縮前後の一過性頻脈は臍帯静脈の圧迫によるものが多く，羊水量が少ないことが多い．
- 子宮収縮時から子宮収縮後の心拍数の変化をていねいに観察する．
- 子宮収縮後の胎児心拍数基線の増加は遅発一過性徐脈の最初のパターンである．

・**表 8** に胎児心拍数陣痛図の判定基準の詳細を示します．胎児心拍数基線，胎児心拍数基線細変動，一過性変動，一過性徐脈について，子宮収縮との関係やその原因を確認しておきましょう．
・**表 9** は「産婦人科診療ガイドライン　産科編 2023」[2)] にも掲載されている胎児心拍数波形のレベル分類です．特にレベル 3 以上を胎児機能不全とすることを理解しておきましょう．
・**表 10** は医療機関における胎児心拍数波形分類に基づく対応と処置を示しています[2)]．波形レベルに応じて対応と処置は A〜D があります．特に助産師として経過観察できる場合と医師への報告・協働が必要な場合を判断できるようにしましょう．

表 8 胎児心拍数陣痛図の判定基準

胎児心拍数基線（FHR baseline）		基準	原因
正常（整）脈（normocardia）	10 分の区画におけるおおよその平均胎児心拍数を 5 bpm きざみで表す．判定において除外する区画は，①一過性変動，② 26 bpm 以上の胎児心拍数細変動部分，③ 10 分間に複数基線があり，差が 26 bpm 以上ある場合 基線を読む場所は少なくとも 2 分以上続く場所とし，ない場合は不確実とし，直前の 10 分区画から判定	110～160 bpm	
徐脈（bradycardia）		＜ 110 bpm（一般的に 10 分以上）	第 2 期軽度徐脈：持続的児頭圧迫，突然高度徐脈：常位胎盤早期剥離，子宮破裂，胎児房室ブロック，母体薬剤投与など
頻脈（tachycardia）		＞ 160 bpm	母体発熱，子宮内感染，軽度低酸素状態，胎児上室性頻拍症，母体低血圧，母体薬剤投与など
胎児心拍数基線細変動（FHR baseline variability）			
細変動消失（undetectable）	FHR：胎児心拍数 UC：子宮収縮	－	胎児のアシドーシス，母体薬剤投与，胎児疾患（中枢神経疾患，A-V ブロックなど）
細変動減少（minimal）	FHR UC	5 bpm 以下	胎児のアシドーシス，母体薬剤投与，胎児疾患，在胎週数の少ない胎児，胎児のノンレム状態など
細変動中等度（moderate）	FHR UC	6～25 bpm	
細変動増加（marked）	FHR UC	26 bpm 以上	臍帯圧迫，胎児への刺激，胎児不整脈時みかけ上の増加など
胎児心拍数一過性変動（periodic or episodic change of FHR）			
一過性頻脈（acceleration）	FHR UC	32 週以降：30 秒未満で頂点，15 bpm 以上，15 秒以上 2 分未満の持続 32 週未満：30 秒未満で頂点，10 bpm 以上，10 秒以上 2 分未満の持続	
一過性徐脈（deceleration）			
早発一過性徐脈（early deceleration）	FHR UC	収縮に伴い緩やかに減少し，緩やかに回復．心拍数最下点と収縮最強点が一致する．100 bpm 以下になることはまれ	児頭圧迫による頭蓋内圧上昇に伴う迷走神経反射．臍帯圧迫で起こることもある
遅発一過性徐脈（late deceleration）	FHR UC	収縮開始に遅れて緩やかに減少し，緩やかに回復．心拍数最下点が収縮最強点より遅れる 高度：15 bpm 以上低下	低酸素状態．基線細変動の減少・消失はより重症（常位胎盤早期剥離，胎盤機能不全．過強陣痛．母体低血圧，子宮破裂など）
変動一過性徐脈（variable deceleration）	FHR UC	15 bpm 以上の心拍数減少が急速に起こり，開始から回復まで 15 秒以上 2 分未満 高度：最下点 70 bpm 未満・30 秒以上，あるいは 70～80 bpm・60 秒以上	臍帯圧迫などによる臍帯血行障害で迷走神経反射． 高度で頻回の場合，低酸素状態へ移行する可能性あり（臍帯巻絡，卵膜付着，破水後など）
遷延一過性徐脈（prolonged deceleration）	FHR UC	15 bpm 以上低下．開始から回復まで 2 分以上 10 分未満 高度：最下点 80 bpm 未満	内診による刺激，過強陣痛，臍帯圧迫，臍帯脱出，仰臥位低血圧症候群，胎盤早期剥離，娩出時のいきみなどが原因．原因によりリスクは異なる
サイナソイダルパターン（sinusoidal pattern）	FHR UC	1 分間に 2～6 サイクル，5～15 bpm（36 bpm 以下）の波形	胎児重症貧血，母体薬剤投与，臍帯圧迫，子宮内の感染，胎児機能不全など

（岡井 崇：胎児心拍数モニタリング．日本産科婦人科学会雑誌，59(7)：N202-N223，2007．/池田智明，他：胎児機能不全診断基準の妥当性に関する小委員会報告．日本産科婦人科学会雑誌，65(6)：1398，2013．をもとに作成）

表9　胎児心拍数波形の判定方法（胎児心拍数波形のレベル分類）

レベル表記	日本語表記	英語表記
レベル1	正常波形	normal pattern
レベル2	亜正常波形	benign variant pattern
レベル3	異常波形（軽度）	mild variant pattern ｝胎児機能不全
レベル4	異常波形（中等度）	moderate variant pattern ｝胎児機能不全
レベル5	異常波形（高度）	severe variant pattern ｝胎児機能不全

波形分類の判定								
一過性徐脈／心拍数基線	なし	早発	変動		遅発		遷延	
			軽度	高度	軽度	高度	軽度	高度
基線細変動正常例								
正常脈	1	2	2	3	3	3	3	4
頻脈	2	2	3	3	3	4	3	4
徐脈	3	3	3	4	4	4	4	4
徐脈（< 80）	4	4		4	4	4		
基線細変動減少例								
正常脈	2	3	3	4	3*1	4	4	5
頻脈	3	3	4	4	4	5	4	5
徐脈	4	4	4	5	5	5	5	5
徐脈（< 80）	5	5		5	5	5		
基線細変動消失例*2								
心拍数基線にかかわらず	4	5	5	5	5	5	5	5
基線細変動増加例*3								
心拍数基線にかかわらず	2	2	3	3	3	4	3	4
サイナソイダルパターン								
心拍数基線にかかわらず	4	4	4	4	5	5	5	5

*1：正常脈＋軽度遅発一過性徐脈：健常胎児においても比較的頻繁に認められるので「3」とする．ただし，背景に胎児発育不全や胎盤異常などがある場合は，「4」とする．

*2：薬剤投与や胎児異常など特別な誘因がある場合は個別に判断する．
心拍数基線が徐脈（高度を含む）の場合は一過性徐脈のない症例も「5」と判定する．

*3：心拍数基線が明らかに徐脈と判定される症例では，上記「基線細変動正常例」の徐脈（高度も含む）に準じる．

胎児心拍数波形のレベル分類は，10分区画ごとに胎児心拍数陣痛図を判読し，表および付記に基づき判定する．複数レベルが出現している場合は最も重いレベルとする．本波形分類に基づき胎児機能不全の診断を行う場合は，レベル3～5を該当させるものとする．

付記：
i．用語の定義は日本産科婦人科学会55巻8月号周産期委員会報告による．
ii．ここでサイナソイダルパターンと定義する波形はiの定義に加えて以下を満たすものとする．
　①持続時間に関して10分以上．
　②滑らかなサインカーブとはshort term variabilityが消失もしくは著しく減少している．
　③一過性頻脈を伴わない．
iii．一過性徐脈はそれぞれ軽度と高度に分類し，以下のものを高度，それ以外を軽度とする．
　◇遅発一過性徐脈：基線から最下点までの心拍数低下が15 bpm以上
　◇変動一過性徐脈：最下点が70 bpm未満で持続時間が30秒以上．または最下点が70 bpm以上80 bpm未満で持続時間が60秒以上
　◇遷延一過性徐脈：最下点が80 bpm未満
iv．一過性徐脈の開始は心拍数の下降が肉眼で明瞭に認識できる点とし，終了は基線と判定できる安定した心拍数の持続が始まる点とする．心拍数の最下点は一連の繋がりを持つ一過性徐脈の中の最も低い心拍数とするが，心拍数の下降の緩急を解読するときは最初のボトムを最下点として時間を計測する．

〔岡井　崇，他：日本産科婦人科学会周産期委員会委員会提案．胎児心拍数波形の分類に基づく分娩時胎児管理の指針（2010年版）．日本産科婦人科学会雑誌，62：2068-2073，2010．より引用/日本産科婦人科学会，日本産婦人科医会編集・監修：CQ411．「産婦人科診療ガイドライン　産科編2023」．pp.234-237，日本産科婦人科学会，2023．〕

表 10 医療機関における胎児心拍数波形のレベル分類に基づく対応と処置（主に 32 週以降症例に関して）

波形レベル	対応と処置	
	医師	助産師*
1	A：経過観察	A：経過観察
2	A：経過観察 または B：監視の強化，保存的処置の施行および原因検索	B：連続監視，医師に報告する
3	B：監視の強化，保存的処置の施行および原因検索 または C：保存的処置の施行および原因検索，急速遂娩の準備	B：連続監視，医師に報告する または C：連続監視，医師の立ち会いを要請，急速遂娩の準備
4	C：保存的処置の施行および原因検索，急速遂娩の準備 または D：急速遂娩の実行，新生児蘇生の準備	C：連続監視，医師の立ち会いを要請，急速遂娩の準備 または D：急速遂娩の実行，新生児蘇生の準備
5	D：急速遂挽の実行，新生児蘇生の準備	D：急速遂娩の実行，新生児蘇生の準備

波形レベル 3，4 では，10 分ごとに波形分類を見直し対応する．対処と処置の実行に際しては，妊娠週数，母体合併症，胎児の異常，臍帯・胎盤・羊水の異常，分娩進行状況などの背景因子，経時的変化および施設の事情（緊急帝切の準備時間等）を考慮する．

*：医療機関における助産師の対応と処置を示し，助産所におけるものではない．

〈保存的処置の内容〉

一般的処置：体位変換，酸素投与，輸液，陣痛促進薬注入速度の調節・停止など．

場合による処置：人工羊水注入，刺激による一過性頻脈の誘発，子宮収縮抑制薬の投与など．

〔岡井 崇，他：日本産科婦人科学会周産期委員会委員会提案．胎児心拍数波形の分類に基づく分娩時胎児管理の指針（2010 年版）．日本産科婦人科学会雑誌，62：2068-2073，2010．より引用/日本産科婦人科学会，日本産婦人科医会編集・監修：CQ411．「産婦人科診療ガイドライン 産科編 2023」．p.236，日本産科婦人科学会，2023．〕

5 分娩期の胎児心拍数聴取について知識を確認しましょう．

分娩期は，分娩監視装置による胎児心拍数モニタリング[*5]を行う．入院時を含む分娩第 1 期には一定時間（20 分以上）分娩監視装置を使用し，胎児心拍数波形分類を評価する．胎児心拍数波形がレベル 1 ならば（**表 9**），次の分娩監視装置使用まで 6 時間以内は間欠的胎児心拍数聴取を行う．聴取間隔は，分娩第 1 期潜伏期は 30 分ごと，活動期は 15 分ごとで，分娩第 2 期は 5 分ごとあるいは子宮収縮のたびに確認する[3]．聴取時間はいずれも子宮収縮後に 60 秒間測定し，子宮収縮に対する胎児心拍数の変動について胎児健常性（well-being）を評価する．次の場合も一定時間（20 分以上）分娩監視装置を使用し，胎児モニタリングの結果を評価する[4]．

- 破水時（B）
- 羊水混濁あるいは血性羊水を認めたとき（B）
- 間欠的胎児心拍数聴取で（一過性）徐脈，頻脈を認めたとき（A）
- 分娩が急速に進行したり，排尿・排便後など，胎児の位置の変化が予想される場合（間欠的児心拍聴取でもよい）（C）

（推奨レベル A〜C については p.vii参照）

表 8〜10 を確認しながら胎児心拍数波形分類を判定し，必要な対応と処置を実施する．

---

*5 モニタリングの記録は助産録と同様に 5 年間保存する．

2　事例の情報整理と情報の分析・解釈・統合（アセスメント）

あなたは，3:45 に夫とともに入院してきた翔子さんを陣痛室または LDR に案内し，プライバシーを確保しながら問診や内診を行い，以下の情報を得ました．

翔子さんの 4:00 の状態

入院時妊娠週数　39 週 0 日．
陣痛周期 3〜4 分，陣痛持続時間 40〜50 秒．体温 36.8℃，脈拍 82 回/分．
血圧 120/70 mmHg，尿蛋白（－），尿糖（－），浮腫（－）．静脈瘤：外陰部なし，下肢なし．
排便：昨日の朝あり．食事：昨日 18:00 過ぎに夕食を普通に食べた．その後，夜中にお腹が空いてバナナを 1 本食べた．その間ウーロン茶をコップ 2 杯飲んだ．
診察所見：羊水流出少量，BTB 試験紙青変，羊水混濁なし，内診では先進部は児頭，卵膜を触れる．子宮口開大 4〜5 cm，展退 70%，St－1（p.24 および p.25 の図 5 参照），子宮頸部の硬度：中，子宮口位置：中央，先進部固定，子宮底長 32 cm，腹囲 90 cm，第 2 胎向頭位．
CTG 所見：胎児心拍数基線 130 bpm，基線細変動 10〜15 bpm，一過性頻脈 2 回以上 /20 分，一過性徐脈なし（図 4）．

陣痛発作時はお腹と腰が痛いようで，少し顔をしかめてフーフーとゆっくり呼吸している．夫は陣痛発作時に腰をマッサージしている．表情からは疲労の様子はみられない．「これからもっと陣痛が強くなりますよね」と心配そうに話す．

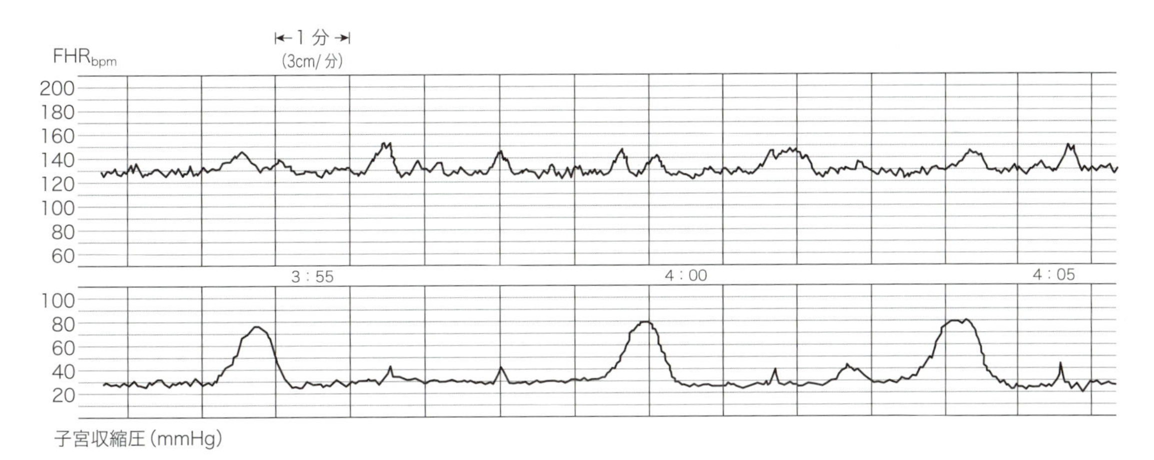

図 4　入院時の胎児心拍数陣痛図

1 分娩第 1 期のアセスメントのポイントをおさえておきましょう.

- 分娩第 1 期のどの時期か（時期診断）
- 分娩の 4 要素から判断して分娩を妨げる要因，促進する要因は何か
- 分娩進行，母体・胎児の健康状態について正常から逸脱する可能性やリスクの有無（特に経腟分娩の可否，児の推定体重，分娩時刻の予測，回旋異常の有無，遷延分娩の可能性，早期破水や異常出血の有無とその程度）
- 産婦の分娩への適応状態：対処行動としての産痛緩和・呼吸法・姿勢や体位，不安やサポートの有無とその程度，基本的ニード（水分・栄養補給，排泄，清潔，睡眠・休息など）の充足
- 分娩室への移室時期（LDR の場合，分娩の準備開始時期）

2 翔子さんの入院時の状態をアセスメントしましょう.

- **分娩経過**

  ⇒翔子さんは，現在陣痛周期 3～4 分，陣痛持続時間 40～50 秒，子宮口 4～5 cm 開大，Bishop score 8 点は，子宮頸管成熟の 9 点には及びませんが，今後陣痛周期が短縮し，陣痛持続時間が長くなれば熟化してくると考えられます．St−1 から児頭は固定しています．陣痛発来から 8 時間経過しており，分娩第 1 期の潜伏期から活動期に入りつつあると判断します[*6]．破水は内診により卵膜を触れることから高位破水と判断します．感染予防のため医師の指示のもと抗生物質の投与を行います．引き続き羊水の流出状態や性状を観察し，感染徴候の有無を観察します．翔子さんのバイタルサインに問題はなく，食事も摂取できており疲労感もないことから健康状態は良好です．今後，発熱や脈拍の変化に気をつけましょう．

- **胎児の健康状態**

  ⇒ CTG 所見からは胎児心拍数基線 130 bpm，基線細変動は 10～15 bpm の中等度，一過性頻脈あり，徐脈なしで，胎児健常性（well-being）が保たれていますので，胎児心拍数波形分類のレベル 1 であると判断します．現状では間欠的胎児心拍数聴取でよいと考えますが，胎児健常性が維持されない場合は，一定時間（20 分以上）分娩監視装置を装着し，胎児心拍数モニタリングの結果を評価していきます．

- **分娩への適応状態**

  ⇒翔子さんは発作時に上手にフーフー呼吸ができており，夫も腰をマッサージするなど，今のところは落ち着いて対処できているため，分娩への適応状態は問題ないと考えます．しかしながら，「これからもっと陣痛が強くなりますよね」と心配そうに話していることから，今後の陣痛状態に対処していけるかどうか不安があると思われます．分娩進行状態を説明し，翔子さんがうまく対処できていれば称賛し，寄り添う姿勢で支援していきます．

[*6] 令和 2 年度日本産科婦人科学会周産期委員会は，「初産・経産ともに，分娩第 1 期は子宮口開大 5 cm までが潜伏期，活動期は 5~6 cm を加速期，6~10 cm を極期とするのが妥当である」[5] と報告している．

・**分娩の経過予測**

⇒分娩経過，胎児の健康状態，分娩への適応状態から今後分娩は正常に経過すると予測します．分娩第１期の活動期（規則的な陣痛と子宮口開大５cm 以上）からの分娩進行は，正常からの逸脱がなければ，WHO のパルトグラムに基づき，子宮口は１時間に１cm 以上開大すると予測し，子宮口全開大は約６時間後の 10：00 頃，児娩出時刻は 11：00～12：00 と予測します．ただし，夜間であり，今後翔子さんが疲労する可能性もあるため，その場合は児娩出時刻はさらに遅くなると考えられます．

3　事例の助産診断の導き方と助産診断の決定

1 翔子さんの現在の助産診断を考えてみましょう．

・**時期診断**

⇒妊娠 39 週 0 日の正期産であり，現在分娩第 1 期の潜伏期から活動期に入りつつある．

・**経過診断**

⇒早期破水（高位破水）をしているが，現時点で分娩は正常に経過している．
感染徴候や胎児の健康状態に留意する必要がある．

・**経過予測診断**

⇒正常からの逸脱がなければ，約 6 時間後に子宮口全開大，その後 1～2 時間で児娩出に至ると予測する．

4　助産計画の立案（目標と具体策）

1 翔子さんの分娩第１期の優先順位を考えた助産目標はどうなりますか．

1）感染徴候や微弱陣痛が出現することなく分娩第 1 期が正常に経過し，約 6 時間後には分娩第 2 期に移行する（初産婦の分娩第 1 期平均所要時間は，10～12 時間で経過する）．

2）胎児健常性（well-being）が維持され，胎児機能不全に陥らない（1 分後の Apgar score 8 点以上，臍帯血ガス分析の結果が正常）．

3）翔子さんと夫がリラックスしながら満足した分娩ができる．

2 上記の助産目標 1）～3）に対して，どのような具体策が考えられますか．

【観察プラン】

①産婦の健康状態

⇒バイタルサイン，疲労の有無と程度，排泄状態と性状，睡眠状態，発汗の有無，食事・水分摂取状況，手足のしびれや冷え，緊張などの有無と程度，呼吸法の状態，口唇色，顔色，嘔気・嘔吐の有無と程度．

②分娩進行状態

⇒陣痛周期，陣痛持続時間，産痛の部位と程度，内診所見（子宮口開大，子宮頸管展退，子宮頸管の硬度，子宮頸管の位置，児頭下降度，回旋の状態，卵膜の有無，胎胞の有無，軟産道の伸展性），血性分泌物や羊水流出状態と性状，胎動の有無と程度，排便感・努責感の有無と程度.

③胎児の健康状態

⇒胎児心拍数（基線，基線細変動，頻脈・徐脈の有無と程度），陣痛との関係（早発一過性徐脈，遅発一過性徐脈，変動一過性徐脈の有無と程度）.

④産婦の分娩への取り組み姿勢や心理状態

⇒妊娠の受容の程度（バースプラン，出産に向けての心の準備や育児用品の準備状態を出産準備教育の受講状況から判断する），不安や緊張状態の有無と程度.

⑤家族との関係

⇒夫の出産への参加意欲やかかわり方，産婦の夫への役割期待，出産に対する家族の期待.

【ケアプラン】

ここでは分娩を促進するケアについて考えてみましょう.

①産痛緩和

- **呼吸法**：陣痛発作時は，呼気を長くして過換気症候群にならないようにする.
- **圧迫法**：陣痛発作時に産痛を感じる部位を産婦自身がテニスボールや握りこぶしで圧迫する.翔子さんが自分でできない場合は，夫に圧迫してもらう．分娩第2期近くになれば，産婦の努責感に対して肛門部を手掌または握りこぶしで圧迫する.
- **温湿布**：腰痛，下腹部痛，恥骨痛に対して，熱い湯に浸して絞ったタオルの温湿布，ベビー用湯たんぽやヒートマットを使用した温罨法を行う.
- **足浴**：血液循環を促し産婦をリラックスさせ，陣痛を増強させる.
- **マッサージ**：産婦の希望に応じて夫によるマッサージを続けてもらう．マッサージより圧迫法のほうが気持ちよければ，夫に圧迫を実施してもらう.

②自由な体位

身体的・心理的にリラックスできるように産婦の好きな自由な体位をとってもらう．子宮収縮を促すためには，子宮体の血流が多くなる体位である立位や座位を勧める．児の下降を促すために産婦の好みに応じて分娩椅子，アクティブチェア，バースボールなどを使用する．また，背部や腰部にクッションを入れて半座位や側臥位，シムス位など体位を工夫する.

③基本的ニードの充足

- 適宜水分や食事を摂取するように促す（産婦のエネルギー源となる食べ物；おにぎりやバナナ，ジュース，ゼリー，プリン，ヨーグルトなど).
- 2～3時間おきに排尿を試みる．破水や血性分泌物がある場合，適宜パッドを交換し，陰部の清潔を保つ．産婦が短時間でも眠れるように部屋を薄暗くし，室温・湿度を調整する．産婦がリラックスできるような音楽をかける.

※いずれのケアも産婦の希望に応じて実施することが重要である.

【指導・説明・支持プラン】

①産婦と夫に現在の分娩進行状態をわかりやすく説明する．

②産婦自身が実施できる呼吸法について説明する．

③産婦が助産師に知らせるべき以下の徴候や異常について説明する．

（嘔気・嘔吐，いきみたい感じ，便意，息苦しさ，手足のしびれ，急激な陣痛発作の増強，陣痛の間欠がない，鮮血の出血，急激な下腹部痛，破水（多量の羊水の流出など）．）

④産婦が産痛にうまく対処できていたり，夫が産婦を上手にサポートできていたりする時は称賛し，産婦に寄り添いながら支援する．

助産計画を立案し実施する場合，分娩進行を促すケアの適切性やその効果を常に評価することも大切です．分娩陣痛の有効性を判断し，子宮頸管熟化・子宮口開大と児頭下降度との関連から分娩進行状態の正常性の判断と予測したケアの評価を行います．もし，分娩進行を促すケアが適切でなかった場合は，その原因をアセスメントし，いつまで経過観察するのか，今後どのようなケアを実施すればよいのかを決定していきます．

文献

1）森　恵美，他：系統看護学講座専門分野Ⅱ　母性看護学各論．第14版，p.218，医学書院，2021．
2）日本産科婦人科学会，日本産婦人科医会編集・監修：CQ410，CQ411．「産婦人科診療ガイドライン 産科編2023」．pp.228-237，日本産科婦人科学会，2023．
3）日本助産師会助産業務ガイドライン改訂検討特別委員会：助産業務ガイドライン2019．p.56，日本助産師会出版会，2019．
4）前掲2）　CQ410．p.229．
5）日本産科婦人科周産期委員会報告：これまでの基準や用語を見直す小委員会：分娩経過図の標準曲線作成．日本産科婦人科学会雑誌，73(6)：678，2021．

参考文献

・Shindo R,et al：Spontaneous labor curve based on a retrospective multi-center study in Japan．Obstet Gynaecol Res，47(12)：4263-4269，2021．

1. 初産婦の分娩期　3) 分娩第1期 極期～分娩第2期

あなたは日勤で翔子さんを受け持つことになりました.

1 アセスメントに必要な知識

1 子宮口全開大が近いことが予測される分娩第1期極期の産婦の自覚症状や心理面について, 知識を確認しておきましょう[1,2].

- **産婦の自覚症状**：いきみたくなる, 胎児が殿部に降りてきた感じがする, 児頭が陰部に挟まった感じがする, 身体が熱くなる, 汗が出てくる, 眠気がする.
- **産婦の心理**：子宮口全開大までは努責できないことで, どうしたらよいのかわからなくなる, 分娩から逃げたい, うまく対処できないことで苛立ったり取り乱してしまう, 「自分はもうだめだ」と悲観的になる, 誰かそばにいてほしい, 動きたくない.
- **助産師による観察**：胎児心拍聴取部位が恥骨上部近くになる, 肛門から陰部にかけて圧迫感を感じる, 肛門哆開, 発作時声が漏れる, 発作時努責がかかる. 産婦が眉間にしわを寄せる, 無表情になる, 無口になる.

2 破水時の観察点と対応を整理しておきましょう.

- **観察点**：胎児の健康状態, 羊水混濁の有無, 流出状態, 子宮口開大, 児頭下降度, 臍帯下垂・脱出の有無.
- **対　応**：間欠的胎児心拍数聴取から20分以上分娩監視装置を使用し, 胎児心拍数波形分類を判定し胎児健常性を診断する.

3 内診によるstationと骨産道の位置について再確認し, 今後の分娩の経過予測に役立てましょう. 図5を見ながら, 児頭先進部と児頭最大通過面について確認しましょう.

「de LeeのStation」とは児頭先進部の下降度を示すもので, 児頭先進部と坐骨棘間線（Sp）との関係をステーション（station）で表現する. 児頭先進部先端が坐骨棘間線と同じ位置にある場合をstation 0とし, 上方1 cmにある場合をstation −1（St −1）, 下方1 cmにある場合をstation +1（St +1）で表す.

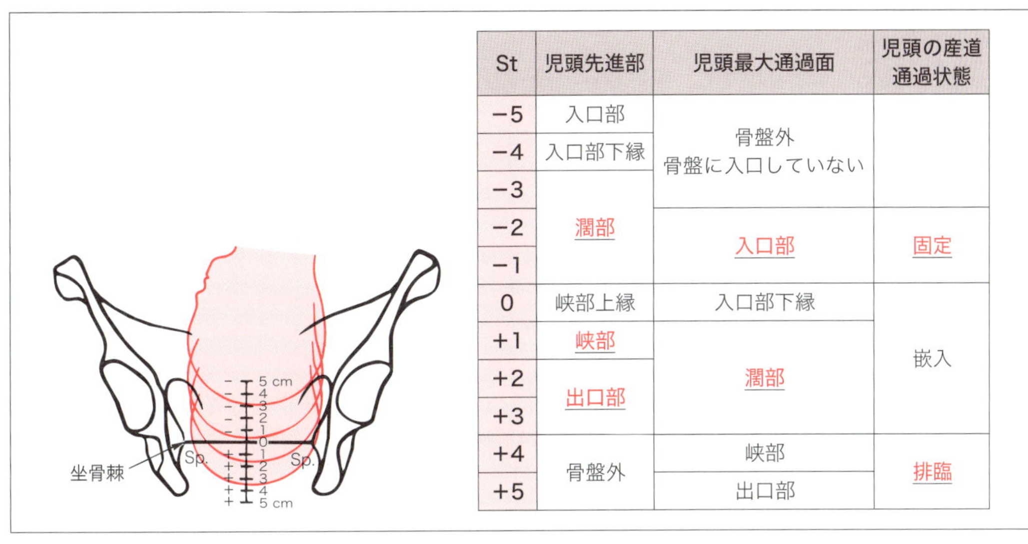

St	児頭先進部	児頭最大通過面	児頭の産道通過状態
−5	入口部	骨盤外 骨盤に入口していない	
−4	入口部下縁		
−3	濶部		
−2		入口部	固定
−1			
0	峡部上縁	入口部下縁	嵌入
＋1	峡部	濶部	
＋2	出口部		
＋3			
＋4	骨盤外	峡部	排臨
＋5		出口部	

図5　de Lee の Station

4 分娩期の異常出血について知識を整理しておきましょう.

- 児娩出前から出血がある場合，常位胎盤早期剥離や前置胎盤が考えられる.
- 児娩出後の異常出血は，分娩外傷，弛緩出血，癒着胎盤，子宮内反症などに起因する.

2 事例の情報整理と情報の分析・解釈・統合（アセスメント）

その後の翔子さんの分娩経過は以下のとおりでした.

入院後の分娩経過

4:00～9:00 の状態

4:00　分娩監視装置によるモニタリング終了．医師の指示により抗菌薬を内服.

5:00　ヒートマットで腰を温めると「気持ちいい」と言う.

6:00　トイレにて排尿あり．その後胎児心拍数モニタリング 30 分実施.
陣痛周期 3～4 分，陣痛持続時間 40～50 秒，トイレ歩行後アクティブチェアで 40 分ほど過ごす．ウーロン茶 150 mL 飲用.

7:30　ベッド上で陣痛間欠時にうとうとしている．そばで夫も寝ている.

8:20　座位で過ごしている．ジュース 250 mL とヨーグルト 1 個を摂取．胎児心音は右臍棘線上から恥骨側に近づいた位置で聴取．陣痛周期 3～4 分，陣痛持続時間 40～50 秒.
陣痛持続時間は 6 時から変わりないが増強している．「なんだか陣痛が強くなってきたみたいです」.
夜間，胎児心拍数は基線 130～140 bpm，基線細変動 10～15 bpm，一過性頻脈あり，徐脈なしで経過した.

9:00　トイレにて排尿あり．その後胎児心拍数モニタリングを開始.

9：15の状態
破水の訴えあり．体温37.0℃．脈拍80回/分，血圧128/76 mmHg.
内診所見：卵膜触れず．羊水混濁なし，子宮口開大9 cm，展退90%，子宮頸部の硬度：軟，子宮口位置：前方，St+1，小泉門10時，粘稠性の血性分泌物がパッドに付着．努責感あり．「おしりを押さえて～」と訴える．夫は，翔子さんの陣痛発作に合わせて肛門部を握りこぶしで一生懸命圧迫している．
陣痛の状態：陣痛周期2～3分，陣痛持続時間50～60秒，強度が強くなっている．陣痛発作時はフーフー呼吸が難しく，時々「う～ん」と声がもれる．また，陣痛発作時は眉間にしわを寄せて体をよじらせ下肢に少し力が入っている．陣痛間欠時はぐったりしていて，全身は少し汗ばんでいる．
胎児心拍数基線130 bpm，基線細変動10～15 bpm，陣痛発作ピーク時に児心音110 bpmまで低下するが，発作終了時には130 bpmまで回復する（図6）.

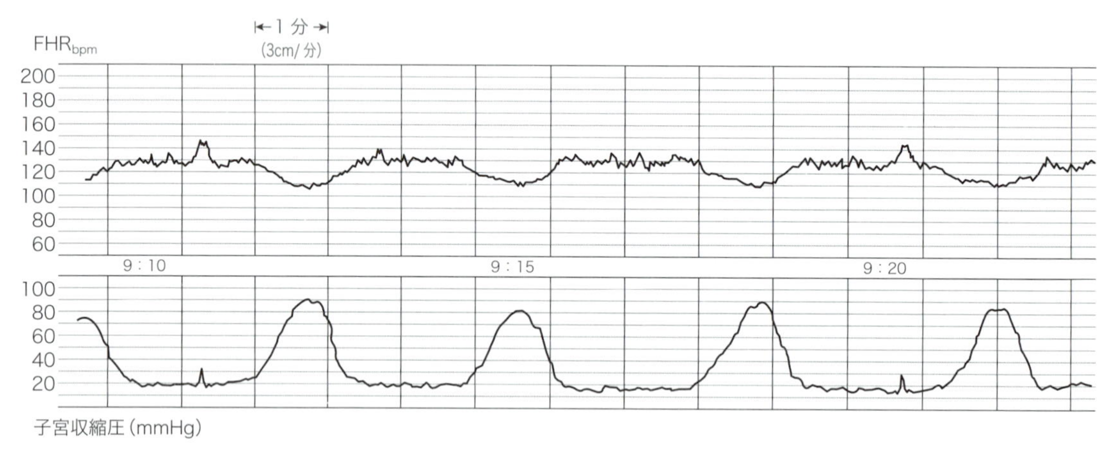

図6　破水時の胎児心拍数陣痛図

1 現在の翔子さんの状態をアセスメントしましょう.

・**分娩経過**

⇒翔子さんの分娩は夜間も順調に経過し，特に異常と判断される状態はみられません．現在，分娩第1期の極期にあり，翔子さんの呼吸法や姿勢，発汗の状態から分娩第2期が近づいています．朝方，少しうとうとしたことで現在有効な分娩陣痛があると考えます．翔子さんは早期破水（高位破水）でしたが，9時15分の時点で卵膜を触れないため完全破水，時期的には適時破水に相当します．臍帯の下垂・脱出や羊水混濁もなく，バイタルサインも正常で感染徴候もありません．現在のところ，児頭の小泉門は10時であり，回旋状態は正常です．
翔子さんは夜間には水分，朝にジュースやヨーグルトを摂取しているので，水分・食事摂取のニードは充足しています．全身が少し汗ばんでおり，今後発汗も多くなると予測されるので適宜水分摂取を勧めていきます．

- **胎児の健康状態**

⇒胎児心拍数陣痛図（**図 6**）より早発一過性徐脈がみられていますが，これは児頭下降によるもので，胎児健常性（well-being）は維持されており，胎児心拍数波形分類のレベル 2 です．今後一過性徐脈や変動一過性徐脈も出現すると考えられ，破水しているので持続的胎児心拍数モニタリングを継続します．

- **分娩への適応状態**

⇒ときどき努責が入る状態ですが，「肛門を押してほしい」などと自ら訴えることができているので，分娩にうまく適応できていると考えます．夫は肛門圧迫をするなど，一生懸命翔子さんをサポートしており，2 人で分娩期を乗り切ろうとする姿勢がうかがえます．いよいよ児娩出が近づいていることから，ときには翔子さんの口調が荒くなる，呼吸法や努責を逃すことがうまくできないなど，翔子さんの心理状態や対処について受けとめ，見守りながら安全で安楽な分娩を進めていきます．

- **分娩の経過予測**

⇒分娩第 1 期の極期ですが，これまで子宮口開大は 1 cm/ 時間であり，有効陣痛が得られているので，約 1 時間後の 10:30 に子宮口全開大，11:30～12:00 頃に児娩出と予測します．全開大後に努責を試み，排臨近くになれば分娩室に移室します．移室後 30 分から 1 時間で児娩出に至るように移室時期を考慮します．

〈分娩第 2 期　分娩室への移室と分娩の準備開始〉

2 分娩第 2 期のアセスメントのポイントをおさえておきましょう．

- 分娩経過の正常性，正常からの逸脱の可能性やリスクの有無〔特に胎児の健康状態，回旋状態と胎児先進部（翔子さんの場合は児頭）の下降状態〕
- 予測される異常に対する準備（薬剤，処置の準備，スタッフの配置など）の必要性
- 分娩進行に応じた呼吸法，児頭の下降に有効な努責の実施状況
- 産婦の基本的ニード（水分摂取，発汗・体熱感への対処）の充足
- 産婦や家族の不安の軽減・緩和の程度

3 分娩第 2 期の内診の目的について確認しましょう．

- 軟産道の伸展性をアセスメントし，児頭の大きさとの関係から会陰切開の必要性の有無を判断する．
- 児頭の回旋状態，児頭下降度，産瘤の有無・位置・大きさから努責の有効性と胎児の健康状態，児頭の大きさと骨盤出口部，特に仙骨の形態との関連から肩甲難産のリスクの有無を判断する．

追加情報：子宮口全開大〜移室時の状態

10:30　子宮口全開大，St+2，小泉門 12 時，産瘤なし，羊水混濁なし，陣痛周期 2〜3 分，陣痛持続時間 50〜60 秒，陣痛発作時に努責感があり，フーウン呼吸を小刻みにしている．胎児心拍数は，基線 140 bpm，基線細変動 6〜10 bpm，子宮収縮の開始，最強点，消退に一致した胎児心拍数の低下と回復がみられる．胎児心拍数の最下点は 125〜130 bpm で早発一過性徐脈がみられる．

11:00　St+3．陣痛発作時に肛門哆開，外陰部膨隆，陰裂哆開あり．膀胱充満なし，陣痛周期と陣痛持続時間に変化はないが，陣痛強度が増強し，腰痛を訴える．
翔子さんは発作時に上手に努責しているが，間欠時には「赤ちゃんまだ〜，早くでてきて〜．もう我慢できな〜い」と言っている．夫はときどき翔子さんの顔の汗を冷たい濡れタオルで拭き，陣痛間欠時に水分摂取を勧めている．

4 翔子さんの分娩室への移室時期と移室方法についてアセスメントしましょう．

⇒翔子さんは 10:30 の子宮口全開大の時点で，すぐ分娩室に移室する必要はないと判断します．11:00 の時点では努責とともに児頭の下降がみられ，もうじき排臨になると予測されるため，このあと移室することにします．胎児の健康状態は良好です．陣痛持続時間が 50〜60 秒と長く，破水しているので，分娩室への移室は陣痛の間欠期に車椅子で迅速に行います．LDR であれば，この時点で分娩体位をとり，分娩の準備を進めていきます．
また，出血時の対応に備えて，分娩第 2 期の血管確保・輸液がルーチン化されている場合は，分娩第 1 期の極期，または分娩室への入室後や分娩準備開始時に行います．

5 分娩第 2 期に入ると，児娩出に備えて準備を始めます．翔子さんに必要な分娩準備の優先順位を考えてみましょう．

現在のところ正常に経過しているので，通常の分娩期の介助手順に従って準備を始めます．

- **分娩室入室前**：インファントウォーマーの準備（新生児の保温・蘇生の準備も含む）．
- **分娩室入室後**：分娩体位をとる，胎児心拍数モニタリング，内診，手指消毒，外陰部消毒または洗浄，膀胱充満があれば導尿，清潔野の作成と新生児の口鼻腔吸引の準備，その間，必要時肛門保護実施，会陰保護綿の準備，新生児ケアの準備（顔拭きガーゼ，臍クリップ，臍帯剪刀，ガーゼ），会陰切開後の止血用ガーゼ，胎盤娩出用のガーゼ．

6 会陰切開の適応について理解しておきましょう[3)]．

会陰切開は会陰の伸展性が不良であることが主因である．そのため，児の娩出により会陰裂傷の危険性が高い，胎児機能不全などにより児の娩出を急速に行う場合（器械的急速遂娩術等）に腟・会陰部を開大するために適応される．

7 分娩第２期の産婦の心理状態を理解しておきましょう．

産婦は子宮口全開大前には産痛や努責を逃すことに対処していたが，全開大後は努責をかけながら児の下降感を体感したり，「もうすぐ赤ちゃんに会える」「もう少しで分娩も終わる」という思いから前向きな気持ちになり，より分娩に集中するようになる．

一方，心身の変化に対処できず，努責や呼吸法がうまくできない場合にはパニックを起こすこともある．

追加情報：分娩第２期　排臨・発露～児娩出

11:10　分娩室に移室，分娩の準備を整える．その間発作時は努責し，肛門保護実施．

11:20　陣痛発作時，腰痛を訴えて殿部をよじる，浮かせるなどでうまく努責できない．
発作時目を閉じて「もうだめ～，どうにかして～」と夫の手を強くつかんでいる．

11:35　排臨．胎児心拍数陣痛図は図７のとおり．変動一過性徐脈あり，酸素投与５L/分．
「赤ちゃん大丈夫ですか？」と心配そうに聞く．軟産道の伸展性やや不良．

11:42　医師の指示にて酸素投与 10 L/分，その後，遅発一過性徐脈なし．

11:58　会陰切開７時の方向．

12:00　発露．

12:02　女児娩出．第２胎向前方後頭位，臍帯巻絡頸部１回あり．
Apgar score １分後９点（皮膚色－1）／５分後９点（皮膚色－1）．臍帯切断後，翔子さんの胸で５分間早期母子接触を実施する．その後の新生児のケアは，新生児の項（pp.81～84）参照．

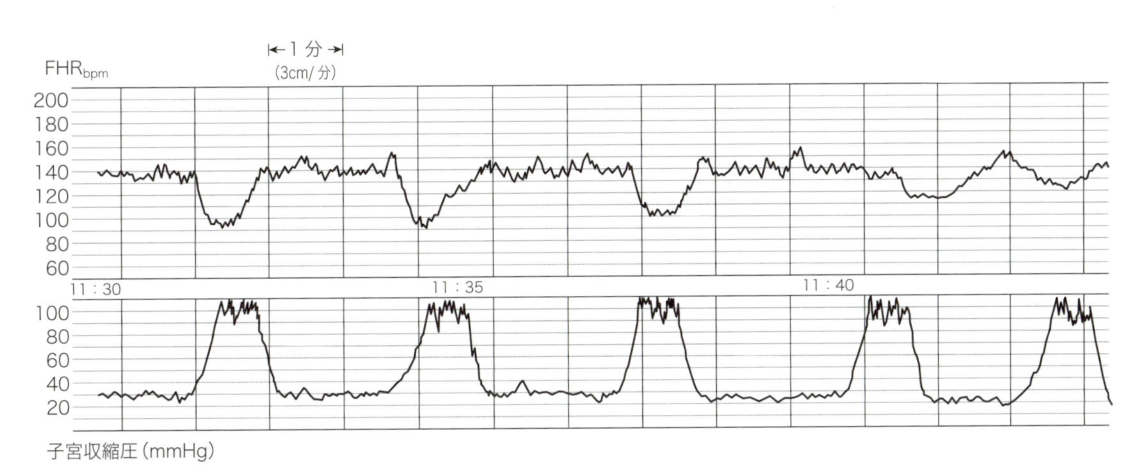

図７　排臨時の胎児心拍数陣痛図

8 翔子さんの 11:20～児娩出までの状態をアセスメントしてみましょう.

- 11:20

⇒10:30 に分娩第 2 期に移行し，子宮口全開大後 50 分経過．初産婦としては正常な経過だといえます．分娩室移室後，排臨直前で児頭最大通過面が骨盤峡部に達したことで児頭の仙骨部への圧迫により腰痛が増強していると考えます．腰をよじったり，浮かせたりすると有効な努責ができないので，翔子さんに目を開けてしっかり努責してもらうように助産師が声かけし，努責誘導をしていきます．

- 11:35～児娩出まで

⇒胎児の健康状態をアセスメントします．11:35 の排臨時とその前後の子宮収縮時には胎児心拍数の最下点が 70～80 bpm 以上であり，持続時間が 30 秒未満ですので軽度変動一過性徐脈がみられます．臍帯因子による臍帯巻絡を疑わせる所見です．11:41 の子宮収縮では収縮に遅れて胎児心拍数の最下点が 115 bpm，その後 40 秒程度で回復していますので高度遅発一過性徐脈がみられています．胎児の低酸素状態が懸念されます．基線細変動は正常ですが，胎児心拍数波形分類のレベル 3 の所見と判断し医師に報告し，医師の指示により酸素 10 L/分が投与されました．酸素投与後の胎児心拍の変化を観察します．また，翔子さんは胎児のことを心配しているので説明が必要です．

排臨から発露に移行する時期に肛門保護から会陰保護に切り替えますが，その前の陣痛間欠期に児頭の娩出速度をコントロールするために，翔子さんに短息呼吸の時期と方法を説明する必要があります．

軟産道の伸展性がやや不良とあるので，今後伸展性を観察し，会陰切開の必要性についてアセスメントする必要があります．最終的に会陰切開をしているので，切開後は切開部位を止血しながら会陰保護をしていきます．現在のところ，胎児推定体重や娩出力の状態から，分娩時損傷や弛緩出血のリスクは低いと考えます．

翔子さんは陣痛発作時に殿部をよじる，努責が上手にできないなど，分娩第 2 期の心身の変化にうまく適応できていないようです．助産師が分娩経過，努責のしかたなどの説明をすることが重要です．赤ちゃんのことも心配しているため，状況を説明し不安の緩和に努めます．

3 事例の助産診断の導き方と助産診断の決定

1 分娩第 2 期の 11:20～11:35 にかけての助産診断を考えてみましょう.

- **時期診断**

⇒現在，分娩第 2 期である．

- **経過診断**

⇒子宮口全開大後 65 分で排臨となり，分娩経過は正常である．胎児の健康状態は排臨時に胎児心拍数波形分類のレベル 2 であり，臍帯巻絡の可能性がある．産婦の分娩への適応として腰痛を訴え，努責がうまくできていないので，声かけにより努責誘導をする必要がある．軟産道の伸展性がやや不良であるため，会陰切開の必要性を判断する必要がある．

・**経過予測診断**

⇒分娩第 2 期は正常に経過し，児娩出は現在の娩出力から判断して 30 分以内であると予測する．

4　助産計画の立案（目標と具体策）

1 有効な努責の誘導について，時期と方法，姿勢，産婦への説明内容を確認しておきましょう．

・有効な努責とは，娩出力を浪費させない，つまり産婦の疲労が少なく，胎児の健康状態を悪化させないことである．産婦が陣痛発作時に長く息を止めてしまうと胎盤の絨毛間腔への血流が減少し，胎児の血中酸素分圧の低下や二酸化炭素分圧の上昇をまねく危険性がある．
・努責は，先進部が骨盤底に下降し，産婦に努責感（共圧陣痛）が出現してから開始してもらう．
・努責の誘導は，陣痛発作時に腹圧を利用して骨盤軸の延長線上に向けて努責するように声かけをして誘導する．

2 会陰保護の目的について確認しておきましょう．

・会陰保護は，会陰の損傷を予防，または軽減し，児の安全な娩出を図るために行う．
・会陰保護の 3 つの機能は，①娩出力の方向を調整する，②児頭の娩出速度を調整する，③胎児の娩出方向を調整することである．

3 助産計画を立案するにあたって，助産診断の優先順位を考えてみましょう．

1）分娩第 2 期，子宮口全開大後 65 分で排臨となり，分娩経過は正常である．児娩出は現在の陣痛の状況から 30 分以内であると予測する．
2）胎児の健康状態は，排臨時に胎児心拍数波形分類のレベル 2 であり，保存的処置が必要である．
3）腰痛を訴え，努責がうまくいっていないので，声かけにより努責誘導する必要がある．
4）軟産道の伸展性をアセスメントし，会陰切開の必要性を判断する必要がある．会陰切開後は止血をしながら会陰保護をする必要がある．

4 どのような助産目標が考えられますか．

助産診断 1)～4）に対する究極の助産目標は，「分娩第 2 期が正常に経過し，安全に分娩を終了できる」ですが，これを達成するためにはより具体的な助産目標を考えて，分娩介助をしていきます．

1）胎児が胎児機能不全に陥ることなく，Apgar score 1 分後 8 点以上で出生する．
2）産婦が上手に努責することで児下降が促され，産婦が納得した安全・安楽な出産ができる．
3）産婦の健康状態として分娩期出血量が 500 mL を超えない．

5 助産目標 1）に対して，どのような具体策が考えられますか．

【観察プラン】（観察項目は pp.21～23 参照）

①胎児心拍数陣痛図より胎児の健康状態を連続的にモニタリングする．特に陣痛発作に伴う胎児心拍の変化に注意する．胎児心拍数波形のレベル分類の基線細変動正常例（p.17 の表 9）をもとに分類し，対応する．胎児機能不全に陥った場合，経腟分娩の可否を判断する．

②羊水の性状・量，産瘤の有無・位置・大きさを観察する．

【ケアプラン】

①軽度遅発一過性徐脈や変動一過性徐脈に対して，医師への報告・指示により保存的処置である酸素投与 10 L/ 分を行う．

【指導・説明・支持プラン】

①胎児の健康状態と酸素投与について産婦と夫に説明し，理解を得る．

②産婦には陣痛発作の前後で深呼吸をするように促す．

6 助産目標 2）に対して，どのような具体策が考えられますか．

【観察プラン】

①娩出力と児頭下降度・陣痛周期と陣痛持続時間，陣痛発作時の努責，腹圧と児頭下降度．

②努責時に骨盤軸の延長線上に努責しているか，努責時の姿勢，努責時の顔色，努責の仕方，膀胱充満の有無（最終排尿時間，水分摂取状況，発汗の状態から視診・触診により判断）．

③排臨，発露の診断．

④翔子さんの産痛への対処，表情や発言内容，全身状態，夫・医療従事者とのかかわり方．

【ケアプラン】

①分娩が促進されるように分娩時の体位を調整する．仰臥位の場合，分娩台の背部を約 30 度挙上し，殿部は骨盤軸の延長線上に向けて努責できるように 5～10 度挙上する．

②陣痛発作時に，腹圧を利用して骨盤軸の延長線上に向けて努責するよう声かけをして誘導する．腰をよじる，浮かせることなく殿部を分娩台に押し付けて陣痛が最強になるところで努責するように陣痛を触診して努責を誘導する．

③胎児の下降を促すため，膀胱充満があれば導尿をする．

④産婦の汗を拭き，適宜水分摂取を促す．必要時医師の指示により輸液を開始する．

【指導・説明・支持プラン】

①産婦の努責が骨盤軸に向かってうまくできていれば支持・称賛し，前向きな気持ちで分娩に取り組めるように励ます．

②胎児の健康状態を含めた分娩進行状態をわかりやすい言葉で産婦と夫に説明する．

③夫に汗を拭く以外に，うちわで仰ぐ，水分補給を促す，腰をマッサージするなどの方法を説明して，翔子さんを支援できるように促す．

④翔子さんに，努責から短息呼吸に切り替える時期・方法について陣痛の間欠期に説明する．

⑤児娩出後は児の誕生を祝福し、ねぎらいの言葉をかける．

7 助産目標 3）に対して，どのような具体策が考えられますか．

【観察プラン】

①軟産道の伸展性：腟の伸展性，会陰の伸展性と高さ，静脈瘤の有無・位置・大きさ，浮腫の有無・程度を観察し，児頭の大きさとの関連から会陰切開の有無を判断する．

②血性分泌物の性状・量，会陰切開部位・出血量，会陰裂傷の有無・程度．

③骨重積の程度，産瘤の有無・位置・大きさ，排臨，発露の診断から，肛門保護から会陰保護に切り替える時期を判断する．

【ケアプラン】

①会陰切開に備えて麻酔薬の準備をする．

②適切な時期に肛門保護から会陰保護に切り替える．

③会陰切開実施後は止血を図りながら会陰保護をする．

④発露までは屈位を保ちつつ児頭最小周囲径で娩出し，会陰切開に加えて会陰裂傷が入らないように児頭娩出速度をコントロールする．

【指導・説明・支持プラン】

①会陰切開時は事前に翔子さんと夫に説明し，理解を得る．

②随時，翔子さんと夫に分娩進行状態をわかりやすく説明し，児娩出に対して前向きに取り組めるように声かけをする．

③児娩出後，リラックスするように促し，分娩第3期について説明する．

文献

1）渡邉竹美：内診なしで分娩を予兆する．「周産期看護学アップデート」．吉沢豊予子編，p.171，中央法規出版，2008.

2）渡邉竹美，他：分娩進行を判断する助産師の経験的知識の実証－初産婦の身体反応の推移と児娩出時間との関係－．日本母性看護学会誌，12(1)：9-17，2012.

3）我部山キヨ子，藤井知行編集：助産学講座7　助産診断・技術学Ⅱ［2］分娩期・産褥期．p.198，医学書院，2021.

参考文献

・森　恵美，他：系統看護学講座専門分野Ⅱ　母性看護学各論．第14版，pp.247-256，医学書院，2021.

1. 初産婦の分娩期 4）分娩第3期

1 アセスメントに必要な知識

1 胎盤剥離のメカニズムについて整理しておきましょう.

- 児娩出後，子宮筋層は収縮するが，胎盤は収縮しないため両者の間にずれが生じる．ずれにより組織学的に最も薄弱な脱落膜海綿層で断裂が起きる．脱落膜からの出血により胎盤後血腫が形成される．胎盤後血腫が増大し，それにより胎盤の剥離が促進される．剥離した胎盤は後陣痛により子宮下部に排出され，腹圧により頸管，腟を経て腟外に排出される．
- 胎盤は分娩後30分以内に娩出されるが，30分以上経過しても胎盤剥離徴候がみられず娩出されない場合は，癒着胎盤などの可能性がある．また，剥離前の胎盤の臍帯を牽引すると，臍帯断裂，子宮内反症や胎盤・卵膜残留のリスクがあるため，胎盤剥離徴候を2つ以上確認して娩出させる．通常はアールフェルド徴候，キュストナー徴候を確認することが多い．

2 分娩第3期の積極的管理について理解しておきましょう[1].

- 分娩第3期の遷延は産後の異常出血の増加につながることから，異常出血の予防のために子宮収縮薬の投与，子宮底マッサージ，適切な臍帯牽引などの積極的管理を行う．
- ブラント・アンドリュース胎盤圧出法（Brandt-Andrews法）は，臍帯牽引と同時に子宮を母体頭方に圧するように恥骨上部を圧迫する方法である．これは胎盤後血腫が大きくなる前に胎盤の娩出をはかるため，胎盤後血腫形成による出血量が少ない．また，子宮収縮が良好となるため，弛緩出血の予防とともに子宮内反症の予防につながる．

3 弛緩出血の原因と対応について確認しておきましょう.

- 弛緩出血は，胎盤娩出後に子宮収縮が不良で生物学的結紮が行われずに多量に出血する状態である．
- 弛緩出血の原因は，遷延分娩，微弱陣痛，巨大児・双胎などによる子宮筋の過伸展，子宮筋腫合併，急遂分娩，卵膜や胎盤の子宮腔内の遺残などである．
- 子宮収縮を促すために子宮底マッサージ，子宮体を冷やす，膀胱・直腸を空虚にする．医師の指示により子宮収縮薬の投与，輸液・輸血が行われる．

2 事例の情報整理と情報の分析・解釈・統合（アセスメント）

分娩後の翔子さんの状態

12:02　女児娩出．Apgar score 1分後9点（皮膚色－1）／5分後9点（皮膚色－1）．
子宮底の高さ：臍上2横指，子宮底の硬度：コリコリして硬い，血圧126/70 mmHg，脈拍76/分．
臍帯切断後，翔子さんの胸で早期母子接触実施．「ああ，やっと生まれた～．元気でよかった～．かわいい」と児に触れている．夫は「ああ～，本当にかわいいね．無事生まれてよかった～．ありがとう」と涙ぐみながら翔子さんの手を握っている．

12:10　胎盤剥離徴候なし，膀胱充満あり導尿にて200 mL，会陰切開あり，会陰裂傷なし．

12:15　胎盤剥離徴候（アールフェルド徴候とキュストナー徴候）確認後，胎盤娩出．
シュルツェ様式，第1次胎盤精査，胎盤実質・卵膜欠損なし．
子宮底の高さ：臍高，子宮底の硬度：軟式テニスボール様，子宮底マッサージによりコリコリ．子宮底に保冷剤貼付．血圧120/64 mmHg，脈拍74回/分．

分娩所要時間：第1期14時間30分
第2期　1時間32分
第3期　　　　13分
計　16時間15分　分娩第3期までの出血量280 mL

1 分娩第3期のアセスメントのポイントをおさえておきましょう．

- 出生直後の新生児の健康状態は正常か，適切なケアが行われているか（新生児の項pp.66～84参照）
- 産婦の健康状態の正常性，正常からの逸脱の可能性やリスクの有無
- 胎盤娩出の正常性（子宮内遺残の有無，出血量は正常範囲内か），弛緩出血，子宮収縮不全，頸管裂傷などの異常の有無と異常時の原因
- 母子または親子の早期接触の可否（実施の可能性と継続可否の判断）
- 母親や父親の出産への反応（満足感，喜び，安堵感など）について

2 翔子さんの分娩第3期の状態をアセスメントしてみましょう．

⇒児娩出後のバイタルサイン，子宮復古は正常です．胎盤は児娩出後13分で娩出され，特に癒着胎盤などはありませんでした．分娩第3期までの出血量280 mLは正常範囲です．分娩所要時間は16時間15分で，初産婦の平均的な所要時間11～15時間より少し長いですが，正常といえます．翔子さんの早期母子接触実施時の情報から児への愛着がみられます．夫も一緒に児の誕生を喜び，翔子さんへの感謝を表出しています．今後も，引き続き児への愛着行動を観察していきます．

3　事例の助産診断の導き方と助産診断の決定

1 翔子さんの分娩第３期の助産診断を考えてみましょう．

・**時期診断**

⇒分娩第３期である．

・**経過診断**

⇒胎盤実質や卵膜の欠損なく胎盤が排出され，第３期は正常に経過している．翔子さんは児への愛着行動がみられている．新生児は胎外生活への適応が始まっている．

・**経過予測診断**

⇒弛緩出血などの異常をきたすような要因はなく，分娩第４期は正常に経過すると予測する．新生児の胎外生活への適応は正常に経過すると予測する．

4　助産計画の立案（目標と具体策）

1 どのような助産目標が考えられますか．

1）胎盤が完全に娩出でき，第３期が正常に経過する．

2）新生児の胎外生活への適応が正常に経過し，早期母子接触により児への愛着が促進される．

2 助産目標 1）に対して，どのような具体策が考えられますか．

【観察プラン】

①産婦の観察

⇒胎盤剥離徴候（アールフェルド徴候，キュストナー徴候，ストラスマン徴候，シュレーダー徴候，ミクリッツ・ラデッキィ徴候）を２つ以上確認，胎盤娩出時刻，胎盤娩出様式，胎盤娩出後のバイタルサイン，子宮収縮状態（子宮底の高さ・硬度），出血状態，頸管裂傷や会陰切開または裂傷の有無と程度，痛みの有無と部位・程度，外陰部の状態（発赤，腫脹，浮腫，硬結，疼痛の有無と程度，翔子さんは会陰切開したので，縫合部の観察も含む），脱肛の有無と程度，一般状態（顔色，悪心・嘔吐，悪寒，頭痛，疲労感，気分不良，空腹感，口渇の有無と程度），尿意の有無，膀胱充満の程度．

②胎盤の第１次精査

⇒胎盤娩出直後，分娩台上で胎盤実質や卵膜の欠損の有無を観察し，欠損があれば医師に報告する．

【ケアプラン】

①翔子さんに児が出生したことを告げ，祝福するとともに翔子さんや夫にねぎらいの言葉をかける．

②胎盤娩出時，卵膜を欠損させないようにゆっくりと完全に娩出させる．

【指導・説明・支持プラン】

①胎盤娩出により分娩が終了したことを翔子さんに伝える.

②今後の経過について，翔子さんと夫に説明する.

3 助産目標 2）に対して，どのような具体策が考えられますか.

【観察プラン】

①新生児の観察

・出生直後の蘇生の必要性（正期産児か，呼吸や啼泣は良好か，筋緊張は良好か）を判断する．Apgar score の採点（詳細は新生児の項 p.71 参照）.

・早期母子接触前の新生児の state（活動性，呼吸のパターン，眼球運動，顔面の動き，反応性）を確認し，早期母子接触の適否を判断する．早期母子接触中は呼吸状態，皮膚色などを観察する（詳細は新生児の項 p.77 参照）.

・新生児との対面時の翔子さんや夫の反応（言葉，表情，動作など），新生児への声かけによる児への愛着状態.

【ケアプラン】

①新生児の呼吸の確立

・新生児に第一啼泣があれば特に吸引の必要はない．顔面清拭のみで粘液を拭ききれない場合は口腔内，鼻腔の順番で吸引する.

②保温

・新生児に付着した羊水や血液を乾いたガーゼで拭き取り，保温に努める.

・新生児の臍帯を臍帯クリップで留めて，切断する.

・Apgar score は 1 分後 9 点であるため，早期母子接触は可能と判断し，温めたバスタオルで新生児をくるみ，翔子さんの上腹部に新生児とアイコンタクトがとれるように新生児を腹臥位で寝かせる.

・早期母子接触中，翔子さんや夫が分娩時の気持ちや受けとめ方を話し始める場合は，その気持ちを受けとめ，肯定的にかかわる.

【指導・説明・支持プラン】

・新生児の状態，早期母子接触について翔子さんと夫に説明する.

文献

1）日本産科婦人科学会，日本産婦人科医会編集・監修：CQ418-1.「産婦人科診療ガイドライン 産科編 2023」. pp.267-270，日本産科婦人科学会，2023.

1．初産婦の分娩期　5）分娩第4期

1　アセスメントに必要な知識

1 胎児付属物の精査・計測の目的を整理しておきましょう．

・**母体**

胎児付属物の状態とその完全娩出を確認することで，子宮復古と産褥感染症などの産褥経過についてアセスメントする．

・**新生児**

胎児付属物の状態から胎内環境を評価し，分娩経過中の胎児の健康状態を理解し，新生児の胎外生活への適応をアセスメントする．

2 分娩後2時間までの過ごし方と予測される異常，連絡方法について翔子さんに説明する内容を確認しておきましょう．

・**帰室予定**

分娩後2時間は分娩室で身体回復を促すために安静に過ごし，2時間後の観察で問題がなければ，帰室する予定である．

・**観察事項**

バイタルサイン，一般状態（顔色，口渇感，寒気・ふるえ，疲労感，嘔気・嘔吐，気分不良の有無など），子宮収縮状態（子宮底の高さ・硬度），出血量・性状，膀胱充満の有無，会陰切開縫合部の状態（発赤・浮腫の有無と程度，創痛の有無と程度），肛門痛，後陣痛の有無と程度，食欲の有無などを観察する．

・**異常時の連絡**

気分不良や極端に後陣痛が強い，流血感や出血が続く（体動時の流血と異常出血との区別について説明しておく），創部痛が強い場合は助産師に連絡する（ナースコールのスイッチを産婦のそばに置いておく）．

3 出産体験の臨床的意義を3つ確認しておきましょう[1,2]．

①出産体験は母親意識の発達に影響を及ぼす

出産直後の早期母子接触や子どもへのタッチングは，子どもへの愛着や母親意識の発達を促す．しかし，出産に対して否定的な感情をもっていると，子どもに対する感受性が鈍ったり，子どもへの愛着を示さなかったりすることがある．

②出産体験は産褥早期に想起され再構築される

経腟分娩をした母親の85%は出産体験について思い起こせない事象があるといわれている．そのことが母親にいらだちや葛藤，怒りを生じさせる．そこで母親は分娩にかかわった助産師より自分の分娩経過や産痛への対処について情報を求め，出産体験を再構築するニードをもっている．

③出産体験の否定的な自己評価が抑うつや心的外傷（PTSD[*7]）の原因となる場合がある

出産体験の満足度が低い人に抑うつの出現率が高いといわれている[3)]．また，想像していた分娩と現実の分娩にくい違いがあると，出産に対する挫折感，嫌悪感などの否定的感情を抱き，出産体験の自己評価が否定的となり長期にわたって記憶される．

2　事例の情報整理と情報の分析・解釈・統合（アセスメント）

分娩第４期の翔子さんの状態

12:35　軟産道精査（頸管裂傷・腟壁裂傷なし），会陰切開縫合終了，縫合時の出血量23 mL．子宮底の高さ：臍高，子宮底の硬度：コリコリして硬い．「少し寒気がします」と訴える．
胎盤計測：大きさ22.0×21.0×2.0 cm，白色硬塞・石灰沈着なし，副胎盤なし．
臍帯：長さ55 cm，太さ1.5×1.2 cm，左捻転，中央付着，真結節・偽結節なし，乳白色，臍動脈２本，臍静脈１本．

12:50　全身清拭・更衣後，翔子さんは着衣した新生児を抱き直接授乳を試みる．新生児は上手に吸啜している．翔子さんはうれしそうに見つめながら，「母乳で育てたいですね」と言う．夫と一緒に３人で写真撮影．
乳頭：直径1.0 cm 長さ1.5 cm，乳管開通左右とも2〜3本，乳汁はじわじわと分泌している．

13:02　子宮底の高さ：臍高，子宮底の硬度：コリコリして硬い，後陣痛なし，会陰縫合部：浮腫なし，疼痛自制内，血腫形成の徴候なし，出血量25 mL．体温37.0℃，血圧118/70 mmHg，脈拍76回/分．
翔子さんは，「分娩が無事終わってほっとしました．最後はしんどかったです．でもかわいい女の子が生まれてきてくれてうれしいです．夫も喜んでいますし，一生懸命やってくれて感謝しています．親も初孫なので喜んでくれると思います」と話す．新生児を抱くと喜びと安堵の表情で「生まれてきてくれてありがとう．やっと会えたね」と語りかける．夫もそばで「かわいいなあ」とうれしそうに新生児の指に触れている．翔子さんは「お腹がすいた」と言っておにぎり１個，ウーロン茶150 mLを摂取．

14:02　子宮底の高さ：臍高，子宮底の硬度：コリコリして硬い．後陣痛自制内．会陰縫合部：軽度浮腫あり．疼痛自制内，血腫形成の徴候なし，出血量20 mL．体温37.4℃，血圧120/74 mmHg，脈拍76回/分．特に気分不良なし．顔色やや紅潮している．嘔気・嘔吐なし．

[*7] PTSD（post-traumatic stress disorder）：心的外傷後ストレス障害．

1 分娩第４期のアセスメントのポイントをおさえておきましょう．

- 正常な子宮復古からの逸脱の可能性やリスクの有無
- 子宮収縮状態は良好か，異常出血はないか，どの時期に離床できるか（観察は分娩後１時間，２時間でよいか，もっと頻繁にする必要があるかなどを判断する）
- 母乳栄養への意欲や乳管開通・乳汁分泌状態
- 新生児の初回授乳の可否
- 出産体験の受けとめ方
- 分娩による今後の産褥・育児期への身体的・心理的影響

2 翔子さんの分娩第４期の状態をアセスメントしてみましょう．

⇒翔子さんの第３期までの出血量 280 mL は正常範囲であり，子宮収縮状態も良好です．特に弛緩出血を起こすような要因（微弱陣痛，巨大児，子宮収縮不良）もないので，第４期の観察は分娩後１時間，２時間でよいと判断します．

胎児付属物である胎盤，臍帯，卵膜の子宮内遺残や形態の異常もないので，翔子さんの子宮復古不全や産褥感染症のリスクは低いといえます．また胎児の胎内環境に異常はなく胎外生活への適応も正常に経過すると予測します．

悪寒は分娩による体力・エネルギーの消耗や多量の発汗により生じていると考えます．身体の清拭と更衣を手早く済ませ，保温と十分な水分摂取を促します．

分娩後１時間，２時間の状態は，バイタルサインに問題はなく，子宮復古も良好です．出血量は１時間後 25 mL，２時間後 20 mL で合計 45 mL，第３期までの出血量 280 mL，縫合時の出血量 23 mL と合わせると計 348 mL で正常範囲です．

乳頭の大きさに問題はなく乳汁分泌もじわじわみられることや初回授乳の様子から，母乳栄養を進めていけると予測しますが，初産婦なので支援が必要です．また出産体験について夫の協力もあったことで肯定的に受けとめていると考えられるので，今後の育児はスムーズに行えると推測します．

出産体験を否定的に受けとめている，出産にわだかまりがある，出産に満足していない場合は，産後3~5日のうつ得点が高いとの報告があります[3]．産褥期にEPDSや「赤ちゃんへの気持ち質問票」を用いて，母親の抑うつ感や不安，児に対する感情などのメンタルヘルスについてアセスメントしていきます．

3　事例の助産診断の導き方と助産診断の決定

1 翔子さんの分娩第４期の助産診断を考えてみましょう．

・**時期診断**

⇒分娩第４期である．

・**経過診断**

⇒全身状態や子宮の復古，初回授乳に問題はなく，分娩第４期は正常に経過している．出産体験を肯定的に受けとめている．

4　助産計画の立案（目標と具体策）

1 どのような助産目標が考えられますか．

1）翔子さんの全身状態や子宮の復古，初回授乳が正常に経過する．子宮収縮不良や弛緩出血など正常からの逸脱を早期に発見し，対処できる．

2）夫が出産を翔子さんとともに喜び，母子の早期接触や初回授乳を行うことで，翔子さんと夫の児への愛着形成が促される．

3）出産体験をふり返り，身体的・心理的に体験した事実を受けとめることができる．

4）新生児は胎外生活への適応が正常に経過する（新生児の項 p.66～参照）．

ここでは，助産目標1）と3）の具体策を考えることにしましょう．助産目標2）と4）の具体策は新生児の項 pp.82～84 を参照してください．

2 助産目標 1）に対して，どのような具体策が考えられますか．

【観察プラン】

①胎盤娩出後の出血状態

・子宮収縮状態と合わせて30分後，1時間後，2時間後に観察する（1時間に50 mL以上の出血は異常徴候と考えられるので[4]，原因をアセスメントして医師に報告し，頻回に観察する）．

②胎盤の第２次精査

・母体面：凝血塊の付着部位，色，硬度，血相の有無
　　　　　石灰沈着・白色硬塞の有無，大きさ（長径・短径・厚さ）

・胎児面：色，血管の分布状態
　　　　　臍帯：色，付着部位，長さ，臍帯断端面の血管数・太さ（長径・短径）
　　　　　真結節・偽結節の有無，捻転・ワルトン膠様質の発育状態

・副胎盤の有無と形

1）ベッドと産褥ショーツの間に，ベルトを横からではなく，太もも側から，お尻をすくい上げるように通す．
ベルトの下ラインは「大転子」に一致するよう，また，輪①の部分が体の中心を越えないようにセットする．
★骨盤上部を締めると，骨盤底が開いてしまうため，「上前腸骨棘」と「大転子」の間を支える．

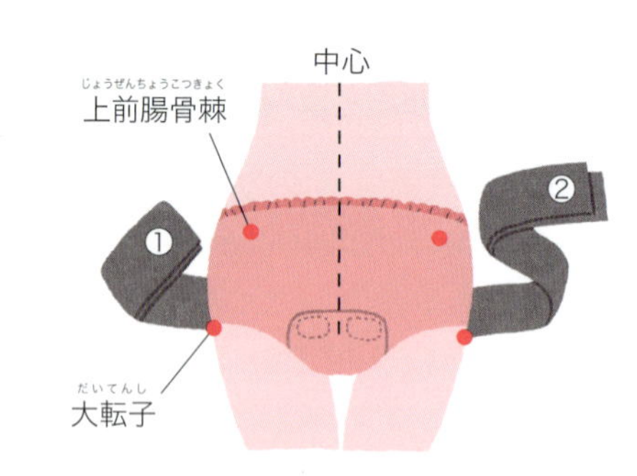

2）ベルトの輪①に②（2枚とも）を通して2枚に分けて持つ．
②を左右に開き骨盤高位の姿勢で気持ちよい強さになるまでベルトを引く．

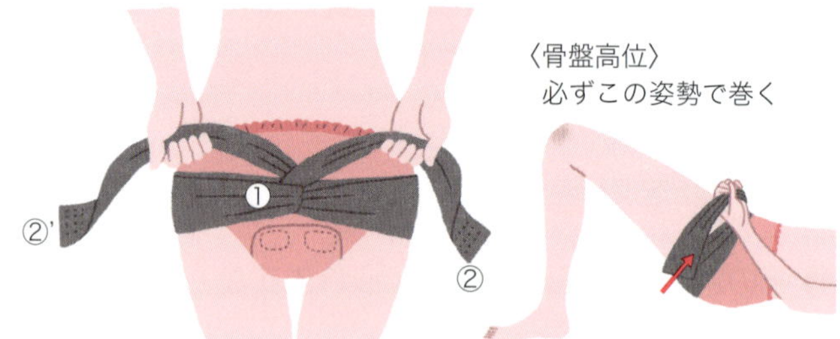

3）左右に持ったベルトの端を，それぞれ巻いているベルトの一番下に挟み込む．

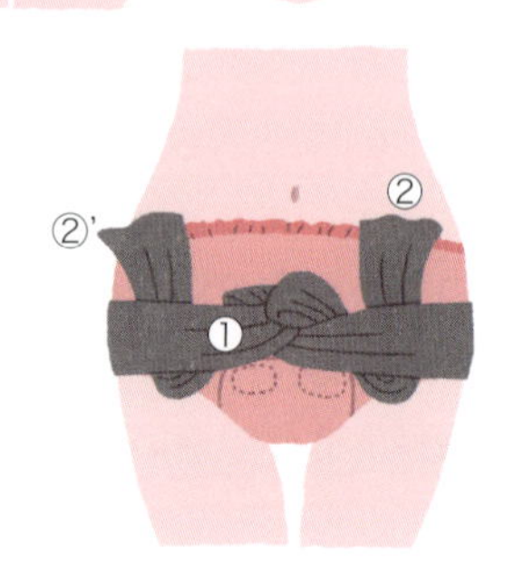

図8　骨盤固定ベルトの巻き方
（渡邉信子：トコちゃんのマタニティケア・ハンドブック．青葉，2011．を参考に作図）

③産婦の一般状態

・子宮収縮状態，疲労度，膀胱充満の有無，会陰切開縫合部の浮腫・出血・疼痛の有無と程度，後陣痛・脱肛・腹直筋離開・恥骨結合離開・眼球結膜・顔面皮下出血の有無と程度
・清拭時に初回授乳に備えて乳頭の大きさ・長さ・伸展性，初乳分泌状態，乳管の開口状態，産婦の母乳栄養への意欲を観察する．

【ケアプラン】

①会陰切開の縫合中は産婦のバイタルサイン，顔色，表情，疼痛の有無，子宮収縮状態，後陣痛の有無を観察しながら，医師の介助をする．
②縫合終了後，翔子さんの陰部を清拭し，産褥パッドをあてる．身体を清拭し，腹帯を巻き，新しい寝衣に交換する〔妊娠によるホルモン動態の変化により骨盤周辺の靱帯が緩み，骨盤は広がりやすい状態であるため，骨盤底を固定し，産後の腰痛や子宮下垂予防，子宮復古の促進のために骨盤固定ベルトや通常の4分の1幅のさらしを巻いて骨盤を締める（図8）〕．
③温かい飲み物などの水分摂取を勧める．

【指導・説明・支持プラン】

①医師からの分娩経過や新生児，縫合状態などの説明で理解できない部分の有無を確認し，理解できないことがあればわかりやすく説明する．

②分娩後２時間は出血の状態，子宮収縮の状態，後陣痛の強さ，会陰部の状態などの観察が必要であることを説明する．気分不良や後陣痛が著しい場合，流血感や出血が続く場合，創部痛が強い場合は助産師に知らせるように説明する．異常時にすぐ連絡できるようにナースコールを手の届くところに置いておく．

3 助産目標３）に対して，どのような具体策が考えられますか．

【観察プラン】

①出産体験のふり返り時の翔子さんの話し方，表情，声の高さを観察し，喪失体験，悲嘆，わだかまりの有無を把握する．

【ケアプラン】

①出産体験について，清拭時などの短時間にアクティブリスニング（積極的傾聴）とオープンクエスチョンにより，翔子さんが感じるままに想いや感情を吐露してもらう．もし喪失体験があれば，悲嘆作業が十分行えるように後日面接を行う．

②喪失体験がなくても，出産後2～3日以内に再度詳細な出産体験のふり返り（バースレビュー）を行う．

③翔子さんからの出産体験に関する質問等には，事実を確認しながらていねいに対応する．

文献

1）常盤洋子，他：出産体験の自己評価に関する研究の文献レビュー．北関東医学，56(4)：295-302, 2006.
2）Affonso, DD："Missing Pieces" A study of postpartum feelings. Birth and the Family Journal, 4(4)：159-164, 1977.
3）関塚真美：出産満足度と出産後ストレス反応の関連．日本助産学会誌，19(2)：19-27，2005.
4）我部山キヨ子，他編集：助産学講座７　助産診断・技術学Ⅱ［2］分娩期・産褥期．p.142，医学書院，2021.

参考文献

・安積陽子：バースレビュー実践を再考する．三重看護学誌，24：1-7，2022.
・Cox, JL, et al : Detection of postnatal depression. Development of the 10 item Edinburgh Postnatal Depression Scale. Br J Psychiatry, 150 : 782-786, 1987.
・Mercer R : Relationship of the birth experience to later mothering behaviors. J Nurse Midwifery, 30(4) : 204-211, 1985.
・岡野禎治，他：日本版エジンバラ産後うつ病自己評価票（EPDS）の信頼性と妥当性．精神科診断学，7(4)：525-533，1996.
・鈴宮寛子，他：出産後の母親にみられる抑うつ感情とボンディング障害．精神科診断学，14(1)：49-57, 2003.
・山下　洋，他監修：妊娠期から育児期までの親子のメンタルヘルス～3つの質問票を活用した育児支援マニュアル～．母子衛生研究会，2022.
・Yoshida, K,et al : A Japanese version of Mother-to-Infant Bonding Scale: factor structure, longitudinal changes and links with maternal mood during the early postnatal period in Japanese mothers. Arch Womens Ment Health, 15(5) : 343-352, 2012.

1. 初産婦の分娩期 6) 分娩2時間後〜初回歩行まで

翔子さんの分娩後2時間は良好に経過しました．そこで帰室することになり，その前にトイレで排尿を試みることにしました．

1 アセスメントに必要な知識

1 初回トイレ歩行前後の観察点や歩行時の留意点を整理しておきましょう．

・**観察点**

バイタルサイン，子宮収縮状態（子宮底の高さ，硬度），出血量と性状・混入物，貧血の有無，ふらつき・気分不良・めまいの有無，顔色，後陣痛や縫合部痛の有無と程度．

・**歩行時の留意点**

①離床前の観察を行い，歩行の可否を判断する．
②歩行は端座位から立位をとり，立ちくらみや顔面蒼白，気分不良がないことを確認してから開始する（体位変換により循環血液量が減少し，血圧低下，脳貧血を起こして一時的に意識が消失することを防止するため）．
③血圧低下，気分不良などがなければ，必ず付き添い，ゆっくりした動作で歩行を介助する．
④トイレまで一緒に歩行し，原則としてトイレの中まで付き添い排尿を促す．
⑤下腹部に力を入れて排尿を試みるように説明する．
⑥排尿中はトイレのドアの前で待機し，適宜声かけを行う．
⑦もし気分不良の訴えがあれば，他のスタッフに応援を依頼する．
⑧立ちくらみや血圧低下，脳貧血に備えて，トイレの近くに車椅子を準備しておく．

2 事例の情報整理と情報の分析・解釈・統合（アセスメント）

帰室時の状態

14:15 帰室前にトイレ歩行．トイレにて排尿あり，排尿後軽い立ちくらみがあったため車椅子にて帰室．帰室後，血圧 114/70 mmHg，脈拍 78 回/分．
「昨夜はあまり寝ていないので，少し眠いです．お産の時に付き添ってもらい心強かったです．ありがとうございました」

1 翔子さんの初回歩行に向けてのアセスメントをしてみましょう.

⇒ 2時間経過後は気分不良もみられないので，トイレ歩行を試みて帰室できると予測します．会陰切開部の状態を観察します．創部痛が増強する可能性があるので，産褥椅子の使用などを勧めます．創部痛が強くて我慢できない場合は医師の指示により鎮痛薬が服用できること，陰部の清潔を保つため排泄時には前から後ろに清拭または洗浄し，トイレのたびにパッド交換をするように指導します．現在の状態からは産褥期に異常をきたすような所見はみられませんので，産褥経過は正常に進むと考えます．

3 事例の助産診断の導き方と助産診断の決定

1 翔子さんの初回歩行に向けた助産診断を考えてみましょう.

1）分娩後2時間は正常に経過し，初回歩行はできる状態である.
2）今後も全身状態，子宮の復古は正常に進むと予測される.

4 助産計画の立案（目標と具体策）

1 初回歩行時の助産目標を考えてみましょう.

1）転倒・転落を防止し，安全にトイレ歩行ができる.
2）翔子さんが自分で排尿時の処置や悪露などの異常に気づくなどセルフケアができる.

2 助産目標 1）に対して，どのような具体策が考えられますか.

【観察プラン】（分娩第4期の観察項目 p.41〜参照）
・バイタルサイン，一般状態（特に気分不良，ふらつき，顔色），子宮収縮状態，出血量と性状・混入物，血塊の排出・流血の有無，会陰部・会陰縫合部の状態（発赤，浮腫，疼痛，血種形成の有無），排尿状態，尿量

【ケアプラン】
①バイタルサイン，一般状態が正常で，血腫などの形成がなければ，歩行してトイレで排尿を試みる.
②歩行時の留意点を守りながら，徐々に体位変換を行い，歩行を開始する．血圧が低い場合や気分不良，ふらつき，顔面蒼白などがあれば無理をせずに様子観察する.
③自尿がなければ，必要時導尿を行う.
④排尿後にふらつきなどがあれば車椅子で帰室する.
⑤分娩時の輸液の抜去を行う.

【指導・説明・支持プラン】
①新生児の2時間後の状態を把握し，翔子さんに説明する.

②帰室後，荷物の移動，配膳，照明の調節の仕方やナースコールの使い方，動静について説明する．

3 助産目標 2）に対して，どのような具体策が考えられますか．

【指導・説明・支持プラン】

①排尿時や悪露交換時に以下の異常があれば，報告するように指導する．

（気分不良やふらつき，いつもより多い悪露や血塊の排出，我慢できないほどの創部痛，排尿痛がある，尿が会陰縫合部にしみて疼痛を我慢できないなど．）

②排尿は 3～4 時間ごとに試み，我慢しないように説明する．

③排尿のたびにパッドを交換する．

④排尿あるいはパッド交換時はその前後に手洗いまたは擦式アルコールで手を消毒するように説明する．

⑤排尿，排便時は陰部を前から後ろに清拭または洗浄するように説明する．

参考文献

・我部山キヨ子，他編集：助産学講座 7　助産診断・技術学Ⅱ．［2］分娩期・産褥期．第 6 版，医学書院，2021．
・佐々木くみ子責任編集：助産師基礎教育テキスト 2023 年版．第 5 巻，日本看護協会出版会，2023．

2. 経産婦の分娩期　1）分娩第1期 電話連絡時

あなたは夜勤の病棟勤務で経産婦の敬子さんからの電話を22:30に受けました．この事例をアセスメントして，援助していくプロセスを一緒に考えましょう．

電話での敬子さんの話

「なんだか陣痛がきたみたいで，21:45から10分おきにお腹が張っています．家でこのまま様子をみていいでしょうか？」

1 アセスメントに必要な知識

1 入院の必要性を判断するために必要な情報を収集しましょう．初産婦からの電話連絡時の対応と異なる点について，情報収集の根拠を考えましょう（初産婦の項 p.3 参照）．

- **前回分娩時の異常の有無**
  ⇒前期破水，吸引分娩，弛緩出血などの異常があった場合，正常から逸脱する可能性やリスクの有無を判断する．
- **陣痛周期，持続時間**
  ⇒分娩進行状態を診断し，経産婦の場合にはいきみたいような感じがあれば即入院してもらう．
- **妊娠中に医師から特に指摘されたことの有無**
  ⇒妊娠中の異常の有無を判断し，妊娠高血圧症候群や妊娠糖尿病，胎児推定体重が妊娠週数に比べて小さいことなどを指摘されていれば，即入院してもらう．
- **病院までの距離，交通手段，所要時間**
  ⇒経産婦の場合，上の子どもの世話を依頼するなどの時間を見込んで入院までの所要時間を確認する．
- **携帯電話番号**
  ⇒経産婦では移動中に分娩が進行する可能性もあるため，予定時刻に来院しない場合は，移動中の産婦と連絡をとり，分娩進行状態を確認する．

2 敬子さんは経産婦であることから，前回どのような分娩をしたのか把握する必要があります．カルテから前回の分娩・産褥経過や今回の妊娠経過を把握しましょう．

- **産科歴**：出産時期，出産時の妊娠週数，性別，児の出生体重・健康状態，出産の形態，分娩所要時間，出血量，産褥の経過（身体面に加えて，心理面のマタニティ・ブルーズや産後うつ病の既往），母乳栄養状態，新生児の経過．
- **今回の妊娠経過**：貧血・感染症の有無，血液型，分娩予定日診断週数，胎動初覚の妊娠週数，胎児の発育状態，胎位・胎向，胎盤の異常の有無，妊娠中のEPDSや育児支援チェックリストの結果など．

2 事例の情報整理と情報の分析・解釈・統合（アセスメント）

あなたは，敬子さんから以下の情報を得ました．

追加情報

・年齢32歳，2妊1産，現在妊娠37週0日．
・陣痛開始は21:45，現在は陣痛周期5～6分，陣痛持続時間20秒程度，胎動あり．
・破水なし，血性分泌物は，37週0日午前1:00に少量あり．
・妊娠中に医師より「胎児の体重が妊娠週数からみると少し小さめである」と言われた．
・病院までは夫の運転する車で約30分かかる．もし入院となれば近所に住む友人に上の子どもを預けたいので，その時間が30分程度必要である．

1 これらの情報を統合し，分娩開始の有無，現在の分娩経過，入院の必要性についてアセスメントしましょう．

⇒敬子さんは21:45から10分おきに陣痛が来ており，現在は5～6分周期で20秒程度の発作があるので，分娩は開始しており，現在分娩第1期の潜伏期にあると考えられます．胎動もあり，分娩経過は正常であると判断します．しかし，経産婦であり，医師より胎児推定体重が妊娠週数からみると少し小さめであると言われていることから，今後陣痛周期の短縮および陣痛の強さが増強すれば，分娩が急速に進行する可能性もあるため，即入院したほうがよいと判断します．

2 上記のアセスメントをもとに，敬子さんが入院してくるまでに助産師としてすべきことは何かを考えてみましょう．

- これまでの産科歴，今回の妊娠経過の詳細を把握し，正常から逸脱する可能性やリスクの有無を判断する．
- 分娩室の準備として必要物品，薬品が整っているか確認する（初産婦の項p.5参照）．特に経産婦は分娩が急速に進む場合があるため，準備は早めに整えておくことが重要である．

追加情報

第 1 子出産時の状態

3 年前に，他院で妊娠 39 週 3 日に 2,520 g の男児を吸引分娩で出産.
吸引分娩の理由：微弱陣痛で胎児心拍数低下による胎児機能不全.
Apgar score 7 点（呼吸－1，皮膚色－1，筋緊張－1）/9 点（皮膚色－1）.
分娩所要時間 23 時間 50 分，出血量 600 mL.

今回の妊娠経過

身長 150 cm，非妊時体重 46 kg，BMI 20.4.
月経歴は正常，自然妊娠，既往歴なし，現疾患なし，切迫流早産なし.
妊娠初期血液検査：血液型 O 型，RhD（+），不規則抗体（－），感染症なし.
アレルギー・喘息なし.

妊娠 6 週　初診，血圧 110/60 mmHg.
妊娠 8 週　出血（±），自宅で様子観察した.
妊娠 11 週　超音波 CRL（頭殿長）より分娩予定日起算.
妊娠 13 週　体重 3.0 kg 減少，尿ケトン体（+）.
RBC 380×10^4/μL, WBC 9,000/μL, Hb 11.0 g/dL, Ht 34.5%, PLT 23.9×10^4/μL.
妊娠 18 週　胎動初覚.
妊娠 20 週　妊娠 20 週以降は血圧 100～120/50～60 mmHg 台で経過.
妊娠 30 週　胎児推定体重 1,284 g（－1.0 SD）.
妊娠 32 週　RBC 350×10^4/μL, WBC 10,000/μL, Hb 10.8 g/dL, Ht 32.5%, PLT 22.1×10^4/μL.
経口鉄剤処方（34 週まで内服）
妊娠 34 週 0 日　超音波所見：頭位，胎児推定体重 2,030 g（－0.5 SD），BPD 80 mm，
胎児奇形等の異常なし，胎盤付着部位・形状は正常，AFI 15 cm.
妊娠 36 週 0 日　子宮底長 32 cm，子宮口開大 2 cm，展退 30%，血圧 104/60 mmHg，
GBS（－），RBC 380×10^4/μL，WBC 9,500/μL，Hb 11.5 g/dL，
Ht 34.5%，PLT 23.1×10^4/μL.

心理・社会的背景

既婚．助産制度を適用．家族は夫と第 1 子，専業主婦，家族歴なし.
喫煙：禁煙できず，妊娠中 10 本/日（非妊時は 20 本/日，第 1 子妊娠中 5 本/日），飲酒なし.
夫：年齢 28 歳，B 型，RhD（+），アルバイト，室内で喫煙 20 本/日.
両親学級：出産施設で第 1 子の時に受講．今回は受講せず.
バースプラン：早期母子接触，アロマセラピー希望．夫立ち会い分娩の希望なし.
実母や義母は遠くに住んでいるため，産後のサポート状況は不明.
第 1 子は 10 か月まで母乳のみ．産後 4 か月に右乳腺炎.
第 1 子入院中にマタニティ・ブルーズあり，産後うつ病なし.

3 追加情報から，敬子さんの産科歴や今回の妊娠経過をアセスメントしましょう.

①第 1 子出産時の状態

⇒妊娠 39 週 3 日の正期産での経腟分娩でしたが，結果的に微弱陣痛により遷延分娩となり，胎児機能不全により吸引分娩という異常分娩でした．児の出生体重 2,520 g は－1.3 SD の

LFD児であり，妊娠中の栄養状態，体重増加量，喫煙などの影響があると考えます．今回も－1.0～0.5 SDで経過していますので，平均より児体重が小さい可能性があります．出血量は600 mLと正常範囲の500 mLより多く，微弱陣痛による吸引分娩と弛緩出血によるものと考えます．

微弱陣痛による遷延分娩や吸引分娩については，第II編（p.130～，p.154～）を参照．

②今回の妊娠経過

・妊娠経過

⇒妊娠13週で体重が3.0 kg減少（非妊時体重の6.5％減），尿ケトン体（＋）だったことから妊娠悪阻だったと考えられます．今回の体重増加量を判断する必要があります．妊娠性貧血が32週にみられ，34週まで経口鉄剤を内服しました．妊娠36週時点の血液検査では妊娠性貧血は改善されていますが，分娩時出血により産後に貧血になる可能性もあります．妊娠性貧血があると微弱陣痛や弛緩出血を起こすリスクも考えられます．

・母体の健康状態

⇒感染症はなく，バイタルサインは正常に経過しています．妊娠・分娩に影響を及ぼす疾患はありません．しかし，喫煙歴があり妊娠中も喫煙しているため，喫煙による妊娠や分娩への影響を考慮します．敬子さんの喫煙に関する知識や気持ちをアセスメントする必要があります．

・胎児の健康状態

⇒胎児推定体重が妊娠30週で－1.0 SD，34週で－0.5 SDであるため，37週の現在も平均より小さいと考えます．推定体重が小さい理由として，敬子さんと夫の喫煙の影響が大きいと考えられます．今回の妊娠経過，母体の健康状態，胎児の健康状態から判断すると，敬子さんは喫煙妊婦，胎児推定体重が小さい，妊娠悪阻と妊娠性貧血の既往から，ハイリスク妊娠であると考えます．

・心理・社会的背景

⇒経済的困窮から助産制度を利用し，夫はアルバイトをしていることから，社会的リスクがあると判断します．夫の仕事を含めて，今後の経済的な見通しが気になります．また，実母や義母は遠くに住んでいるため産後のサポート状況は不明です．子どもを預けられる友人がいるとのことですが，産後に友人や家族からどの程度サポートを得られるのかを把握し，妊産婦が利用できる社会的支援制度の活用について敬子さんに情報提供する必要姓を判断していきます．産後に，敬子さんや夫から産後のサポート状況について話を聴いてアセスメントしていきます．今回，バースプランはありますが，第1子の出産体験をどのように受けとめているのか，特に出産満足度と自己肯定感などの情報がありません．入院後に第1子出産時の様子を把握しましょう．

4 喫煙が妊娠や分娩，そして胎児や新生児に及ぼす影響について確認しましょう[1, 2]．

①妊婦の喫煙が妊娠・分娩に及ぼす影響（図1）

・喫煙妊婦の場合，ニコチンは血管を収縮させるため，子宮や胎盤の血流低下や絨毛間血流量の減少につながる．その結果，胎児発育の不良を招く．

・自然流産，早産，周産期死亡，前置胎盤，常位胎盤早期剥離の発生率が非喫煙妊婦より高く，特に前置胎盤は1.3～4.4倍，常位胎盤早期剥離は約2倍である．

②胎児・新生児への影響

- 出生体重は平均より200g程度少ない．受動喫煙でも胎児発育不全（fetal growth restriction；FGR）が発生する割合は20～90%増加する．
- 低出生体重児の出生率は非喫煙妊婦の2倍である．
- 奇形との関連では，口唇裂・口蓋裂，小頭症，水頭症，二分脊椎，心室または心房中隔欠損などがみられる．
- 疾病との関連では，白血病，腫瘍，脳内出血，呼吸器疾患，女児の将来の不妊，男児の精子数の減少がみられる．
- 喫煙母親による母乳栄養では，子どもにいらいら，不眠，嘔吐，下痢，頻脈がみられる．
- 乳幼児突然死症候群（sudden infant death syndrome；SIDS）との相関が高く，SIDSの発生リスクは両親が喫煙すると約4倍，父親が喫煙すると2.5倍に高まる．
- 子どもの発達への影響では注意欠如/多動症（attention-deficit/hyperactivity disorder；ADHD）の発生率が2～3倍に増加，記憶・聴覚の低下，将来の肥満があげられる．

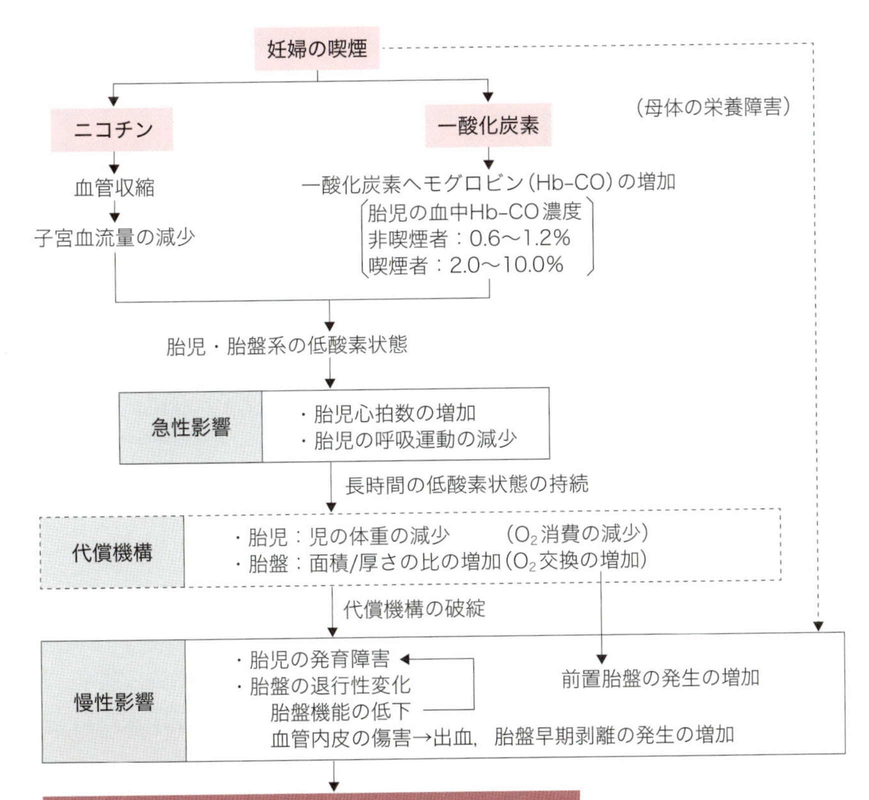

図1　妊婦の喫煙が妊娠・分娩に及ぼす影響
一酸化炭素（CO）とヘモグロビンの結合力は，酸素に比べて約200倍強く，胎児のHb-COが9%に達すると，胎児体内のO_2運搬能力が血流に換算して41%減少するといわれている．
〔中村正和：胎児性たばこ症候群．ペリネイタルケア，10(1)：27-31，1991．をもとに作図〕

3 事例の助産診断の導き方と助産診断の決定

1 敬子さんの現在の助産診断を考えてみましょう．

・**時期診断**

⇒妊娠 37 週 0 日であり，正期産である．分娩は開始しており，現在分娩第 1 期の潜伏期である．

・**経過診断**

⇒妊娠悪阻，喫煙妊婦，妊娠性貧血，胎児推定体重が小さいなどからハイリスク妊娠であるが，分娩に影響する疾患はなく，現在のところ分娩は正常に経過している．

・**経過予測診断**

⇒第 1 子の出生体重が 2,520 g であったこと，今回の胎児推定体重が妊娠 34 週で 2,030 g（−0.5 SD）であったことから，児の出生体重は 2,500～2,700 g と推定される．産婦の身長（150 cm）と胎児推定体重から判断して，児頭骨盤不均衡（CPD）はないと考える．今後陣痛の増強に伴い，分娩が急速に進行する可能性があるが，分娩時刻は入院時の分娩進行状態から判断する．

4 助産計画の立案（目標と具体策）

1 どのような助産目標が考えられますか．

・分娩が急速に進むことなく，安全に 1 時間程度で入院できる．

2 敬子さんへの具体的なケアとして，入院する際に敬子さん自身で気をつけてもらいたいことを考えてみましょう（下記以外については，初産婦の項 p.12 参照）．

【観察プラン】

・陣痛の状態〔陣痛開始時刻，周期（発作と間欠），強さ〕，胎動，破水の有無，血性分泌物，いきみたい感じの有無（敬子さん自身で観察）

【ケアプラン】

・分娩が開始しているので，すぐに入院するように伝える．

【指導・説明・支持プラン】

・入院途中で正常から逸脱した症状（鮮血を伴う出血，急激な痛みの増強，破水，胎動を感じない）について説明し，これらの症状があればすぐ連絡することを伝える．

文献

1）森　恵美，他：系統看護学講座　専門分野Ⅱ 母性看護学概論　母性看護学 1．pp.292-295，医学書院，2021．
2）我部山キヨ子，他編集：助産学講座 6　助産診断・技術学Ⅱ〔1〕妊娠期．pp.252-253，医学書院，2022．

2. 経産婦の分娩期 2）分娩第1期 入院時

あなたは，夜勤の病棟勤務で入院してきた敬子さんを受け持つことになりました．この事例をアセスメントして，援助していくプロセスを一緒に考えましょう．

1 アセスメントに必要な知識

敬子さんの分娩進行状態を診断するための知識や情報について整理しましょう．

1 入院時の内診所見で観察すべき情報は何か，確認しましょう．

- 破水・卵膜の有無，胎胞の状態，臍帯または四肢の下垂・脱出
- 腟壁の伸展性，恥骨弓角の広さ，坐骨棘間の広さ
- 会陰の伸展性と児頭の先進速度や大きさとの関係，会陰の高さ，外陰部の静脈瘤・浮腫・瘢痕の有無，軟産道損傷による出血の有無
- 腟分泌物の性状・量・流出状態
- 分娩が進行すれば，さらに胎児先進部の部位，回旋（小泉門や大泉門の位置），産瘤・骨重積の有無を観察し，分娩進行状態をアセスメントする．

2 初産婦と経産婦の内診所見の違いを表 1，図 2 から理解しておきましょう．

表 1 初産婦と経産婦の子宮口の開大の仕方

分娩の時期	初産婦	経産婦
分娩初期	内子宮口，外子宮口ともに閉鎖	外子宮口はすでに開大
分娩第 1 期経過中	頸管は内子宮口から開大するが，外子宮口は閉鎖する	頸管上部と外子宮口が開大する
分娩第 1 期の終わり	頸管および外子宮口がともに開大する	頸管，外子宮口はほぼ完全に開大するが，外子宮口縁はなお厚い

（荒木 勤：最新産科学 正常編．改訂第 22 版，p.236，文光堂，2008．をもとに作表）

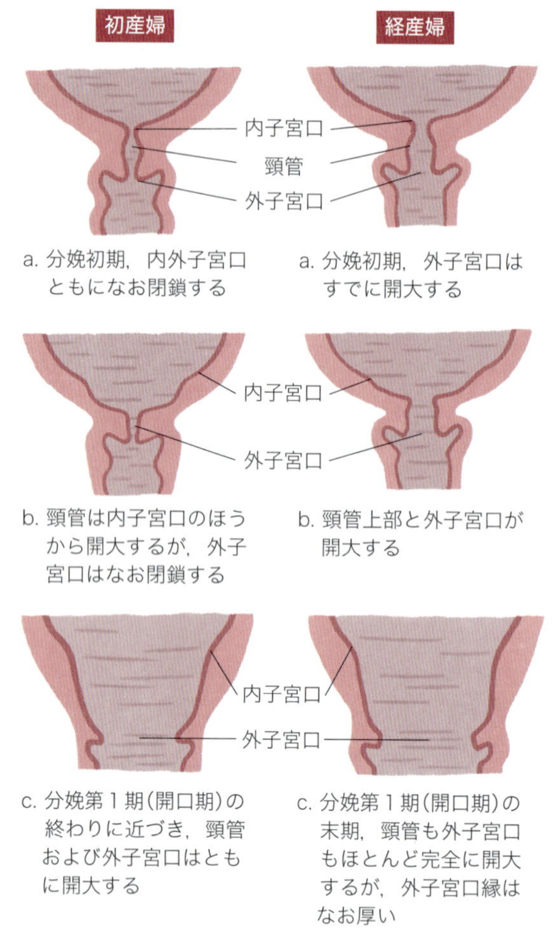

図２　初産婦と経産婦の内診所見の違い
（荒木 勤：最新産科学　正常編．改訂第22版，p.236，文光堂，2008．をもとに作図）

3 自然分娩経過の特徴について，初産婦と経産婦の違いを理解しておきましょう（表２）．

分娩第１期の活動期は子宮口開大５cm以降と定義されている．日本人の初産婦と経産婦の分娩経過曲線を後方視的調査により明らかにした研究[1)]によると，子宮口開大５cmから10cmまでの１cmごとの開大所要時間は表２のとおりである．分娩経過の予測にはこのデータを参照しつつ，産婦の背景を考慮してアセスメントすることができる．

表2　子宮口開大 1 cm に要する時間

子宮口開大	初産婦（時間）平均	経産婦（時間）平均
5−6 cm	3.55	0.79
6−7 cm	1.09	0.38
7−8 cm	0.75	0.28
8−9 cm	0.58	0.22
9−10 cm	0.46	0.17
6−10 cm	2.88	1.05

（Shindo R, et al : Spontaneous labor curve based on a retrospective multi-center study in Japan. Obstet Gynaecol Res, 47(12) : 4263-4269, 2021. をもとに作成）

2　事例の情報整理と情報の分析・解釈・統合（アセスメント）

敬子さんの入院時の状態

23:30　夫とともに入院．32 歳，2 妊 1 産，入院時 37 週 0 日．体重 54 kg（非妊時 46 kg）
陣痛開始は 21:45，現在は陣痛周期 5〜6 分，陣痛持続時間 30〜40 秒．
破水なし，血性分泌物は 37 週 0 日午前 1:00 に少量あり．
体温 36.6℃，脈拍 80 回/分，血圧 116/76 mmHg，尿蛋白（−），尿糖（−），浮腫（−）．
静脈瘤：外陰部なし，下肢なし．
排便：入院日の朝あり．食事：20:00 に夕食を普通に食べた．入浴：入院前に済ませている．
診察所見：子宮口開大 4 cm，展退 70%，St−1，子宮頸部の硬度：軟，子宮口位置：中央．
子宮底長 31 cm，腹囲 87 cm，第 1 胎向頭位，先進部固定，羊水量中程度．
胎児推定体重：超音波所見より 2,500〜2,700 g．
胎児心音：ドップラー聴診により 135 bpm．

「前はなかなか産まれなかったから今度は大丈夫かな？　前のお産は大変でパニックになりました．今回は女の子と聞いています．元気に産まれるか心配です」
陣痛発作時はお腹と腰が痛いようで少し顔をしかめてゆっくり呼吸している．いきみたい感じはない．表情からは疲労の様子はみられない．前日はなかなか眠れなかったので，昼間 2 時間ほど昼寝をした．友人に上の子どもを預けたが，「子どもが友人宅で夜寝てくれるか気がかりです」と話す．

1 現在の分娩進行状態をアセスメントしてみましょう．

・**時期診断**

⇒現在妊娠 37 週 0 日であり，正期産です．陣痛周期 5〜6 分，陣痛持続時間 30〜40 秒で，電話連絡時の 22:30 より陣痛持続時間が長いことと，子宮口開大 4 cm であることより現時点で分娩第 1 期の潜伏期であると判断します．陣痛が今より強くなれば活動期に入り，分娩が急速に進む可能性があると予測します．

・経過診断

⇒内診所見より Bishop score は 9 点で，頸管は熟化しています．陣痛開始より 1 時間 45 分経過，未破水で，現在分娩経過の正常からの逸脱はみられません．

・産婦の健康状態

⇒敬子さんの体重増加量は非妊時からは 8 kg です．非妊時の BMI 20.4 に相当する体重増加量の目安は 10～13 kg ですから，目安より少ない体重増加量です．この体重増加量と喫煙の影響により胎児推定体重が 2,500～2,700 g であると考えます．軟産道への脂肪蓄積はないと考えられます．バイタルサインは正常です．妊娠中，妊娠性貧血と胎児推定体重が小さい以外に妊娠高血圧症候群や妊娠糖尿病の所見はなく，正常に経過しています．今後急速に分娩が進行した場合には，分娩後に弛緩出血を起こす可能性があります．

・児の健康状態

⇒超音波ドップラーによる胎児心音聴取では特に異常はありません．今後，分娩監視装置により胎児心拍と陣痛との関係を観察していきます．前回分娩時は胎児機能不全により吸引分娩になったこと，今回も胎児推定体重が小さいこと，敬子さんが喫煙していることから，胎児への低酸素状態により胎児機能不全を起こす可能性があります．ハイリスク妊娠および分娩が急速に進行する可能性もあることから，持続的な胎児心拍数モニタリングを行います．特に細変動の消失や変動一過性徐脈，遅発一過性徐脈の出現に注意します．

・産婦の心理・社会的状態

⇒敬子さんは前回の分娩では児がなかなか産まれずにパニックになったことから，今回は分娩への適応がうまくいくかどうかを心配しています．また，上の子どものことも気がかりであるため，バースプランにあるアロマセラピーなどを用いて分娩に集中しリラックスできる環境をつくり，パニックに陥らないように夫の協力も得て援助する必要があります．夫の協力も重要です．

敬子さんは早期母子接触を希望しているので，児の状態がよければ実施します．夫には立ち会い分娩の希望はありませんが，分娩第 1 期には敬子さんのそばで声をかける，水分摂取を促す，腰をマッサージするなどのサポートに積極的にかかわることができるように支援します．分娩第 1 期に夫から立ち会い分娩の希望があれば，立ち会いできるように配慮します．

・経過予測診断

⇒経産婦であること，児の推定体重が 2,500～2,700 g であることから，分娩進行状態として，子宮口開大 6 cm，陣痛周期 2～3 分，陣痛持続時間 50～60 秒程度で陣痛の強さが増強すれば，30 分～1 時間後に児娩出に至る可能性があります（**表 2**）．今後，子宮口が 1～1.5 cm/ 時間で開大すると 3～4 時間後に子宮口全開大，その後児娩出に至ると予測します．分娩第 3 期の弛緩出血のリスクも考えておきます．

3　事例の助産診断の導き方と助産診断の決定

1 上記のアセスメントから，敬子さんの助産診断を考えてみましょう．

社会的リスクは産後に詳細にアセスメントし，計画を立案することにします．

- **時期診断**
  ⇒現在妊娠37週0日の正期産で，分娩第1期の潜伏期である．
- **経過診断**
  ⇒分娩進行を妨げる要因はなく，敬子さんの健康状態，胎児の健康状態も良好であり，分娩は正常に経過している．
- **経過予測診断**
  ⇒経産婦である，児の推定体重は2,500～2,700 gである，分娩を妨げる要因がないことから3～4時間後に子宮口全開大，その後30分で児娩出になると予測される．弛緩出血のリスクがある．

2 分娩進行状態，産婦の身体的・心理的健康状態，胎児の健康状態の側面から，優先順位をつけて助産診断を考えてみましょう．

1）**分娩進行状態**：現在分娩第1期の潜伏期であり，分娩は正常に経過しているが，経産婦であり，児の推定体重が2,500～2,700 gであることから，急速に分娩が進む可能性がある．

2）**胎児の健康状態**：児心音からはwell-beingであるが，母親の喫煙による胎盤機能低下による低酸素状態から胎児機能不全になるリスクがある．

3）**産婦の身体面**：児頭骨盤不均衡（CPD）もなく，分娩進行を妨げる要因はない．しかし，妊娠性貧血の既往や急速な分娩進行により弛緩出血を起こす可能性がある．

4）**産婦の心理面**：呼吸法により陣痛に対処できている．

4　助産計画の立案（目標と具体策）

1 上記の助産診断をもとに，分娩第3期までの助産目標を考えてみましょう．

1）急速な分娩進行にならずに，分娩時出血は500 mL以内で，安全に分娩を終了できる．

2）児は胎児機能不全に陥ることなく出生し，1分後のApgar score 8点以上である．

3）分娩進行に合わせた呼吸法を実施でき，パニックにならずに分娩を終える．

2 助産目標 1）に対して，敬子さんに特有の具体的な計画を考えてみましょう．

【観察プラン】　初産婦の項pp.21～23参照．以下，特に経産婦で留意すべき点を記載．

①陣痛発作・間欠の時間，陣痛周期，陣痛発作時の強さ，腹圧の有無と程度，胎動の有無．

②陣痛発作の増強や努責感出現時，破水時は内診を行い，分娩進行状態を判断する．

③産痛の程度・部位，努責感の有無，産婦の表情や陣痛への対応の仕方（陣痛発作時，呼気に集中して呼吸が行えているか，陣痛発作時の身体の緊張度，発汗の有無など）．

④頸管裂傷，会陰裂傷の有無と程度，分娩第3期，4期の子宮収縮状態，出血の色・量・出血の仕方，バイタルサイン，顔色，胎盤剥離徴候と胎盤娩出状態，胎盤実質や卵膜の欠損の有無，膀胱充満の有無．

⑤出生時の様子（言動，表情など）

【ケアプラン】

①現時点で分娩室の準備をし，急速な分娩進行に備えて分娩セットや救急カートを準備しておく．

②子宮口が6～8 cm開大した時点で分娩室に移室する．

③分娩室に入室したら，医師の指示にて予防的な血管確保・輸液を行う．

④自然排尿を2～3時間ごとに試みる．分娩室入室後，膀胱充満があれば導尿を実施する．

⑤適宜水分摂取を勧める．

⑥産痛に対して腰部マッサージや圧迫法を実施する．敬子さんはバースプランにアロマセラピーの希望があるので，希望に沿ってマッサージや芳香浴を実施する．

⑦敬子さんのそばに付き添い，急な努責感，発汗，肛門哆開，粘稠な出血がないかを観察する．

⑧胎児機能不全や出血などの異常時は他の医療職者にすぐに知らせ，サポート体制を整える．

⑨児娩出時は呼吸法を誘導しながら，会陰保護により急速に児頭が娩出しないように左手でコントロールしながら，安全に児を娩出させる．

⑩正常からの逸脱や弛緩出血，子宮収縮不良に備えて輸液や子宮収縮薬などの準備をしておく．

⑪子宮収縮不良の場合，子宮底の輪状マッサージや冷罨法を行い，医師に報告する．医師の指示により子宮収縮薬の準備・投与を行う．

【指導・説明・支持プラン】

①破水時や急激な陣痛の増強や努責感の出現，出血などがあれば，すぐにナースコールで知らせるように説明する．

②分娩進行状態や実施する処置について，敬子さんや夫にわかりやすく説明する．

③夫立ち会い分娩希望はないが，夫に分娩第1期に産痛緩和などのケアに参加できるように促す．分娩第1期に立ち会い分娩の希望があれば，夫が立ち会えるように配慮する．

3 助産目標2）に対して，どのような具体策が考えられますか．

【観察プラン】 初産婦の項pp.21～23参照．以下，特に経産婦で留意すべき点を記載．

①胎児心拍数（基線，基線細変動，頻脈，徐脈，変動一過性徐脈，早発一過性徐脈，遅発一過性徐脈の有無）．

【ケアプラン】

①胎児の健康状態，陣痛の状態を判断するために分娩監視装置による持続的モニタリングを行う（敬子さんは妊娠中の喫煙，妊娠性貧血の既往，妊娠中の体重増加量が目安より少なく胎

児推定体重が小さいなどハイリスク妊娠であることや経産婦であることから，急速に分娩が進行する可能性があるため）．

②早期破水後は胎児心拍数の変化に留意し，波形分類の判定を行う．

③変動一過性徐脈，遅発一過性徐脈の出現により胎児心拍数波形分類レベル3の場合，医師に報告し，左側臥位への体位変換や酸素投与を行う．

【指導・説明・支持プラン】

①敬子さんに分娩進行状態，胎児の健康状態を説明する．

②落ち着いてゆっくりと呼気に集中して呼吸するように説明する．

4 助産目標3）に対して，どのような具体策が考えられますか．

【観察プラン】

①分娩進行に応じた呼吸ができているかを観察する．手足のしびれ，息苦しさなど過換気症候群の症状の有無を観察する．

【ケアプラン】

①うまく呼気ができていないようであれば，一緒に呼吸を行ってみる．

②過換気症候群があれば，敬子さんに触れながら「大丈夫ですよ，安心してください」と落ち着かせ，息を吐くことを意識させる．おおよそ一呼吸（10秒間）に「吸う：吐く」を1：2の割合で，少しずつ息を吐き，ゆっくりとした深呼吸ができるように促す．

③肩や大腿部などへのタッチングにより気持ちを落ち着かせ，リラックスしてもらう．

④希望によりアロマセラピーによるマッサージや芳香浴を行う．

【指導・説明・支持プラン】

①落ち着いてゆっくり呼吸するように伝える．

②前回パニックになったため，呼吸法を説明し，陣痛間欠時は体の力を抜きリラックスするように説明する．

③子宮口全開大前は頸管裂傷予防のため，いきまないようにフーフー呼吸をすることや児頭娩出時の短息呼吸について説明する．

④呼吸がうまくできていれば称賛する．

文献

1）Shindo R, et al : Spontaneous labor curve based on a retrospective multi-center study in Japan. Obstet Gynaecol Res, 47(12) : 4263-4269, 2021.

参考文献

・Inde Y, et al : Cervical dilatation curves of spontaneous deliveries in pregnant Japanese females. Int J Med Sci, 15(6) : 549-556, 2018.

2. 経産婦の分娩期 3）入院1時間後

23:30に入院した敬子さんは，入院1時間後の午前0:30に破水しました．

1 アセスメントに必要な知識

1 この時点で，助産師としてどのような情報を得て何をアセスメントすべきか，考えてみましょう．

・**情報**

破水の状態（羊水の色・量・流出状態），分娩進行状態（陣痛の状態，内診所見，血性分泌物，産痛の部位・程度，胎児の健康状態，産婦の身体的・精神的な分娩への適応状態）

・**アセスメント**

分娩経過，胎児の健康状態は正常か，正常からの逸脱はないか，分娩の時期診断，分娩室入室の必要性の有無，あとどれくらいで児娩出になるか，急速に分娩が進行する可能性はないか，産婦の分娩への適応状態などを視野に入れて経過予測診断をする．

2 事例の情報整理と情報の分析・解釈・統合（アセスメント）

あなたは敬子さんの状態，胎児の健康状態を観察し，以下の情報を得ました．

37週1日　午前0:30の状態

陣痛周期2～3分，陣痛持続時間40～50秒．
破水あり，羊水混濁なし，粘稠な血性分泌物がパッドに5×10 cm程度付着．
胎児心拍数基線130～140 bpm，基線細変動6～10 bpm，軽度一過性徐脈あり，最下点115 bpm．
ときどき軽い努責感あり，肛門抵抗はあるが，肛門哆開なし．
子宮口開大6～7 cm，展退80%，St±0，子宮頸部の硬度：軟，子宮口位置：前方，小泉門2時．
敬子さんは今のところ落ち着いて呼吸をしている．発汗あり，陣痛間欠時はうとうとしている．
手足のしびれなどはなし．

1 現在の敬子さんの分娩進行状態をアセスメントしてみましょう.

⇒破水は子宮口全開大前であるため早期破水です．羊水の状況から胎児の健康状態に異常はなく，胎児心音は正常と判断します．破水後の胎児の健康状態を観察するため持続モニタリングは継続します．内診所見から Bishop score 12 点で子宮頸管の熟化は完了に近い状態です．小泉門が 2 時に触れることから児頭は第 1 頭位第 2 回旋の途中であり，今後矢状縫合が骨盤縦径に一致してくると予測されます．
以上から分娩は順調に経過しており，時期診断は第 1 期活動期の極期で，現在の陣痛の様子から判断して 30 分〜1 時間後に児娩出に至ると予測します．胎児の推定体重は妊娠週数の平均より小さめの 2,500〜2,700 g であることから，本格的な努責が出現すると急速に分娩が進行する可能性があるため，現時点で分娩室への移室を判断します．移室の方法は破水していることや経産婦であることから安全を考慮して車椅子を使用します．LDR の場合は，この時点で分娩体位をとって分娩の準備に入ります．

3 事例の助産診断の導き方と助産診断の決定

1 敬子さんの助産診断を考えてみましょう.

1) 現在分娩第 1 期活動期の極期で，順調な分娩経過である．30 分〜1 時間後に児娩出に至ると予測し，分娩室入室を決定する．
2) 胎児の健康状態は良好である．
3) 敬子さんの分娩への適応状態は今のところ特に問題はない．

4 助産計画の立案（目標と具体策）

1 上記の助産診断をもとに助産目標を考えてみましょう.

1) 母児の安全が守られ迅速に分娩室に入室でき，分娩の準備に適応できる．
※以下の入院時の助産目標は継続していきます（再掲）．
2) 急速な分娩進行にならずに，分娩時出血は 500 mL 以内で，安全に分娩を終了できる．
3) 児は胎児機能不全に陥ることなく出生し，1 分後の Apgar score 8 点以上である．
4) 分娩進行に合わせた呼吸法を実施でき，パニックにならずに分娩を終える．

2 助産目標 1）に対して，どのような具体策が考えられますか．

【観察プラン】 初産婦の項 pp.21～23 参照．以下，特に経産婦で留意すべき点を記載．

これらの項目を観察しながら，分娩の準備を整える．

①陣痛周期，陣痛持続時間と強度，努責の状態と下降度（内診所見による児頭の回旋，下降度の判断），外陰部消毒または洗浄をする前に内診により分娩進行状態を判断し，準備の優先順位を決める（経産婦は軟産道の伸展がよいこと，また敬子さんの場合，胎児推定体重が妊娠週数の平均より小さいことから，娩出力である陣痛と努責がうまく合致すれば，胎児下降が急速に進み，子宮口全開大後10分程度で分娩に至ることも考えられるため）．

②胎児の健康状態，軟産道の状態，先進部の状態，産婦の状態観察は，初産婦の項（pp.21～23）参照．

③敬子さんの分娩準備への対応状態（陣痛への対処や言動など）．

【ケアプラン】

①陣痛の間欠時に車椅子で分娩室に移室する．

②分娩室入室時はスタッフに報告し，その後慌てずに児娩出に至るように多くの人員により短時間で分娩の準備を進めていく．

③分娩室入室後も，持続的に陣痛と胎児心拍の状態をモニタリングする．

④分娩室入室後，医師の指示により予防的な血管確保・輸液を行う．

⑤外陰部消毒または洗浄後，清潔シーツ，吸引の準備など清潔野の準備を速やかに進める．児がいつ生まれてもよいように準備中は声かけや説明をしながら産婦の陰部から目を離さないようにする．

⑥膀胱充満があれば，導尿をする．

⑦産婦のケアを行う（初産婦の項 pp.21～23 参照）．

【指導・説明・支持プラン】

①敬子さんに分娩進行状態を説明し，分娩室に移室することを説明する．

②バースプランでは，夫の立ち会い分娩の希望はなかったが，この時点で再度確認し，希望があれば立ち会ってもらう．

③子宮口全開大前に努責しないように説明し，陣痛発作時はフーフー呼吸で努責を逃すように説明する．

④子宮口全開大後の努責について説明をする（初産婦の項 pp.21～23 参照）．

助産目標 2)～4）については，初産婦の項 pp.21～23，敬子さんの入院時の助産計画（pp.57～59）を参照．

2. 経産婦の分娩期 4) 分娩室入室後～分娩まで

1 アセスメントに必要な知識

1 過換気症候群について知識を確認しておきましょう.

呼吸が浅く速くなり，換気量が増加すると，血中 CO_2 が排出され，血液 pH が高くなり，呼吸性アルカローシスとなる．その結果，PaO_2 の上昇，$PaCO_2$ の低下が生じ，一過性に脳血管が攣縮し，脳虚血状態となる．めまい，手指しびれ感，手指こわばり感，四肢冷感などの感覚異常，痙攣，動悸，呼吸困難，口腔の乾燥，全身倦怠感，脱力感，意識消失が生じる．

2 事例の情報整理と情報の分析・解釈・統合（アセスメント）

分娩室に入室後，敬子さんの分娩経過は以下のとおりでした．

分娩室入室後の敬子さんの分娩経過

0:35 分娩室入室．子宮口開大 8 cm，展退 90%，St+1，小泉門 1 時．
胎児心拍数基線 130～135 bpm，基線細変動 6～10 bpm，軽度変動一過性徐脈あり．
陣痛周期 2 分，陣痛持続時間 40～50 秒，ハッ，ハッ，ハッ，と呼吸が浅く息つぎがはやい．「まだですか？」と苦悶様の表情で尋ねる．助産師の声かけにより一緒にフーフー呼吸できるが，陣痛発作の極期には身体がのけぞり，曲がっている．

0:45 子宮口開大 9.5 cm，子宮口前壁が残る．展退 90%，St+2，小泉門 1 時．
「もう出る～，う～ん」と努責感あり．「手がしびれる～，なんで～っ」．

0:50 陣痛周期 2 分，陣痛持続時間 50 秒，胎児心拍数基線 135～140 bpm，基線細変動 6～10 bpm.
子宮口全開大，St+3，小泉門 12 時，産瘤なし．発作時に肛門哆開，外陰部膨隆，陰裂哆開あり．陣痛発作のピークに合わせて胎児心拍数が 120 bpm まで低下するが，発作終了とともに 30 秒以内に心拍数基線まで回復する．
敬子さんは，いきみが増強し額には汗をかき，「もう我慢できない，ふう～ん」と発作時にいきんでいる．

0:58 排臨

0:59 発露

1:00 児娩出，男児，Apgar score 1 分後 9 点／5 分後 9 点（皮膚色－1）.
体重 2,650 g，身長 48 cm，臍帯動脈血 pH 7.32.
子宮底の高さ：臍下 2 横指，子宮底の硬度：硬式テニスボール様，会陰裂傷なし．

1:10 胎盤娩出（シュルツェ式），子宮底の高さ：臍下3横指，子宮底の硬度：硬式テニスボール様.
第3期までの出血量230 mL.
分娩所要時間：第1期3時間5分，第2期10分，第3期10分，計3時間25分.

1 敬子さんの0:35〜0:50の分娩進行状態をアセスメントしてみましょう.

⇒敬子さんは分娩室入室後，呼吸がうまくできずに0:45には過換気症候群を起こしています．このまま呼吸がうまくできないと胎児への酸素供給に影響するため，呼吸を整えて分娩への適応を促す必要があります.
0:50から分娩第2期です．陰裂哆開があるため，あと10分くらいで児娩出に至ると予測します．すぐ会陰保護ができるように準備しておきます.
胎児の健康状態は変動一過性徐脈がみられますが，基線細変動は正常なので，胎児心拍数波形分類のレベル2です．正常な分娩経過でみられる胎児心拍数パターンですので，このまま経過を観察していきます.

3 事例の助産診断の導き方と助産診断の決定

1 敬子さんの0:35〜0:50の助産診断を考えてみましょう.

1）過換気症候群を起こしており，分娩への適応がうまくいっていない.
2）分娩第2期であり，分娩経過は正常である．子宮口全開大後10分程度で児娩出に至ると予測する.
3）分娩室入室後，胎児の健康状態は良好である.

4 助産計画の立案（目標と具体策）

1 どのような助産目標が考えられますか.

1）過換気症候群が緩和され，陣痛発作に合わせて努責ができる.
※以下の入院時の助産目標は継続していきます（再掲）.
2）急速な分娩進行にならずに，分娩時出血は500 mL以内で，安全に分娩を終了できる.
3）児は胎児機能不全に陥ることなく出生し，1分後のApgar score 8点以上である.

2 助産目標1）に対して，どのような具体策が考えられますか.

【観察プラン】（p.59参照）
①過換気症候群の症状：めまい，感覚異常（手指のしびれ感，手指こわばり感，四肢冷感），

けいれん，動悸，呼吸困難，口腔の乾燥，全身倦怠感，脱力感，意識消失
②表情，顔色

【ケアプラン】

①産婦が子宮口全開大前は呼気に集中できるよう，フーフー呼吸を一緒に行い，陣痛終了後はゆっくりとリズムをとりながら深呼吸を一緒に行う．
②子宮口全開大後は陣痛発作に合わせて骨盤誘導線に向けて努責できるように声かけをしながら誘導する．
③児娩出時は呼吸法を誘導しながら，会陰保護により急速に児頭が娩出しないように左手でコントロールする．

【指導・説明・支持プラン】

①落ち着いて深呼吸をするように説明する．
②子宮口全開大後の努責の仕方を説明する．
③敬子さんに，もうすぐ児に会えることを話し，児娩出の見通しがもてるように説明する．

5 その後の経過

1 出産後の敬子さんと新生児の状態をアセスメントしてみましょう．

⇒敬子さんの子宮復古は良好で，会陰裂傷もなく分娩第３期は正常に経過しています．分娩所要時間は３時間 25 分で，経産婦の平均時間より早く経過しました．子宮復古も良好で出血も正常範囲内ですので，分娩第４期は正常に経過すると予測します．
新生児の体重は妊娠週数の平均に相当しますので，AFD 児です（p.67 参照）．Apgar score や血液ガスデータは正常であり，胎児の低酸素状態はなかったと判断します（p.71～参照）．
社会的リスクについては，敬子さんは子ども２人の育児ははじめてですので，家族や友人からのサポート状況を把握します．産後に敬子さんや夫からじっくり話を聴き，産後ケア事業や子育て世代包括支援センターなどの社会資源の利用の必要性を判断していきます．前回マタニティ・ブルーズを経験していますので，育児に関する不安や困りごとがあれば，病院の電話相談やオンラインによる面談も可能であることを伝えます．

参考文献

・我部山キヨ子，他編集：助産学講座 6　助産診断技術学Ⅱ［1］妊娠期．第 6 版，pp.185-215，pp.252-253，医学書院，2022.
・我部山キヨ子，他編集：助産学講座 7　助産診断技術学Ⅱ［2］分娩期・産褥期．第 6 版，pp.46-47，pp.80-85，pp.130-145，pp.282-285，医学書院，2022.
・加治正行：妊娠に対する喫煙の影響．小児科，29(2)：1325-1333，2008.
・北川眞理子，他編：今日の助産─マタニティサイクルの助産診断・実践過程．改訂第 4 版，p.55，p.376，南江堂，2019.
・北川眞理子：分娩進行の診断ポイント─おもに下降度診断について．「看護のコツと落とし穴，母性・女性看護編」．小島操子，他編，p.71，中山書店，2000.
・町浦美智子：第 4 章　分娩経過に伴う診断・アセスメントとケア．第 5 巻　分娩期の診断とケア．「助産師基礎教育テキスト 2023 年版」．佐々木くみ子編集，pp.123-146，日本看護協会出版会，2023.

3. 生後24時間までの新生児

1）出生直後～2時間後

1 アセスメントに必要な知識

1 新生児の定義と生理学的特徴について知識を確認しましょう.

- 「新生児期」とは，出生時より27生日（生後28日未満）の期間をいい，この期間にある乳児を「新生児」とよぶ（WHOの定義）.
- 新生児は生後の日数を「日齢」として表し，出生日を「日齢0日」という.
- 新生児期は日齢6日まで（生後1週間以内）の新生児早期（early neonatal period）と，それ以降の新生児後期（late neonatal period）に分けられる[1].
- 出生と同時に，胎児は新生児とよばれるようになる．胎内生活と胎外生活での最大の変化は，胎盤に依存した生活から胎盤なしの生活に変わることである．胎内では胎盤の働きにより，酸素の供給，栄養の供給，老廃物の除去が行われ，胎児の生命が維持されている．しかし，出生とともに胎盤への血流は遮断され，それまで胎盤が代行していたさまざまな機能を新生児自身で行わなければならなくなる.

2 新生児は，(1)出生体重，(2)在胎週数，(3)成熟度，(4)在胎週数と出生体重の4側面から分類されています．各分類での新生児の定義を確認しましょう.

(1) 出生体重による分類
- 超低出生体重児（extremely low birth weight infant）：出生体重1,000g未満の児
- 極低出生体重児（very low birth weight infant）：出生体重1,500g未満の児
- 低出生体重児（low birth weight infant）：出生体重2,500g未満の児
- 正常出生体重児（normal birth weight infant）：出生体重2,500g以上4,000g未満の児
- 巨大児（excessively large infant）：出生体重4,000g以上の児
- 超巨大児（exceptionally large baby）：出生体重4,500g以上の児（ICD-10による）

(2) 在胎週数による分類
- 超早産児：在胎22週以上～28週未満に出生した児
- 早産児（pre-term infant）：在胎22週以上～37週未満に出生した児
- 正期産児（term infant）：在胎37週以上～42週未満に出生した児
- 過期産児（post term infant）：在胎42週以上で出生した児

(3) 成熟度による分類
- 未熟児（premature infant）：胎外生活に適応するための成熟徴候を備えていない児

- 成熟児（mature infant）：胎外生活に適応し得る成熟徴候を備えた児
- ジスマチュア児（dysmature infant）：胎盤機能不全症候群の臨床所見を伴う児．いわゆる胎内栄養不全型

(4) 在胎週数と出生体重による分類（図1～3）

- light-for-dates infant（不当軽量児；LFD 児）：在胎週数に比して出生体重が軽く，在胎期間別出生体重曲線の10%タイル未満の児
- small-for-gestational（SGA）infant，small-for-dates（SFD）[*1] infant：LFD 児のうち，体重のみならず身長も週数相応の標準からみて10%タイル未満の児
- appropriate-for-gestational（AGA）infant，appropriate-for-dates（AFD）infant（相当体重児；AFD 児）：在胎週数相応の出生体重の児，在胎期間別出生体重曲線の10%から90%タイルの間にある児
- heavy-for-dates infant（不当重量児；HFD 児）：在胎週数に比して出生体重が重く，在胎期間別出生体重曲線の90%タイル以上の児

3 新生児の肺呼吸確立の機序について確認しておきましょう．

(1) 肺呼吸確立の作用機序

- 胎児は胎盤を介してガス交換を行っており，肺内は肺水で満たされているため呼吸機能をもたない．胎児は産道を通過する際に胸郭が圧迫され，正期産児で40～50 mL の肺水が絞り出される．産道外に出ると圧迫されていた肺が胸郭の弾性で再び膨らみ，肺胞に空気が入る．肺胞内に空気が入ると，そこに表面張力が働き，それに打ち勝って肺を押し広げるために50～60 cmH_2O という高い圧が必要となる（成人の呼吸時の圧は15 cmH_2O 前後）．
- 第1呼吸によって空気が入り，肺が開くと，次に第1啼泣が起きることにより呼気に陽圧が加わり，より均一に肺胞を開く働きをする．出生時に第1呼吸を引き起こす機序は，動脈血酸素分圧（PaO_2）の低下，動脈血二酸化炭素分圧（$PaCO_2$）の上昇，pH の低下，皮膚への寒冷刺激などが重要な要因だといわれている．

(2) 呼吸状態の観察

- 新生児の正常呼吸数は，移行期（生後24時間以内）で30～60回/分，移行期を過ぎると30～50回/分程度で，成人に比べ多い．それは，成人に比べ酸素消費量が多く，肺が小さいわりに気道の生理的死腔が大きく，1回換気量が少ないためである．
- 呼吸の観察は，腹部が上下する腹式呼吸，胸部と腹部が同時に上下する胸腹式呼吸，胸部と腹部が交互に上下するシーソー呼吸のどの型かを見分ける．また，規則的な呼吸なのか周期性呼吸なのか，無呼吸があるのか，呼吸のリズムについても観察する．聴診器を用いて両側肺野へ均等に空気が入っているのか，乾性ラ音や湿性ラ音はないか，呻吟はないかを確認する．呼吸の生理的変動は激しいので，正常新生児でも出生後数時間は一過性の多呼吸や鼻翼呼吸，ラ音や呻吟を認めることがある．

---

*1　日本では light-for-dates 児に含まれ，あまり使用されない[1]．

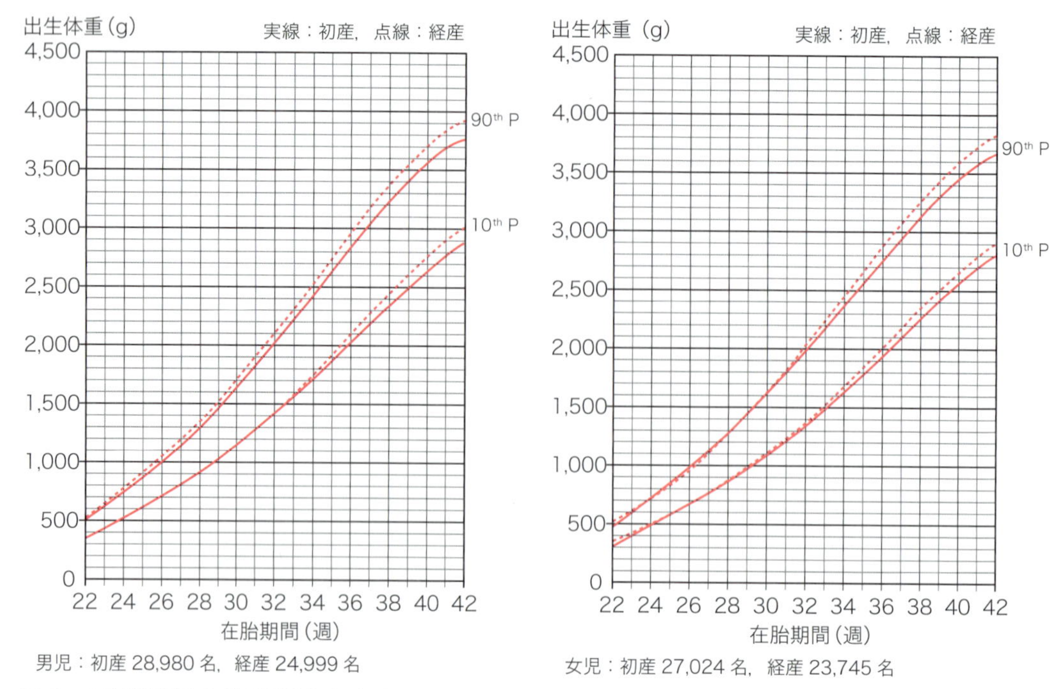

図 1　在胎期間別出生体重標準曲線（男児・女児）

〔日本小児科学会新生児委員会：新しい在胎期間別体格標準基準値の導入について，日本小児科学雑誌，114(8)：1271-1293，2010.〕

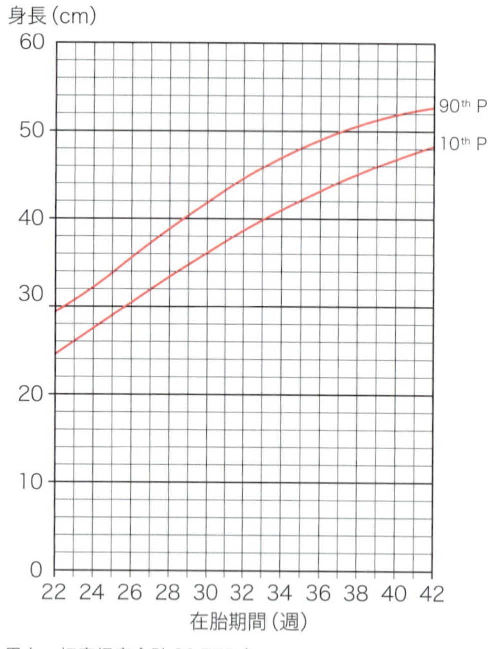

図 2　在胎期間別出生身長標準曲線（男女）

〔日本小児科学会新生児委員会：新しい在胎期間別体格標準基準値の導入について，日本小児科学雑誌，114(8)：1271-1293，2010.〕

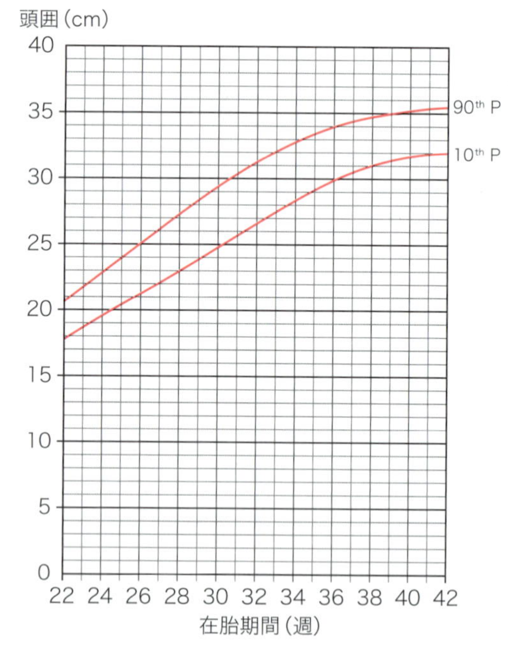

図 3　在胎期間別出生頭囲標準曲線（男女）

〔日本小児科学会新生児委員会：新しい在胎期間別体格標準基準値の導入について，日本小児科学雑誌，114(8)：1271-1293，2010.〕

	胸と腹の動き（シーソー呼吸）	肋間腔の陥凹	剣状突起部の陥凹	鼻孔の拡大	呼気時のうめき
0点	同時に上昇	なし	なし	なし	なし
1点	吸気時に上胸部の上昇が遅れる	やっと見える	やっと見える	軽度	聴診器で聞こえるだけ
2点	シーソー運動	著明	著明	著明	聴診器なしで聞こえる

図4　シルバーマンスコア

(3) 新生児の呼吸状態に異常がみられる場合の対応

新生児の呼吸状態に異常がみられる場合には，シルバーマンスコア（Silverman retraction score，図4）を用いて重症度を判定する．成熟児では 2 点以上（低出生体重児では 5 点以上）は呼吸障害，5 点以上は重症で積極的治療対象と判定されるが，スコアのみで経過をみるのではなく，経皮的動脈血酸素飽和度（SpO_2）や経皮酸素分圧モニターなどのデータと統合して評価する[2)]．

4 出生直後の新生児の循環動態の変化について確認しておきましょう．

(1) 新生児の循環動態の変化（図5）

新生児は出生と同時に胎児循環が停止し，新生児循環が開始する．このような循環の移行には次の3つがかかわってくる．

①**動脈管（ボタロー管）の閉鎖**：出生直後の酸素分圧の上昇に伴い，動脈管血管壁の収縮がとれて肺動脈が開く．次に肺動脈抵抗の低下により，動脈管を介した右→左シャントが左→右シャントに変わり，動脈管も収縮し機能的閉鎖が起こる．

②**卵円孔の閉鎖**：卵円孔は心臓の左心房と右心房の間の隔壁にある開口部である．出生後，肺血流量の増加により，左心房への血液還流も増加することで，左心房圧が右心房圧よりも高くなり，卵円孔の弁は機能的に閉鎖する．

卵円孔の閉鎖は生後 2～3 分で起こるが，器質的には数か月かかって閉鎖する．また，正常児

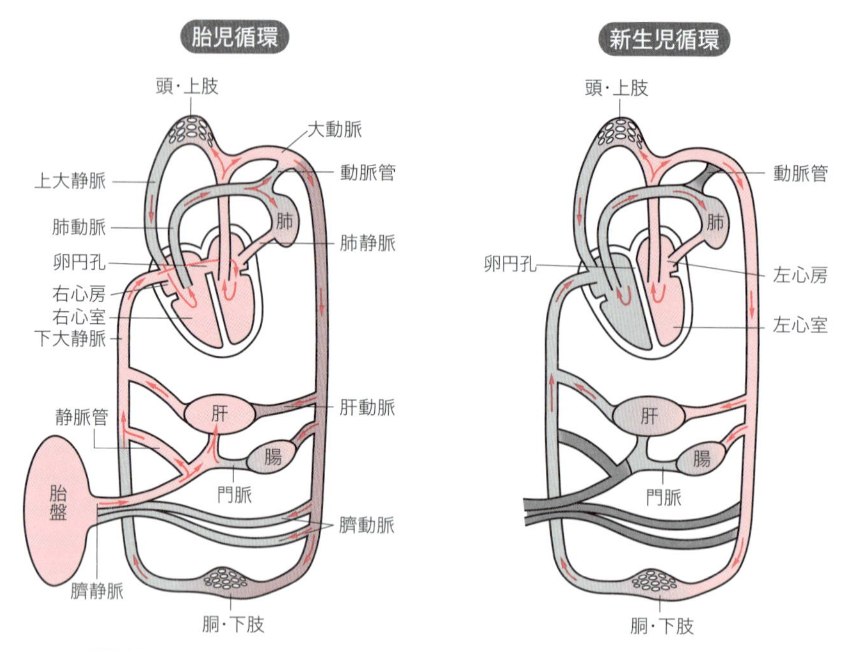

図5 胎児循環と新生児循環の比較
（今津ひとみ，他編：母性看護学2．産褥・新生児．第2版，p.103，医歯薬出版，2006.）

の 15～20% は開存したままである．

③臍動脈，臍静脈・静脈管（アランチウス管）**の閉鎖**：臍動脈は出生後すぐに血中酸素分圧の上昇とプロスタグランジンの減少に反応して急速に収縮し，生後約 1 分で閉鎖が起こる．臍静脈と静脈管は臍帯血流が遮断することで，二次的に数日で閉鎖する．

（2）心拍の観察のポイント

心拍の観察では，心拍数，心雑音の有無と程度，リズムなどを観察する．新生児の正常心拍数はおよそ 120～160回/分であるが，出生直後は 150～180回/分とやや頻脈傾向で，通常 2～3 時間後には安定し 120～150回/分になる．一過性に心雑音が聴取されることもあるが，循環の移行に伴って起こる場合が多く，数時間から数日で消失する．生後 24 時間以内に心雑音があっても 95% は正常である．

5 出生直後の新生児は体温調節機能が未熟です．その理由について考えてみましょう．

- 新生児の熱産生は，肩甲骨や腎臓，脊柱の周囲にある褐色脂肪細胞組織の分解により行われている．筋肉による熱産生はできない．
- 新生児の正常体温の目安は 36.5～37.5℃である．
- より正確な体温を測定するには深部体温に近い直腸温を測定する．
- 新生児は体重あたりの体表面積が成人の 3 倍であるにもかかわらず，皮下脂肪が薄いため，環境に左右されやすく，体温調節機能が未熟である．特に，生後 1～2 時間は体温が低下しやすい．
- 新生児の熱喪失には次の 4 つのルートがある．

①温かい物から冷たい物へと皮膚に触れる物の表面へ熱が伝わる→伝導
②皮膚から周囲の環境に熱が移る→輻射
③皮膚に接する空気の温度と気流の速さに応じて熱が失われる→対流
④皮膚と肺からの不感蒸泄→蒸散

- 正期産で出生した正常新生児に対しての至適保温環境としては室温25～26℃，湿度50～60%程度が望ましい.
- 出生直後の新生児は適応過程で特有な生理学的・行動学的変化を示す（図6）．出生直後の新生児は，第1次反応期（出生後15分～30分間），安静期（生後30分～2時間くらいまで），第2次反応期（生後2時間くらい～6時間くらいまで）の3期を経過し，生理的に安定した時期を迎える[3)].

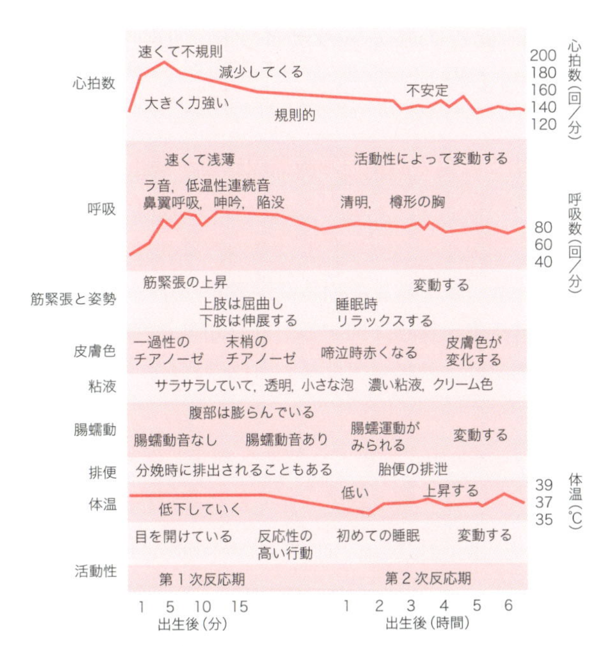

図6　正常新生児にみられる胎外生活適応過程
（新道幸恵，他：新体系看護学全書　母性看護学2　マタニティサイクルにおける母子の健康と看護．p.487，メヂカルフレンド社，2012.）（Francine H. Nichols, Elaine Zwelling：Maternal-newborn nursing theory and practice. p.1062, Philadelphia, Tokyo, 1997. をもとに作図）

6 出生直後の新生児の状態を評価する手段として用いられるApgar scoreの目的，項目およびスコアの内容について知識を確認しましょう．

Apgar score（表1）は新生児の出生時の状態を評価するひとつの方法で，出生後1分と5分で評価する．1分後のスコアは出生時の状態を反映し，5分後のスコアは児の神経学的な予後と強い相関を示す．そのため，出生後5分値は必ず評価する．

合計点数の8～10点が正常，4～7点を第1度仮死（軽症仮死），0～3点を第2度仮死（重症仮死）という（4～6点を軽症仮死と定義する場合もあり，統一されていない）．

5分値が7点未満の場合には，7点になるまで5分ごとに20分まで記録することが望ましい[4)].

表1　Apgar score

項目	0点	1点	2点
皮膚色（Appearance）	全身チアノーゼ	四肢チアノーゼ	全身ピンク色
心拍数（Pulse）	なし	100回/分未満	100回/分以上
刺激に対する反応（Grimace）	反応なし	顔をしかめる	啼泣
筋緊張（Activity）	緊張なし	四肢をやや屈曲	活発な四肢屈曲
呼吸（Respiration）	なし	弱い啼泣	強い啼泣

7 出生直後のチェックポイント，ルーチンケア，蘇生の初期処置について知識を確認しましょう．

(1) 出生直後の新生児呼吸循環管理・蘇生[4]について確認しましょう．

- 最新の新生児蘇生法ガイドライン（NCPR）に従って蘇生を行う．
- 蘇生初期処置以降の蘇生は児の呼吸状態と心拍数を評価し，適切に対処する．
- 蘇生終了後も新生児の体温保持に注意して十分な観察を行い，新生児の健康に不安がある場合には新生児管理に関する十分な知識と経験がある医師に相談する．
- 新生児蘇生法アルゴリズム（図 7）は，分娩室に貼り付けるなどして周知されるように配慮する．
- Apgar score 1 分値と 5 分値を判定し記録する．
- 可能なかぎり臍帯動脈血ガス分析を実施し，記録する．
- 早期母子接触は，「早期母子接触実施の留意点」[5]を遵守し，十分な説明のうえで同意を得て実施する．

(2) 蘇生の必要性を判断する，出生直後のチェックポイントを確認しましょう．

①早産児か？（早産児か正期産児か）
②呼吸や啼泣は良好か？（弱い呼吸・啼泣）
③筋緊張は良好か？（筋緊張低下）

(3) 上記（2）の 3 項目を認めない児に対しては，母親のそばでルーチンケアを行います．出生直後のルーチンケアについて確認しましょう．

①保温に配慮する．
②気道を開通する体位をとらせる．
③皮膚の乾燥，羊水を拭き取る．
以上の処置を行ってから，皮膚色を評価する．

(4) 上記（2）の 3 項目のうち 1 つでも当てはまる場合には，蘇生のステップ（初期処置，人工呼吸，胸骨圧迫，薬物投与または補液の処置）に入ります．蘇生の初期処置について確認しておきましょう．

①保温し，皮膚を乾燥させる．
②体位保持（スニッフィングポジション）
③気道確保を行う（気道開通の体位と胎便除去を含む．必要に応じた吸引）
④優しく刺激する．
⑤体位が乱れた場合は整える．

〔参考：日本蘇生協議会（JRC）2020 年版 NCPR アルゴリズム（図 7）[6]〕

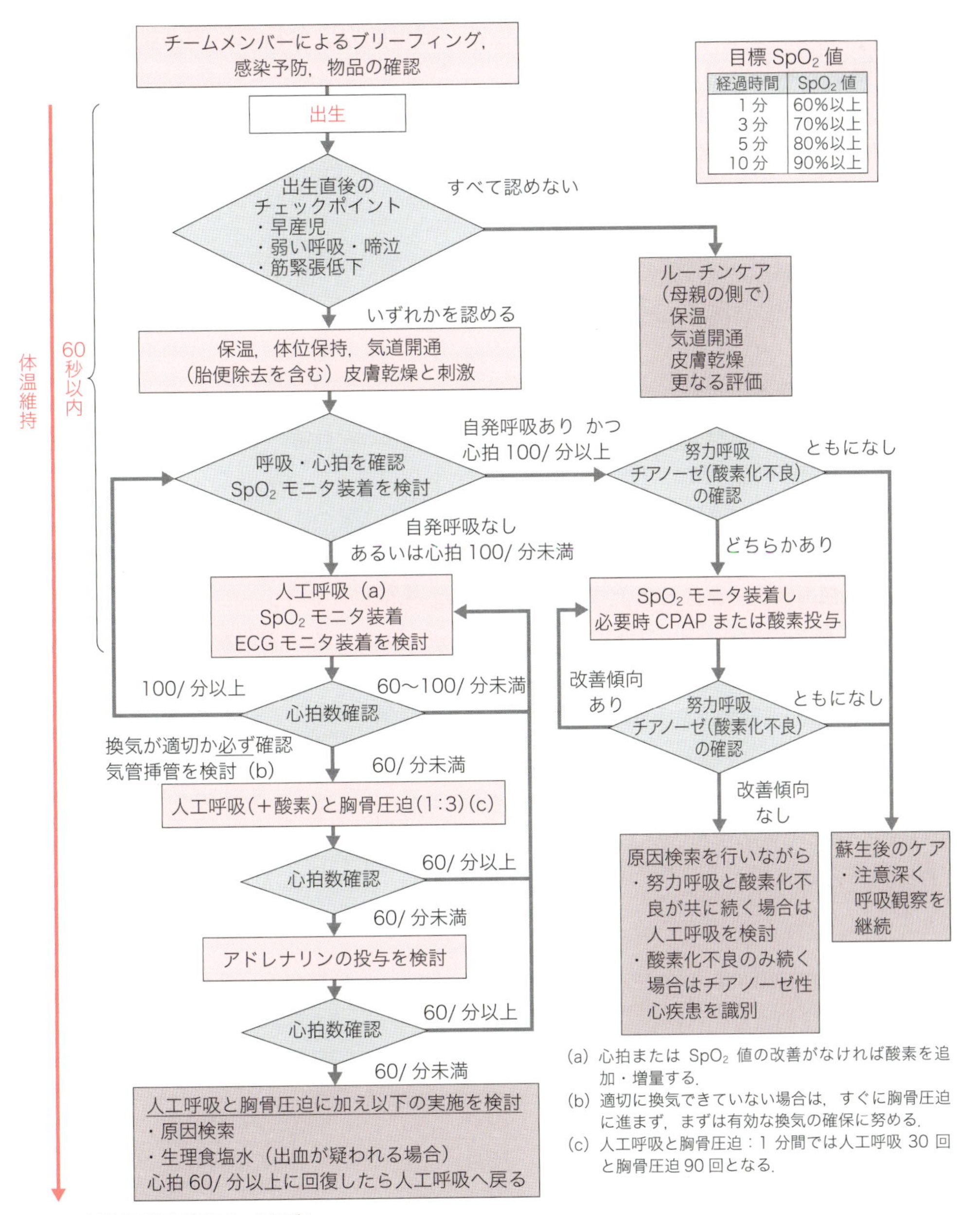

図 7　新生児蘇生法アルゴリズム
(日本蘇生協議会：JRC 蘇生ガイドライン 2020. p.234，医学書院，2021．より許諾を得て転載)

8 分娩中の胎児の状態を判断する情報として，臍帯血ガス分析の目的と読み方について知識を確認しましょう．

(1) 臍帯血ガス分析[*2]の目的は何でしょうか．

- 分娩直後の臍帯動脈血ガス分析結果は，分娩前・分娩中における胎児の血液酸素化状況を反映する[8)]．
- 胎児循環では，臍帯動脈は胎児から胎盤へ向かう血液のため，胎児の状態を反映する．臍帯静脈は O_2 化され CO_2 を排出した血液を胎盤から胎児へ送り込んでいるため，胎盤でのガス交換機能を反映する．
- 胎盤でのガス交換機能が損なわれると，CO_2の蓄積→組織の低酸素状態→好気的解糖系の障害→嫌気的解糖系の亢進→乳酸の蓄積→ pH 値の低下が認められる．そのため，胎児の状態把握を目的とした臍帯動脈血ガス分析が行われる．
- この評価は「分娩中胎児酸素化が障害されていなかったことの証明」にきわめて重要であることから，可能なかぎり採取のうえ評価・記録することが望ましい[4)]．

(2) 臍帯動脈血ガスデータはどのように読むのでしょうか[9)]．

臍帯動脈血ガス分析は pH，PCO_2，HCO_3^-の順番で評価する．正常値を表2に示す．base excess（BE）は HCO_3^-の過不足を示しているにすぎない．

- pH が正常値範囲上限の 7.4 より小さくなれば酸塩基平衡はアシドーシス，大きくなればアルカローシスである．
- CO_2 が正常値よりも高ければアシドーシス，低ければアルカローシスである．
- HCO_3^-の役割は「酸の中和」である．そのため，HCO_3^-が低ければアシドーシス，高ければアルカローシスである．

表2 臍帯動脈血液ガスの正常値

項目	平均	範囲
pH	7.27	7.15～7.38
PCO_2 (mmHg)	50.3	32～68
HCO_3^- (mmol/L)	22.0	15.4～26.8
BE (mEq/L)	− 2.7	− 8.1～0.9

〔Ramin SM et al：Umbilical cord blood acid-base analysis. UpToDate 2013. より / 日本産婦人科医会 HP：産婦人科ゼミナール．1. 臍帯動脈血ガス分析の重要性．https://www.jaog.or.jp/lecture/1-臍帯動脈血ガス分析の重要性（2023/6/5 アクセス）〕

---

*2 臍帯血ガス分析とは，血液中に溶解した酸素（O_2）と二酸化炭素（CO_2），pH とヘモグロビン濃度（Hb）を測定し，これらの値から重炭酸イオン（HCO_3^-），塩基過剰（base excess；BE），酸素飽和度，酸素含量などを算出することをいう[7)]．

9 出生直後の新生児の身体観察のポイント，覚醒状態，成熟度の評価法について知識を確認しましょう（表3～5）．

表3　出生直後の新生児の身体観察のポイント

全身	•姿勢：四肢の屈曲，上下のバランス，左右対称，運動性 •皮膚：全身色，チアノーゼの有無と範囲，黄疸の有無，胎脂の有無，皮下脂肪の発達，浮腫の有無，表皮剥離・落屑の有無，乾燥・浸潤の程度と部位，点状出血斑，紅斑，母斑，血管腫の有無と部位，発疹の有無と部位
頭部	•頭部変形，産瘤・頭血腫の有無と部位 •縫合離開，骨重積の有無と部位 •大泉門・小泉門の大きさ，膨隆・陥没・閉鎖の有無
顔部	•顔：顔貌，顔面のうっ血，顔面麻痺の有無 •眼：落陽現象[*3]・眼振，眼球結膜出血の有無，眼脂の有無 •耳：耳介の位置，耳瘻孔・副耳の有無 •鼻：鼻の形状 •口：口唇，口蓋，口腔粘膜の異常，魔歯，舌小帯短縮の有無
頸部・胸部	•胸郭の形，斜頸の有無，乳房肥大・魔乳の有無
腹部・背部	•腹部膨満，腹直筋離開の有無 •臍帯血管（臍動脈2本，臍静脈1本），臍出血・肉芽の有無 •脊柱の形，突出部位，髄膜瘤，脊椎管閉鎖障害の有無
外陰・殿部	•鎖肛の有無，毛巣洞 •陰嚢水腫，停留精巣の有無 •帯下，新生児月経の有無
四肢	•合指，合趾，多指，多趾，欠損の有無 •内反足，外反足，鉤足の有無 •股関節開排制限，クリックサインの有無 •エルブ麻痺，鎖骨骨折の有無

表4　Brazeltonによる覚醒水準（state）の分類

評価	児の状態
state 1	規則的な呼吸を伴った深い睡眠状態で，自発運動はほとんどない
state 2	眼を閉じた浅い睡眠状態．活動レベルは低く，呼吸は不規則である
state 3	開眼しているが活気がないまどろみ状態．活動性は変化しやすい
state 4	輝きのある目つきをした敏活な状態で，外刺激に反応する．静かに覚醒し活動性は最小である
state 5	開眼し，かなりの活動性がある．外刺激に対し驚愕運動や活動性の増強を伴って反応する
state 6	啼泣状態．活動性は高い

（Brazelton，TB編著，穐山富太郎監訳：ブラゼルトン新生児行動評価．原著第3版，pp.16-19，医歯薬出版，1998．を参考に作表）

[*3] 落陽現象とは，新生児の体を揺さぶったり，急激な体位変換をしたりしたときに眼球が反射的に下方に回転する眼球運動をいう．一過性および軽度の落陽現象は正常新生児においてもみられることがある（日本産科婦人科学会編：産科婦人科用語集・用語解説集．改訂第4版，p.362，日本産科婦人科学会，2018．より引用）．

表5　Dubowitz の評価法（神経学的所見による成熟度の採点基準）

項目＼点数	0点	1点	2点	3点	4点	5点
姿　勢 posture 仰臥位，安静	腕と脚を伸展	股関節，膝関節でわずかに屈曲，腕は伸展	脚がより強く屈曲，腕は伸展	腕はわずかに屈曲，脚は屈曲外転	腕と脚が完全に屈曲	
角　窓 square window 検者の拇指と示指で，児の手を前腕の方向へ十分屈曲させるように圧力を加える．	90° 前腕と小指球の角度 90°	60°	45°	30°	0°	
足首の背屈 ankle dorsiflexion 検者の拇指を児の足蹠に，他の指を児の脚の背面におき，足を脚の前面に向けて屈曲させる．	90°	75°	45°	20°	0°	
腕の戻り反応 arm recoil 仰臥位，児の腕を5秒間屈曲させたのち，手をひっぱって十分に伸展させ，それから手を離す．	180° 伸展，または無目的の運動	90〜180° 屈曲不完全または反跳ゆっくり	<90° 迅速，完全に屈曲			
脚の戻り反応 leg recoil 仰臥位，股関節と膝関節を完全に屈曲（5秒間），次いで足をひっぱって脚を伸展したのち手を離す．	180° 屈曲（－）またはわずか	90〜180° 不完全な屈曲	<90° 股関節および膝関節で完全に屈曲			
膝窩角 popliteal angle 検者の左の拇指と示指で，児の上腿を胸壁につけたのち（膝胸位），右の示指で足関節の後部を圧して，脚を伸展させる．	膝窩角 180°	160°	130°	110°	90°	<90°
踵－耳 heel to ear 児の足を持って頭部に近づける．足と頭の距離，膝の伸展の度合いを観察．						
スカーフ徴候 scarf sign 仰臥位，児の手を持って，頸部の前を通過して他側の肩へ，そして後方へ向けて，できるだけひっぱる．	肘が他側の腋窩線に達する	肘が正中線と腋窩線との間	肘が正中線の位置	肘が正中線に達しない		
頭部の遅れ head lag 仰臥位，児の両手（小さな児では腕）を握り，ゆっくりと座位に引き起こす．頭部と体幹の位置関係を観察．	頭部が完全に後方に垂れる	頭部が不完全ながら体幹の動きについていく	頭部を体幹の線に保つことができる	頭部を体幹より前に出す		
腹位水平宙づり ventral suspension 検者の手を児の胸の下において児を持ち上げる．背部の伸展度，腕と足の屈曲，頭部と体幹の位置関係を観察．						

（Dubowitz, LM : Clinical assessment of gestational age in the newborn infant. The Journal of Pediatrics, 77(1) : 1-10, 1970. より．訳は志村浩二：新生児の成熟度評価．「新生児学」．小川雄之亮，他編，p.284，メディカ出版，1995．を参考に作表）

10 早期母子接触（early skin-to-skin contact；STS）[5] について確認しましょう．

早期母子接触とは，正期産新生児の出生直後に実施する母子の皮膚接触のことをいいます．

- **早期母子接触の目的と効果** [5]
  - ・児のメリット：呼吸と心拍の安定，代謝を促進し血糖を安定化させ，児の腸に正常細菌叢が定着し，啼泣時間の減少によるストレスとエネルギー消費の減少，母子の絆が形成され，吸啜が上手になるなどの効果がある．
  - ・母親側のメリット：母乳率や母乳育児期間が長くなる，分娩後出血が減少し子宮復古が早まることなどが挙げられる．
- **適応基準**
  - ・母親の基準：本人に実施を希望する意思があり，バイタルサインが安定し，疲労困憊していない，医師，助産師が不適切と認めていない場合に実施する．
  - ・児の基準：胎児機能不全や新生児仮死がなく（1分・5分 Apgar score が8点以上），正期産児であり，低出生体重児は禁忌．医師，看護師，助産師が不適切と認めていない場合．
- **中止基準**
  - ・母親の場合：傾眠傾向や医師，助産師が不適切と判断するとき．
  - ・児の場合：呼吸障害（無呼吸，喘ぎ呼吸を含む）がある，SpO_2 が90％未満，ぐったりし活気に乏しい，睡眠状態，医師，助産師，看護師が不適切と判断するとき．
- **実施方法**

早期母子接触は医療ではなくケアであることから，母親とスタッフ間のコミュニケーションがスムーズに行われている必要がある．実施時には，母親に児のケアを任せず，スタッフも児の観察を怠らないように注意するなど出産後の母子を孤立させない配慮が大切である．

母親　⇒・「早期母子接触」希望の意思を確認する．
・上体を30度前後に挙上する．
・胸腹部の汗を拭う．
・裸の赤ちゃんを抱っこする．
・母子の胸と胸を合わせて両手でしっかり児を支える．

新生児⇒・ドライアップする．
・児の顔を横に向け鼻腔閉塞を起こさず，呼吸が楽にできるようにする．
・温めたバスタオルで児を覆う．
・パルスオキシメータのプローブを下肢または右手[*4]に装着するか，担当者が実施中付き添い，母子だけにはしない．
・以下の事項を観察，チェックし記録する．
（呼吸状態（努力呼吸，陥没呼吸，多呼吸，呻吟，無呼吸に注意），冷感，チアノーゼ，バイタルサイン（心拍数，呼吸数，体温など），実施中の母子行動）
・終了時にはバイタルサイン，児の状態を記録する．

---

*4 Consensus 2020 に基づく日本版新生児蘇生法ガイドラインでは，蘇生の初期処置に用いる場合，動脈管の影響を受けない右手に装着するとしている[10]．

11 この時期にみられる新生児の原始反射について確認しましょう.

成熟した新生児でも，中枢神経系は発達途上にあるので，特有の原始反射がみられる（**表6**）．これらの反応は生後すぐから出現する．出現時期に出現しなかったり，消失時期に消失していなかったり，反射に左右差がある場合は中枢神経系の異常を疑う．

表6 原始反射について

反射	方法および反応	消失時期
歩行反射 （stepping reflex）	児の腋を支えて立たせ，体幹を前傾させて足底を床につけると，両足を交互に出す歩行に似た運動をする	1～2か月
モロー反射 （Moro reflex）	仰臥位の児の頭を少し持ち上げて急に下ろすと，両上肢を広げ抱きつくような仕草をする	1～4か月
吸啜反射 （sucking reflex）	口腔内に指を挿入すると規則的な吸啜運動が出現する	3～4か月
探索反射 （rooting reflex）	口唇や口角を指先で触るとその方向を向き，口で指を捉えようとする	3～4か月
手掌把握反射 （palmar grasp reflex）	児の手掌を刺激すると，すべての指で握り返す	4～6か月
足底把握反射 （plantar grasp reflex）	母趾球を母指で圧迫すると，すべての足趾が屈曲する	8～15か月

（北川眞理子・内山和美編：今日の助産　マタニティサイクルの助産診断・実践過程．改訂第4版，pp.1090-1091，南江堂，2019を参考に作成）

2 事例の情報整理と情報の分析・解釈・統合（アセスメント）

あなたは病棟で早紀さんの新生児，柚希ちゃんを受け持つことになりました．この事例をアセスメントして援助していくプロセスを一緒に考えていきましょう．

早紀さんの出産後の状態

1妊0産．30歳．妊娠39週5日の午前0:00に陣痛発来．
14:00　自然破水．羊水混濁なし．
14:38　出産．自然経腟分娩．分娩所要時間約14時間40分．
妊娠中より母乳育児，早期母子接触を希望している．

出生時の柚希ちゃんの状態

在胎週数39週5日，女児．出生体重2,980 g，身長49.5 cm，頭囲32.5 cm，胸囲32.0 cm．
Apgar score：1分後9点（皮膚色－1）／5分後9点（皮膚色－1）
臍帯動脈血ガス：pH 7.312，PCO_2 39.8 mmHg，PO_2 21.5 mmHg，HCO_3^- 22.3 mmol/L，BE－1.8 mEq/L．

体温 36.9℃（直腸温），末梢四肢冷感あり，心拍数 146 回/分，心雑音なし．
呼吸数 48 回/分，リズム整，肺音クリア，努力呼吸・陥没呼吸・鼻翼呼吸・呻吟なし．
胎盤：大きさ 22.0×21.0×1.8 cm，重さ 550 g，胎盤実質・卵膜欠損なし，副胎盤なし，
白色梗塞，石灰沈着なし．
臍帯：長さ 53 cm，太さ 1.2×1.1 cm，左捻転，側方付着，臍帯動脈 2 本，臍帯静脈 1 本，
臍帯巻絡頸部 1 回，外表奇形なし，分娩外傷なし．

1 出生時の柚希ちゃんの身体発育の well-being についてアセスメントしましょう．

情報　母親：1 妊 0 産，30 歳，自然経腟分娩．
新生児：在胎週数 39 週 5 日，女児．出生体重 2,980 g，身長 49.5 cm，頭囲 32.5 cm，
胸囲 32.0 cm．
胎盤：大きさ 22.0×21.0×1.8 cm，重さ 550 g，胎盤実質・卵膜欠損なし，副胎盤なし，
白色梗塞，石灰沈着なし．
臍帯：長さ 53 cm，太さ 1.2×1.1 cm，左捻転，側方付着，臍帯動脈 2 本，臍帯静脈 1 本．
臍帯巻絡頸部 1 回，外表奇形なし，分娩外傷なし．

・**アセスメント**

⇒在胎週数 39 週 5 日の正期産で出生した女児であり，在胎週数相当の相当体重児（AFD 児）です．身長，体重，頭囲，胸囲は身体発育上成熟していると判断できます．胎盤や臍帯にも異常は認めません．外表奇形や分娩外傷もなく，現在の状態は良好であるといえます．

2 出生直後の柚希ちゃんの全身状態の well-being についてアセスメントしましょう．

情報　Apgar score：1 分後 9 点（皮膚色－1），5 分後 9 点（皮膚色－1）．
臍帯動脈血ガス：pH 7.312，PCO_2 39.8 mmHg，PO_2 21.5 mmHg，
HCO_3^- 22.3 mmol/L，BE －1.8 mEq/L．
体温 36.9℃（直腸温），末梢四肢冷感あり，心拍数 146 回/分，心雑音なし．
呼吸数 48 回/分，リズム整，肺音クリア，努力呼吸・陥没呼吸・鼻翼呼吸・呻吟なし．
外表奇形なし，分娩外傷なし．
臍帯巻絡頸部 1 回，14:00　自然破水，羊水混濁なし．

・**アセスメント**

⇒出生時に臍帯巻絡が頸部に 1 回ありましたが，羊水混濁はなく，出生時の Apgar score は 1 分後，5 分後ともに 9 点（皮膚色－1）であり正常と判断できます．破水から児娩出までは 38 分であり，感染のリスクは低いと考えられます．また，臍帯動脈血ガスは，pH 7.312 であるため正常範囲の値です．次に PCO_2 をみてみると，39.8 mmHg と正常範囲です．代

謝の指標となる HCO_3^- は 22.3 mmol/L でこれも正常です．最後に BE も－1.8 mEq/L で正常範囲内です．以上より，分娩時および出生直後の柚希ちゃんの状態は良好であるといえます．
柚希ちゃんの全身状態については，体温，心拍数，呼吸数は正常範囲内にあり，異常呼吸もみられていないことから，現時点では良好な状態であると判断できます．

追加情報：生後 30 分後の母子の状態

新生児：state 4，体温 37.0℃（皮膚温），チアノーゼなし．
心拍数 130 回/分，呼吸数 42 回/分，努力呼吸なし，SpO_2 94～95%.
早期母子接触中は，母親の胸の上で時折乳頭をペロペロとなめている．
母　親：体温 37.3℃，脈拍 72 回/分，血圧 114/76 mmHg.
子宮底の高さ：臍下 2 横指，子宮底の硬度：良好，出血付着程度，創部痛・後陣痛自制内．
早期母子接触を実施中，児を笑顔で見つめながら両手でしっかりと抱っこしている．

3 生後 30 分後の母子の早期母子接触についてアセスメントしましょう．

・アセスメント

⇒柚希ちゃんは正期産新生児であり，低出生体重児でもなく，胎児機能不全や新生児仮死もなかったため，早期母子接触の適応基準を満たしています．生後 30 分後の状態としても，バイタルサインや呼吸状態は安定し，新生児の覚醒水準（p.75 の**表 4**）も state 4 の静かに覚醒している状態であり，SpO_2 も 90% 以上を保っていることから，このまま早期母子接触を継続することが可能です．
早紀さんの状態としては，バイタルサインは安定し子宮復古や出血，疼痛に関して問題はありません．早期母子接触を希望し，児への愛着もみられます．

追加情報：出生 2 時間後の柚希ちゃんの状態

体温 36.7℃（皮膚温），全身皮膚色ピンク色，末梢四肢冷感はあるが，チアノーゼなし．
心拍数 134 回/分，心雑音なし，呼吸数 40 回/分，リズム整，肺音クリア，異常呼吸なし．
嘔気・嘔吐なし，排尿なし，排便なし，state 3.
出生直後からの早期母子接触では，5 分程度乳頭をくわえ吸啜していたが，その後は母の胸の上で穏やかに過ごしていた．
モロー反射，吸啜反射，探索反射，把握反射あり．

4 出生2時間後の柚希ちゃんのwell-beingについてアセスメントしましょう.

情報　体温36.7℃（皮膚温），全身皮膚色ピンク色，末梢四肢冷感あるがチアノーゼなし.
心拍数134回/分，心雑音なし．呼吸数40回/分，リズム整，肺音クリア，異常呼吸なし.
嘔気・嘔吐なし，排尿なし，排便なし，state 3.

・アセスメント

⇒出生2時間後の柚希ちゃんの覚醒状態はstate 3のまどろみ状態です．バイタルサインは体温，心拍数，呼吸数ともに正常範囲内にあり，嘔気や嘔吐もなく，全身色も良好で心雑音や異常呼吸も認めていないことから，良好な状態であるといえます.

3　事例の健康課題の導き方と健康課題の決定

1 柚希ちゃんの出生〜2時間後までの健康課題はどのように設定されるでしょうか.

・正期産，相当体重児で出生した新生児であり，バイタルサインは安定し，胎外生活に順調に適応しつつある.

⇒新生児は，生後6時間までは変動が激しい時期ですので，落ち着くまでは1時間ごとに，それ以降は異常がなければ4時間ないし8時間ごとにバイタルサインの測定を行います．現時点で柚希ちゃんの健康状態に異常はなく，胎外生活に順調に適応しているため，このような健康課題が考えられます．しかし，今後も肺呼吸の確立，新生児循環へのスムーズな移行，体温の維持，哺乳と排泄の評価などが必要となり，胎外生活に順調に適応していくことが重要な健康課題になります.

4　看護計画の立案（目標と具体策）

1 出生直後〜2時間後までの新生児のケアのポイントを整理しましょう.

①蘇生の有無
②保温
③ Apgar scoreの評価
④バイタルサイン（呼吸・心拍・体温）の測定と評価
⑤全身観察と評価（体重，身長，頭囲，胸囲の四計測を含む）
⑥母子標識（ネームタグ）
⑦臍処置（臍断端の清潔保持のため）
⑧点眼（新生児膿漏性結膜炎の予防のため．普通は抗生物質を投与）
⑨早期母子接触の実施と評価
⑩初回授乳の評価
⑪排尿，排便の有無と性状

2 **柚希ちゃんが今後も胎外生活に順調に適応していくという健康課題を達成していくには，どのような看護目標が考えられますか．**

1）肺呼吸の確立，新生児循環への移行，体温の維持ができ，今後もバイタルサインをはじめ全身状態が良好に経過する．
2）早期母子接触がスムーズに実施できる．
3）嘔気・嘔吐なくスムーズに初回授乳が開始できる．

3 **看護目標 1）に対して，どのような具体策が考えられますか．**

【観察プラン】
①バイタルサイン（呼吸，心拍，体温）
②呼吸音，異常呼吸の有無と程度
③心拍リズム，心雑音の有無と程度
④皮膚色，チアノーゼ，冷感の有無と程度
⑤外表奇形や分娩外傷の有無など，全身状態の観察
⑥体重，身長，頭囲，胸囲の四計測
⑦臍帯断端面の観察（血管数の確認，持続的出血の有無の確認）
⑧眼脂の有無と程度

【ケアプラン】
①母子標識（ネームタグ）を装着する．
②皮膚温が36.5～37.5℃を維持できるように室内の環境を調整する．
③児のケアや四計測，全身観察を行う時には，体温の低下を防ぐようにインファントウォーマー下で行い，タオルや衣服を温めておく．
④臍帯断端面をアルコール消毒し，乾燥させる．
⑤羊水や血液は温めたタオルで素早く拭き取る．
⑥聴診器など，児に直接触れる機器類は温めてから使用する．
⑦感染予防のため，児に触れる前には手洗いをする．
⑧スタンダードプリコーションの観点から，ケアの際は手袋を着用する．
⑨予防的点眼を行う（p.81参照）．

【指導・説明・支持プラン】
①現在の児の状態を母親，家族に説明する．
②ケアを行う時は母親や家族に説明しながら行う．
③生後2時間以降の新生児に対する注意事項について説明する．
④現時点での児の状態が良好であることを家族とともに喜ぶ．

4 看護目標 2）に対して，どのような具体策が考えられますか．

【観察プラン】

①母親の全身状態（バイタルサイン，疲労度，出血量など）
②児の全身状態（バイタルサイン，state，呼吸状態，SpO_2 など）
③母親の早期母子接触の希望，意思の確認

【ケアプラン】

①体位を整え，母と児の胸と胸がしっかりと密着するようにする．
②児の体温が維持されるよう，保温に注意する．
③常に母児の側に付き添って様子を観察し，変化に即対応できるようにする．
④早期母子接触中の記録を行う．

【指導・説明・支持プラン】

①母親に両手でしっかりと児を支えるよう説明する．
②呼吸が楽にできるよう，児の顔を横向きにするよう説明する．
③早期母子接触が愛着形成につながるような声かけを行う．

5 看護目標 3）に対して，どのような具体策が考えられますか．

※具体的な直接母乳に関する計画は生後6時間の項で挙げることとし，ここでは早期授乳がスムーズに開始できるという点に焦点を当てた計画について考えてみましょう．

【観察プラン】

①母親の全身状態，疲労度の観察
②直接母乳への意思，意欲の確認
③乳房，乳頭の観察（型，大きさ，長さ，硬さ，伸展性など）
④乳汁分泌状態
⑤児への声かけ，児の支え方など
⑥新生児の活気，意欲，覚醒状態，嘔気・嘔吐の有無
⑦吸着の様子，吸啜力，吸啜時間

【ケアプラン】

①児がしっかりと吸着できるように母児の体勢を整える．
②児が落下しないよう注意し，なるべくそばで付き添い介助する．

【指導・説明・支持プラン】

①（母乳分泌がなくても）吸着させることの重要性を説明する．
②頻回授乳の必要性について説明する．
③乳頭に痛みがあれば，すぐに伝えるよう説明する（吸着が浅いと損傷の原因となるため）．
④児が上手に吸啜できていることを称賛する．
⑤初回授乳が行えたことをともに喜ぶ．

文献

1）仁志田博司：新生児学入門．第5版，pp.4-7，医学書院，2018.
2）北川眞理子，他：今日の助産 マタニティサイクルの助産診断・実践過程．改訂第4版，p.971，南江堂，2019.
3）前掲2） p.943，pp.954-955.
4）日本産科婦人科学会，日本産婦人科医会編：CQ 801．「産婦人科診療ガイドライン 産科編2023」．pp.360-365，日本産科婦人科学会，2023.
5）日本周産期・新生児医学会，他：「早期母子接触」実施の留意点．pp.1-12，2012.
6）細野茂春監修：日本版救急蘇生ガイドライン2020に基づく新生児蘇生法テキスト．第4版，pp.52-59，メジカルビュー社，2021.
7）細野茂春：臍帯血ガス測定の意義．ペリネイタルケア，32(1)：62-64，2013.
8）Victory R, et al：Umbilical cord pH and base excess values in relation to adverse outcome events for infants delivering at term. Am J Obstet Gynecol，191(6)：2021-2028，2004.
9）細野茂春：臍帯血ガス測定の方法と読み方の基本．ペリネイタルケア，32(3)：296-299，2013.
10）前掲6） pp.76-77.

参考文献

・仁志田博司：新生児学入門．第5版，医学書院，2018.
・NPO法人日本ラクテーション・コンサルタント協会：母乳育児支援スタンダード．第2版，医学書院，2015.
・北川眞理子，他：今日の助産 マタニティサイクルの助産診断・実践過程．改訂第4版，南江堂，2019.
・森 恵美，他：母性看護学各論 母性看護学2．第14版，医学書院，2021.
・日本産科婦人科学会編：産科婦人科用語集・用語解説集．改訂第4版，日本産科婦人科学会，2018.
・江藤宏美，他：助産師基礎教育テキスト第6巻 産褥期のケア／新生児期・乳幼児期のケア．2020年版，日本看護協会出版会，2020.
・細野茂春：症例：予定帝王切開で出生した正期産児．ペリネイタルケア，32(4)：384-385，2013.
・有森直子編：母性看護学Ⅱ 周産期各論．第2版，医歯薬出版，2020.

3. 生後24時間までの新生児

2) 生後6時間後

生後6時間後の柚希ちゃんの状態

体温37.0℃，全身皮膚色ピンク色，冷感・チアノーゼなし，心拍数138回/分.
心雑音なし，呼吸数50回/分，リズム整，肺音クリア，異常呼吸なし.
嘔気・嘔吐なし，排尿なし，排便あり（胎便），state 5.
手足を活発に動かし，手を口に持っていき，吸うような動作をしている.

1 アセスメントに必要な知識

生後6時間は第2次反応期を経過し，体温，呼吸，心拍などのバイタルサインが生理的に安定してくる時期です．そして新生児は胎外生活に適応しながら活発になってきます．

1 母子同室と本格的な母乳育児が開始されます．母乳育児をスムーズに開始するにあたり，必要なアセスメント項目を挙げましょう．

(1) 母親

- 母親の全身状態（バイタルサイン，分娩所要時間，出血量，疼痛，疲労度など）
- 母乳育児に対する意思，希望の有無
- 妊娠中の具体的な母乳育児準備状況[*5]
- 乳房，乳頭，乳輪部の観察（型，大きさ，長さ，硬さ，伸展性など）

(2) 新生児

- 児の全身状態（在胎週数，出生時体重，成熟度，バイタルサインなど）
- 嘔気，嘔吐の有無
- 口唇，口蓋，舌の状態（口唇口蓋裂の有無や舌小帯の付着部位など）
- 覚醒水準（state），吸啜意欲

[*5] 母乳育児について，両親学級や知人などに話を聞いたことがあるのか，家族と母乳育児について話し合いができているのかなど.

2 母乳育児の確立のために効果的な授乳姿勢（ポジショニング，抱き方）と吸着（ラッチ・オン）のポイントについて知識を確認しましょう．

(1) ポジショニングのポイント

リラックスした状態で授乳でき，一番快適な姿勢をみつけられるように個別的に援助する．足台，枕，クッション，タオルなどで安楽に授乳できるよう工夫する．

(2) 抱き方のポイント

ゆったりとした楽な姿勢で座り，赤ちゃんとお母さんのお腹を向かい合わせる．腕をクッションなどで支えながら，赤ちゃんの鼻と母親の乳首が同じ高さになるよう調整する．

(3) 吸着（ラッチ・オン）のポイント

児の唇が上下左右に十分開き，ドナルドダックの唇（図8）に近くなっていること，児の鼻とあごが乳房に近い，または接触していることが大切である．

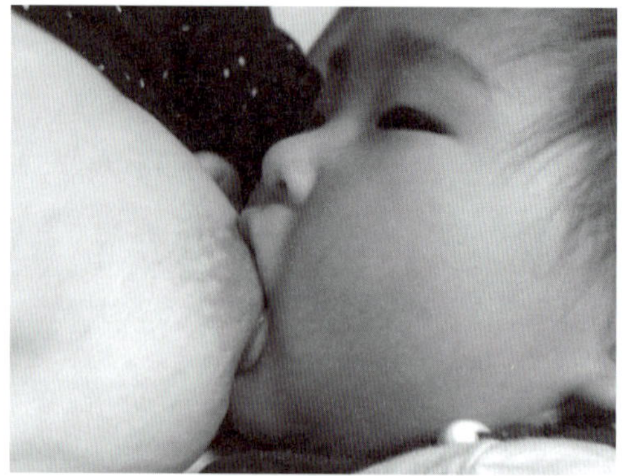

図8 ドナルドダックの唇 （本人の承諾を得て掲載）

3 効果的な母乳育児が行われているときに児や母親に観察されるサインについて確認しましょう（表7）．

表7 効果的な母乳育児が行われているときに児と母親に観察されるサイン

注：生まれた日を日齢0とするが，早朝に生まれた場合と夜中に生まれた場合には24時間近い開きがあることにも留意する．以下はあくまでも効果的な授乳が行われている場合に児と母親に観察されるサインの目安である．サインが1つ満たされていないからといって問題があることを示しているわけではなく，さらなる原因の検索とフォローが必要である．

A）児のサイン
- 生後早期の体重減少が7%までである
- 日齢2までに24時間に少なくとも3回以上の排便がみられる
- 日齢4までに粒々が混じった黄色い排便がみられる
- 日齢2までに24時間に3回かそれ以上おむつが濡れる
- 日齢3までに透明か，薄い黄色の排尿がみられる
- 授乳の後は満足して落ち着いてみえる
- 日齢3までに授乳中に嚥下する音が聞かれる
- 日齢4から後は体重減少がみられない
- 日齢9までに出生体重に戻る

B）母親のサイン
- 乳房の張りや重さ，大きさと，性状にはっきりとわかる変化がみられる
- 日齢4までに母乳量に明らかな増加がみられる
- 乳頭に明らかな傷がみられない
- 授乳によって乳房の緊満が軽減する
- 授乳時の痛みがないか，最小限（吸着時に数秒続く程度）である

（ILCA：Clinical guidelines for the establishment of exclusive breastfeeding. 3rd ed. p.16，ILCA，2014．をもとに作成/NPO法人日本ラクテーション・コンサルタント協会：母乳育児支援スタンダード．第2版，p.176，医学書院，2015.）

4 新生児の排泄（排尿・排便）について，知識を確認しましょう．

- 正常新生児の初回排尿，初回排便は通常生後24時間以内にみられる．新生児の尿は無色または淡黄色透明であるが，一時的にレンガ色またはオレンジ色の尿が排泄されることがある．これは生後数日の間に尿中へ尿酸塩が排泄される尿酸塩尿のためであり，異常ではない．
- 生後48時間以内に新生児から排泄される便を胎便という．胎便は胎内および出生時に飲み込んだ羊水や腸管の分泌物，胆汁色素，脂肪，コレステロール等がおもな成分であり，粘稠性，無臭で，緑かかった黒色をしている．生後2〜4日目頃は，乳汁を飲み始め，黒緑色の胎便と黄色便の入り混じった便が出て，次第に黄色みが強くなっていく．これを移行便という．その後，胎便がすべて排出され乳汁を十分に飲むようになると，黄色から茶色の顆粒便になり，一時は一日に何度も便が出ることもある．これが正常便である[1]．母乳栄養児の便は人工栄養児の便に比べて緩く，黄金色泥状である．また，ビフィズス菌が多いため特有の甘酸っぱい臭気をもつ．人工栄養児の便はクリーム色〜黄色で，大腸菌が多いため便臭がする．
- 便の色が灰色の場合は胆道閉鎖を，血便の場合は真性メレナを，緑色の場合はビリルビン便か飢餓便を疑う．

2 事例の情報整理と情報の分析・解釈・統合（アセスメント）

生後2時間まで分娩室やLDR内で過ごしていた新生児は，その後一般病室へ移ると，環境による変化が訪れます．出生直後に比べると状態が安定してきた新生児ですが，生後2〜6時間までは第2次反応期であり，生理的にはまだまだ不安定な時期です．

1 生後6時間の柚希ちゃんのwell-beingについてアセスメントしましょう．

情報 体温37.0℃，全身皮膚色ピンク色，冷感・チアノーゼなし，心拍数138回/分，心雑音なし．
呼吸数50回/分，リズム整，肺音クリア，異常呼吸なし．
嘔気・嘔吐なし，排尿なし，排便あり（胎便），state 5．
手足を活発に動かし，手を口に持っていき，吸うような動作をしている．

⇒生後6時間での柚希ちゃんの全身色は良好で，冷感やチアノーゼもなく体温も正常範囲に保たれています．呼吸数が50回/分で，やや多いと感じるかもしれませんが，新生児の覚醒レベルはstate 5の活発に覚醒している状態であり，手足を動かしたり，手を口に持っていったりしていることからも，正常であると判断できます．異常呼吸がないことも判断の基準となります．循環動態に関しても異常はありません．
排泄に関して，排尿はまだありませんが，初回排便はみられています．胎便であることから，この時期の新生児の便の性状としては正常です．排泄に関する評価は24時間で行う必要があるため，今後も排尿があるかどうかの観察は継続していきます．
柚希ちゃんは現在活発に覚醒し，手を口に持っていく仕草をしています．このタイミングで直接授乳の介助を行うことは母乳育児の確立に向けて効果的だと考えられます．

3 事例の健康課題の導き方と健康課題の決定

1 柚希ちゃんの生後6時間の健康課題はどのように設定されるでしょうか.

・生後6時間での全身状態は良好であり，胎外生活に順調に適応している.

4 看護計画の立案（目標と具体策）

1 生後6時間の柚希ちゃんへのケアのポイントを整理しましょう.

①バイタルサインの測定と全身状態の評価
②直接授乳の開始と評価
③排尿，排便の評価

2 柚希ちゃんが生後6時間以降も胎外生活に順調に適応していくという健康課題を達成していくには，どのような看護目標が考えられますか.

1）バイタルサインが安定し，全身状態を良好に保つことができる.
2）直接授乳がスムーズにできる.
3）24時間以内に排尿，排便がある.

3 看護目標1）に対して，どのような具体策が考えられますか.

【観察プラン】
①バイタルサイン
②呼吸音，異常呼吸の有無と程度
③心拍リズム，心雑音の有無と程度
④皮膚色，チアノーゼ，冷感の有無と程度

【ケアプラン】
①児のおかれている環境を観察し，体温低下に注意する.
②新生児コットを窓際に置かない[*6]．空調の当たらない場所に置くなどの配慮する.
③母子同床を行う場合は，児が転落しないようベッド柵を調整する.
④頻回に訪室し，児の状態を観察する.

【指導・説明・支持プラン】
①母子同室中の注意事項について説明する（保温，呼吸，皮膚色，チアノーゼなど）.
②児の状態で心配なことがあればすぐに報告するよう伝える.

[*6] 新生児は体温調節機能が未熟なため（p.70 参照），外気温の影響を受けやすい窓際に児を寝かせない（輻射による熱喪失）.

③児の状態が良好であることをともに喜ぶ.
④母子同室がスムーズに開始できていることを称賛する.

4 看護目標 2）に対して，どのような具体策が考えられますか.

【観察プラン】

①乳房（型，乳房タイプ，大きさ），乳頭（形，大きさ，長さ，硬さ，伸展性），乳輪（大きさ，広さ，硬さ）の観察
②乳管開口の有無，開口数，分泌の仕方，分泌量
③乳頭損傷の有無と程度（疼痛，発赤，亀裂，血疱，白斑など）
④乳房緊満の有無，乳房痛の有無，硬結，熱感
⑤授乳回数，授乳時間
⑥母乳育児に対する意欲，希望，知識や理解など
⑦母親の全身状態の観察（母乳育児可能な状態かどうか）
⑧新生児の全身状態の観察（嘔気・嘔吐の有無や覚醒状態，活気，哺乳力など）
⑨授乳時の姿勢，表情，言動
⑩吸着の状況

【ケアプラン】

①児のタイミングに合わせて授乳できるよう，自律頻回授乳[*7]を勧める.
②環境を整え，安楽な授乳姿勢を保持する（枕，クッション，足台使用）.
③たて抱き，横抱き，フットボール抱き，添い寝授乳などを提案する.
④ポジショニングや吸着がうまくいかない時は，その都度原因を探り介助する.
⑤エモーショナルサポートを重視したかかわりをし，医療者側の価値観を押しつけない.

【指導・説明・支持プラン】

※以下は母親の母乳育児に対する知識や意欲を確認したうえで行う．また，これらのケアはすべて生後 6 時間で実施すべき計画ではなく，入院期間を通して母乳育児支援として，母と子のタイミングをみながら実施していく.

①乳汁分泌のメカニズム，母乳育児の利点，欠点について説明する.
②自律頻回授乳の重要性について説明する.
③効果的な吸着の目安を伝える.
④新生児の空腹時，満腹時のサインを伝える.
⑤排気の方法について指導する.
⑥乳房のセルフケア方法について説明する.

[*7] 補足をする場合の第一選択は搾母乳である．搾母乳だけでは不足の場合は，人工乳を用いる．糖水は栄養としては不適切である.
方法としては，できるだけ哺乳瓶の使用を避ける，カップ，スプーンなどを用いる方法が推奨されている.
原則として，必要な補足量や回数は医師や助産師と相談しながら決める.
（Academy of Breastfeeding Medicine の「補足のための診療指針」より）

⑦水分摂取の必要性や食事内容について説明する．
⑧（必要時）乳房トラブルへの対処法，搾乳方法，冷罨法などについて説明する．
⑨（必要時）5%ブドウ糖やミルク補足の目安と方法[*7]について説明する（p.96の表8，9）．
⑩乳汁分泌があることをともに喜ぶ．
⑪ポジショニングや吸着がうまくできていることを称賛する．
⑫児が吸着，吸綴していることをともに喜ぶ．

5 看護目標3）に対して，どのような具体策が考えられますか．

【観察プラン】

①初回排尿，初回排便の有無（生後何時間にあったのか）
②排尿回数，排便回数，または量
③尿の性状，便の性状
④血尿（尿酸塩尿との区別），血便などの異常の有無
⑤腸蠕動・腸音の確認
⑥児の状態（腹部膨満の有無，活気があるのか，苦しそうにしていないか）

【ケアプラン】

・児の状態を観察しながら，出生後24時間以内に排泄があるよう観察を継続する．

【指導・説明プラン】

・（母子同室中であるため）児に排泄があればすぐに伝えるよう説明する．

文献

1）松井　陽：胆道閉鎖症早期発見のための便色カード活用マニュアル．平成23年度厚生労働科学研究費補助金成育疾患克服等次世代育成基盤研究事業　小児慢性特定疾患の登録・管理・解析・情報提供に関する研究．p.4，2012．

参考文献

・NPO法人日本ラクテーション・コンサルタント協会：母乳育児支援スタンダード．第2版，医学書院，2015．

3. 生後24時間までの新生児

3) 生後12～24時間後

生後24時間の柚希ちゃんの状態

体温37.2℃，冷感・チアノーゼなし，全身皮膚色ピンク色．黄染なし，経皮黄疸計2.3 mg/dL，心拍数134回/分，心雑音なし．
呼吸数45回/分，リズム整，肺音クリア，異常呼吸なし，嘔気・嘔吐なし，state 4.
腹部膨満なし，腸蠕動音あり，哺乳力良好，吸啜良好，活気あり．生後12時間の際に，K_2シロップ1 mL（2 mg）を上手に飲んでいる．授乳回数7回/24 h，体重2,890 g.
排尿あり（初回排尿：出生18時間後，淡黄色透明，2回/24 h）．排便あり（胎便，2回/24 h）．

1 アセスメントに必要な知識

1 新生児メレナ予防のためのビタミンK投与について知識を確認しましょう．

- 新生児メレナとはビタミンK欠乏による新生児出血性疾患のことであり，臨床的には下血，吐血などの消化管出血，臍や採血部からの出血も含む．
- 新生児メレナは，①仮性メレナ：出生時に児が飲み込んだ母体血が吐物や便中に混ざったもの，②真性メレナ：ビタミンK欠乏性によるもの，③症候性メレナ：種々の原因による消化管粘膜の障害によるものに分けられる．
- 血液が母体由来であるか児由来であるかは，飲み込んだ血液が消化器を通る間にも還元されず，真赤な血液が便中に認められることもあり，肉眼では確認できないので，アプトテスト[*8]を行う．
- 新生児は，血液の凝固因子活性と抗凝固系因子活性がともに低いという特徴がある．特に臨床で問題となるのは，ビタミンK依存性の凝固因子，第II，VII，IX，X因子欠乏である．
- 新生児は腸内細菌叢がまだ確立されておらず，しかも生後しばらくの間は経口的にビタミンKが投与されないため，母体由来のビタミンKが消費されてしまう日齢4～5日頃に欠乏状態になる．

[*8] アプトテスト（Apt test）[1]：便，吐物などに蒸留水を加えて十分に混和して血色素を溶出させる．その液に0.25%水酸化ナトリウム溶液を5対1の割合で撹拌させる．
〔判定〕暗褐色に変色する時間で判定する．すぐに変色する→母体血→仮性メレナ／徐々に変色する→新生児血→真性メレナ．

【合併症をもたない正期産新生児へのビタミンK予防投与】[2, 3]

- **3回法**
  - 1回目：出生後，数回の哺乳によりその確立したことを確かめてから，ビタミンK_2シロップ1 mL（2 mg）を経口的に1回投与する．なお，ビタミンK_2シロップは高浸透圧のため，滅菌水で10倍に薄めて投与するのもひとつの方法である．
  - 2回目：生後1週または産科退院時のいずれかの早い時期に，ビタミンK_2シロップを前回と同様に投与する．
  - 3回目：1か月健診時にビタミンK_2シロップを前回と同様に投与する．
- **3か月法**：計13回ビタミンK_2シロップを内服させる．
  - 1回目，2回目：3回法に同じ
  - 3回法の3回目およびそれ以降（産科退院後）生後3か月まで1週間ごとに，ビタミンK_2シロップ1 mL（2 mg）を経口的に投与する．

2　事例の情報整理と情報の分析・解釈・統合（アセスメント）

1 柚希ちゃんの生後24時間でのwell-beingについてアセスメントしましょう．

情報　体温37.2℃，冷感・チアノーゼなし，全身皮膚色ピンク色，黄染なし，
経皮黄疸計2.3 mg/dL.
心拍数134回/分，心雑音なし，呼吸数45回/分，リズム整，肺音クリア．
異常呼吸なし，嘔気・嘔吐なし，腹部膨満なし，腸蠕動音あり，state 4.
哺乳力良好，吸啜良好，活気あり，K_2シロップ内服良好，授乳回数7回/24 h，体重2,890 g.
排尿あり（初回は出生18時間後，淡黄色透明，2回/24 h），排便あり（胎便，2回/24 h）．

- **アセスメント**

⇒生後24時間での柚希ちゃんのバイタルサインは正常範囲内にあり，全身状態は良好に保たれています．哺乳の評価では，哺乳力があり生後24時間以内に7回の授乳を行えていること，嘔吐なくK_2シロップを内服できていることから現時点では良好と考えます．排泄の評価としては，初回排尿，初回排便ともに24時間以内に認められており，尿，便の性状も正常です．皮膚色はピンク色で，経皮黄疸計（**図9**）の値も出生1日目の正常値であり，肉眼的黄染も認められず，早発黄疸は出現していません．体重は出生時より−90 gで体重減少率は−3.02%です．出生0〜3日目くらいの新生児は，尿，便の排泄や不感蒸泄があるにもかかわらず，経口での哺乳量が少なく，生理的体重減少が生じます．成熟児では一般的に出生体重の10%以内は生理的体重減少の正常範囲と考えられており，柚希ちゃんの場合も他の全身状態とあわせ総合的に判断し，正常であるといえます．

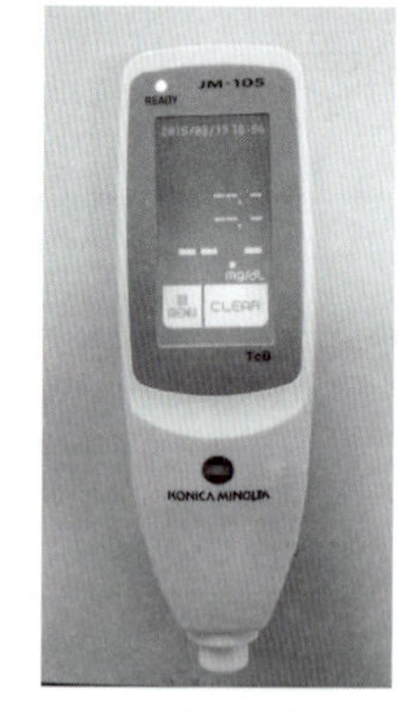

図9　経皮黄疸計

2 柚希ちゃんの生後 24 時間以降に考えられる適応過程についてアセスメントしましょう．今後，どのような点に注意していけばよいでしょうか．

・アセスメント

⇒生後 24 時間以内は，体温の維持や肺呼吸の確立，新生児循環へのスムーズな移行という胎外生活への適応がおもな課題として考えられましたが，生後 24 時間の移行期を経過し胎外生活に適応してきた新生児に対しては，次に生理的体重減少を逸脱せずに体重が増加していくよう哺乳と排泄の評価，ケアが必要となってきます．また，新生児は生理的に多血であり，赤血球寿命が短く，肝臓の機能が未熟なことなどに関連し，生理的黄疸が出現するという特徴があります．生理的黄疸は生後 2〜3 日頃から出現し，生後 4〜5 日頃にピークを迎え，10 日前後には消失していきます．そのため，哺乳，排泄の評価とともに，生理的黄疸の観察を行い，病的黄疸に移行しないように，また病的黄疸に移行した場合はその治療についても考えていく必要があります．新生児は免疫力が低く易感染状態であることから，今後も感染予防を徹底し，感染徴候の早期発見にも努める必要があります．

3　事例の健康課題の導き方と健康課題の決定

1 柚希ちゃんの生後 24 時間の健康課題は，どのように設定されるでしょうか．

・生後 24 時間までの全身状態は良好であり，嘔気・嘔吐なく哺乳でき，排尿・排便も認められていることから，胎外生活に順調に適応している．

4　看護計画の立案（目標と具体策）

1 生後 24 時間の新生児へのケアのポイントを整理しましょう．

①全身状態の継続的な観察
②哺乳と排泄の評価（生理的体重減少の状態）
③生理的黄疸の評価（早発黄疸の早期発見）
④感染予防と感染徴候の早期発見

2 柚希ちゃんが出生 24 時間以降も胎外生活に順調に適応していくという健康課題を達成していくには，どのような看護目標が考えられますか．

1）バイタルサインが正常範囲を維持できる．
2）体重減少が生理的範囲を逸脱せず，増加傾向になる．
3）黄疸が生理的範囲を逸脱しない．
4）感染を起こさず，良好な全身状態を保つことができる．

3 看護目標 1）に対して，どのような具体策が考えられますか．

【観察プラン】

①バイタルサイン（体温，心拍数，呼吸数）
②呼吸音，異常呼吸の有無と程度
③心拍リズム，心雑音の有無と程度
④全身状態の観察

【指導・説明・支持プラン】

①児の状態で不安や心配なことがあればすぐに報告するように伝える．
②児の状態が良好であることをともに喜ぶ．
③母子同室がスムーズに開始できていることを称賛する．

4 看護目標 2）に対して，どのような具体策が考えられますか．(p.86 の表 7，p.96 の表 8, 9）

【観察プラン】

①体重，体重減少率
②全身状態の観察（バイタルサイン，哺乳力，活気，嘔気・嘔吐の有無など）
③哺乳状態の観察（直接母乳回数，母乳分泌状態，人工乳や水分の補足回数と量など）
④排泄状態の観察（排尿・排便回数，量など）
⑤脱水症状の早期発見（飢餓熱の有無，皮膚の乾燥状態，大泉門の陥没など）

【ケアプラン】

①毎日，同条件下で体重測定を行い，前日比，体重減少率の評価を行う．
②母親の母乳育児への意欲を確認しながら，自律頻回授乳を促す．
③母乳分泌状態と吸着の状態を観察しながら，直接母乳指導を授乳ごとに行う．
④排泄回数が少ない場合や脱水症状が認められる場合は，相談しながら水分補足を行う．

【指導・説明・支持プラン】

①新生児の生理的体重減少について説明する．
②（母親の意思を確認しながら）効果的な授乳姿勢や吸着について指導する．
③心配なことや，何かおかしいと感じることがあればすぐに報告するように伝える．
④生理的体重減少は正常な適応過程なので，過度な心配は不要であることを伝える．
⑤現在の児の状態を説明し，生理的に順調に適応できていることをともに喜ぶ．

5 看護目標 3）に対して，どのような具体策が考えられますか．

【観察プラン】

①全身状態（バイタルサイン，活気，筋緊張，哺乳力など）
②全身皮膚色（黄染の全身への広がり）
③経皮黄疸計による黄疸値
④排泄回数や性状

【ケアプラン】

①肉眼的に黄染の強い場合や，経皮黄疸計による黄疸値が高い場合は，血清総ビリルビン値の測定を行う．

②胎便の排泄を促すケアを行う（授乳の確立，循環動態促進のための沐浴など）．

③黄疸増強リスクの高い児には，母親と相談しながらミルク補足や排泄促進ケアを考慮する．

【指導・説明・支持プラン】

①生理的黄疸について説明する．

②胎便排泄を促すために，どうすればよいのかについて説明する．

③（必要時）肛門刺激の方法について説明する．

④生理的黄疸は正常な適応過程であるため，過度な心配は不要であることを伝える．

⑤現在の児の状態を説明し，生理的に順調に適応できていることをともに喜ぶ．

6 看護目標 4）に対して，どのような具体策が考えられますか．

【観察プラン】

①バイタルサイン

②一般状態（活気，全身状態，皮膚の状態など）

③眼脂の有無

④臍部の状態（発赤，臭気，湿潤，分泌物，腫脹などの有無）

【ケアプラン】

①清拭または沐浴を行い身体の清潔を保つ．

②臍処置を行い，臍部からの感染を予防する．

③（眼脂を認める場合は）清潔な綿花で拭き取り，点眼を行う．

④汚染されたオムツは頻回に交換する．

⑤感染予防のため，新生児に触れる際には必ず手洗いを行う．

⑥スタンダードプリコーションの観点から，処置を行う際には手袋を着用する．

⑦共有物品の使用前後は消毒を徹底する．

【指導・説明・支持プラン】

①母親または家族に沐浴指導を行う．

②臍処置の必要性，方法について説明する．

③新生児は免疫力が低いので，感染予防のために手洗いを行うよう説明する．

④現在の児の状態が良好であることをともに喜ぶ．

文献

1）北川眞理子，他：今日の助産　マタニティサイクルの助産診断・実践過程．改訂第４版，p.976，南江堂，2019．

2）日本産科婦人科学会，日本産婦人科医会編：CQ802.「産婦人科診療ガイドライン 産科編 2023」．pp.366-372，日本産科婦人科学会，2023．

3）日本産婦人科医会，他：新生児の出血性疾患予防のためのビタミン K 投与法について．2021．https://www.jaog.or.jp/wp/wp-content/uploads/2021/03/5559054e3614ae4ff296b224fa7510d1.pdf（2023/6/5 アクセス）

参考文献

・仁志田博司：新生児学入門．第5版，医学書院，2018.
・NPO法人日本ラクテーション・コンサルタント協会：母乳育児支援スタンダード．第2版，医学書院，2015.
・早川昌弘，他：新生児・乳児ビタミンK欠乏性出血症に対するビタミンK製剤投与の現状調査．日本小児科学会雑誌，125(1)：99-101，2021.

参考 健康な正期産新生児において，どのような場合に補足（母乳の代用となる栄養）が適応となるかを知っておきましょう（表8，9）．

表8 健康な正期産新生児の補足の適応（直接授乳が不可能）

1．母子分離
・母親の疾病のために母子分離となってしまった場合（たとえば，ショック，精神疾患など）
・母親が同じ病院内にいない場合
2．児が先天性代謝異常の場合（たとえば，ガラクトース血症）
3．児が直接授乳できない場合（たとえば，先天奇形や疾患）
4．母親が（授乳禁忌）薬剤を使用している場合

〔ABMプロトコール委員会著，多田香苗，宮川桂子訳：母乳で育てられている健康な正期産新生児の補足のための病院内での診療指針2009改訂版（ABM臨床指針第3号）をもとに作表/NPO法人日本ラクテーション・コンサルタント協会：母乳育児支援スタンダード．第2版，p.178，医学書院，2015.〕

表9 健康な正期産新生児に補足が適応となる可能性のある状況

1．児の側の適応
a．適切で頻繁な授乳の機会が与えられた後にも，検査室レベルで（ベッドサイドの簡易検査ではなく），無症候性低血糖が明らかな場合．症候性低血糖の児は，ブドウ糖の静脈内投与の治療を受けなければならない（詳細はABMによる低血糖の臨床指針を参照のこと）
b．臨床的にも検査上でも重篤な脱水があることが示され（10%を超える体重減少，高ナトリウム血症，哺乳力減弱，無気力など），その状態が熟練者のアセスメントおよび適切な母乳育児支援の後にも改善しない場合
c．産後5日（120時間）以降まで乳汁産生Ⅱ期が遅れていて，体重減少が8～10%の場合
d．排便回数が少ないか，生後5日（120時間）でも胎便が続く場合
e．乳汁分泌が十分であるにもかかわらず，児が十分摂取できない場合（乳汁移行の不良）
f．高ビリルビン血症
i．飢餓に伴う「新生児の」黄疸で，適切な介入があるにもかかわらず摂取不足がある場合〔ABMによる母乳で育てられている児の黄疸についての臨床指針（未訳）参照〕
ii．ビリルビンが20～25 mg/dLを超えるが，それ以外は順調に発育している「母乳性黄疸」の場合，診断治療のために母乳育児を中断することが有用な場合もあるかもしれない
g．主要栄養素の補足が指示された場合

2．母親側の適応
a．乳汁産生Ⅱ期が遅れていて〔産後3～5日（72～120時間）以降〕，児が適切な量を摂取できない場合
i．胎盤遺残（胎盤の遺残を除去すれば，おそらく乳汁分泌が始まるであろう）
ii．シーハン症候群（産後の出血により乳汁分泌がみられない）
iii．原発性乳腺発育不全（原発性乳汁分泌不全）は女性の5%未満に生じ，妊娠中の乳腺の発育が不全で，乳汁産生がわずかしかみられないということが根拠になる
b．乳房の病理学的な変化や以前に乳腺の手術を受けていて，母乳の産生が少ないということもある
c．授乳時の痛みが耐えられず，介入によっても軽快しない場合

（NPO法人日本ラクテーション・コンサルタント協会：母乳育児支援スタンダード．第2版，p.179，医学書院，2015．をもとに作表）

Ⅱ 正常分娩から逸脱した産婦・新生児のアセスメントとケア

1. 予定帝王切開を受ける産婦・新生児
1）産 婦

1 アセスメントに必要な知識

1 帝王切開術の適応を確認しましょう.

帝王切開術には，表 1 のようにさまざまな適応があります．ここでは前置胎盤，骨盤位，子宮筋腫合併での帝王切開術について知識を確認しましょう.

(1) 前置胎盤

- 前置胎盤とは，胎盤が内子宮口の全部または一部を覆う状態である[1].
- 前置胎盤の発生率は平均 0.3%（300〜400 件に 1 件），日本の研究では 700 件に 1 件との報告もある．特に，帝王切開既往は前置胎盤の重要なリスク因子であり，帝王切開の頻度が増すごとに前置胎盤の発生率が上昇する．既往帝王切開が 1 回だけの発症率は 1.3% であるのに対し，6 回以上では 3.4% という報告や，1 回目の分娩が帝王切開であった妊婦の 2 回目の妊娠における発症率は 1.5 倍以上，4 回以上では 8 倍以上という報告もある[2].
- 前置胎盤が起こる原因には，①帝王切開術既往，流産手術既往，子宮筋腫核出術既往，経産・多産，不妊治療既往，子宮内膜炎既往などにより子宮内に瘢痕が形成された場合，②母体高年齢，喫煙，子宮内膜炎既往などにより子宮内膜が萎縮した場合，③多胎妊娠，子宮筋腫合併，子宮の形態異常などによる子宮腔の変形・制限によって着床部位の異常が起こる場合がある．一般的には無症状であるが，妊娠中期以降に性器出血を起こすことがある．下腹部痛は伴わないことが多い[1].
- 胎盤により胎児の下降が妨げられるため，胎位異常を伴うことが多い[3].
- 子宮下部では脱落膜の形成が悪いため，癒着胎盤の合併が比較的多い.

表 1　帝王切開術の適応

予定帝王切開術	母体適応	絶対的適応	前置胎盤
		相対的適応	児頭骨盤不均衡，狭骨盤，前回帝王切開術，重症妊娠高血圧症候群，子宮の手術既往（子宮筋腫核出術など），感染症（HIV，単純ヘルペスウイルスなど），高年初産など
	胎児適応	絶対的適応	胎位異常（横位）
		相対的適応	胎位異常（骨盤位），多胎，回旋異常（反屈位），巨大児，胎児発育不全，早産など
緊急帝王切開術	母体適応		子宮破裂，常位胎盤早期剥離，分娩停止・分娩遷延など
	胎児適応		胎児機能不全，回旋異常（反屈位，後方後頭位など），臍帯下垂，臍帯脱出，肩甲難産など

- 子宮下部は筋層が薄く，収縮力が弱いため，胎盤剝離後の出血量が多くなるリスクが高い．
- 前置胎盤は無症状であっても妊娠34週には入院管理を考慮する．予定帝王切開は，緊急帝王切開となるリスクを総合的に判断して，妊娠38週末までに行う[1]．
- 妊娠末期に出血がない場合は，癒着胎盤の可能性を考える．
- 前置胎盤は，止血のため手術時間が長引く可能性があることから，脊髄くも膜下硬膜外併用麻酔を用いることがある．
- 胎盤付着部位が前壁の場合は，一般に行われる子宮下節横切開を避け，体部切開が選択される．
- 癒着胎盤を合併し胎盤剝離が困難と推測される場合や，剝離後子宮出血が多量の場合は，内腸骨動脈結紮術，子宮摘出術が行われる場合がある．輸血と子宮摘出の可能性について事前に妊婦・家族に説明しておく[1]．

(2) 骨盤位

- 骨盤位とは，胎児の骨盤端が母体の骨盤に向かう胎位である．
- 骨盤位は全妊娠数の3～5%の頻度で起こるといわれている[4]．
- 骨盤位は，帝王切開術[*1]のほうが新生児予後が良好であるという報告[5,6]があり，帝王切開術の頻度が高くなりつつある[4]．経腟分娩を選択する際には，経腟分娩とともに緊急帝王切開についてもあらかじめ文書による説明と同意を取得する[7]．
- 経腟分娩を予定していても，分娩時に膝位，足位，低出生体重児，児頭骨盤不均衡，早産のいずれかが疑われる場合は帝王切開を選択する．
- 破水した場合，臍帯脱出が起こる危険があるため，脊髄くも膜下麻酔中でも胎児心拍数をモニタリングし，胎児機能不全が起こればただちに全身麻酔に切り替えられるよう準備を行う場合がある．

(3) 子宮筋腫の合併

- 子宮筋腫とは子宮平滑筋に発生する良性腫瘍である．30歳以上の女性の20～30%にみられ，婦人科領域で最も好発する腫瘍である[8]．
- 子宮筋腫の発生部位としては，粘膜下，漿膜下，筋層内などがある．筋腫を構成する平滑筋細胞は，エストロゲンおよびプロゲステロンの受容体を発現し，これらの卵巣ホルモンが増殖に関与する[8]．初経前の発症はなく，性成熟期に発症・増大するが，閉経後は徐々に縮小する[8]．
- 子宮筋腫合併妊娠は，妊娠の高齢化と超音波検査などの診断技術の向上に伴って頻度が増加している．妊娠初期の10.7%の妊婦に0.5 cm以上の子宮筋腫を認めたという報告[9]もある．
- 妊娠全期間を通して，子宮筋腫サイズの変化は報告によりさまざまであるが，増大の多くは妊娠14週までに生じるとの報告がある[10～12]．
- 妊娠中，筋腫部位に一致した強い疼痛や下腹部痛を生じることがある．筋腫変性が原因と考えられており，疼痛の持続時間は1～2週間程度が多い[12]．必要に応じて鎮痛治療を行う．経験的に抗菌薬が使用される場合もあるが，必要性や効果については十分に検討されていない[12]．

---

*1 帝王切開術に関する用語
・選択的（反復）帝王切開術：E(R)CS；elective（repeat）cesarean section.
・帝王切開に対して試験的に経腟分娩を図ること：TOLAC；trial of labor after cesarean delivery.
・帝王切開後経腟分娩が成功した結果：VBAC；vaginal birth after cesarean section.
（日本産科婦人科学会編：産科婦人科用語集・用語解説集，改訂第4版，日本産科婦人科学会，2018．/ 日本産科婦人科学会，他編：CQ403.「産婦人科診療ガイドライン　産科編2023」．pp.205-207，日本産科婦人科学会，2023．より）

表２ 子宮筋腫合併妊娠の分娩・産褥期への影響

胎位異常	13%（正常の 2.9 倍）
分娩遷延	7.5%（2.4 倍）
帝王切開分娩	48.8%（3.7 倍）
前置胎盤	1.4%（2.3 倍）
常位胎盤早期剥離	3.0%（3.2 倍）
大量の産褥出血	2.5%（1.8 倍）
胎盤遺残	1.4%（2.3 倍）
子宮摘出	3.3%（13.4 倍）

（江口勝人編集：必携 ハイリスク妊娠の診療を極める．p.99，永井書店，2009．をもとに作成）

- 筋腫が子宮頸部や子宮下部にあると分娩を妨げることがある．しかし妊娠後期には児頭が骨盤内に下降してくることもあるため，分娩様式は慎重に判断する．
- 子宮筋腫合併妊娠では，**表２**のような異常が起こりやすい．
- 子宮筋腫の位置，個数，サイズにより影響が異なるものの，子宮筋腫合併妊娠では早産，前置胎盤，常位胎盤早期剥離，胎位異常，陣痛異常，帝王切開率の上昇，分娩後出血などに留意する[12~14]．
- 常位胎盤早期剥離は，子宮筋腫が胎盤の後方にあり，かつ筋腫が大きいと高率で起こる．
- 子宮筋腫の大きさや部位によって，子宮の切開法が異なる．弛緩出血で手術時間が長引くことがあり，脊髄くも膜下硬膜外併用麻酔を用いることがある．子宮収縮薬を積極的に使用する．
- 子宮頸部に筋腫があると，産褥期に悪露の停滞が起こる可能性がある．
- 妊娠中および帝王切開時の筋腫核出術は一般的に推奨されていない[12]．
- 産褥期の出血，筋腫変性，感染により筋腫核出術や子宮摘出術を要する場合がある[12]．

2 帝王切開術の麻酔方法について知識を確認しましょう．

帝王切開術には，大きく分けて「脊髄幹麻酔」と「全身麻酔」の２種類の麻酔方法がある．脊髄幹麻酔には，脊髄くも膜下麻酔，硬膜外麻酔，脊髄くも膜下硬膜外併用麻酔が含まれる[13]．

1）脊髄幹麻酔

（1）脊髄くも膜下麻酔

脊髄くも膜下腔へ穿刺し，腔内に投薬することで鎮痛を得る麻酔方法である[15]．

- **特徴**：手技が簡便で成功率が高く，作用発現も早いため，緊急を含む大部分の帝王切開術で用いられる．投薬後は速やかに効果が現れ，下肢のしびれや殿部への熱感を感じるようになる[15]．ただし，低血圧の頻度が高いため，術中に薬剤の追加投与ができない，硬膜穿刺後頭痛（post dural puncture headache；PDPH）を起こすといった欠点もある．PDPH が起こった場合，術後ベッド上安静とする．
- **看護**：母体の仰臥位低血圧症候群を避けるため，子宮左方転位の体位をとる．児娩出まで毎分血圧測定を行い，収縮期血圧が 100 mmHg 以下もしくは平均血圧 70 mmHg になれば，ただちに昇圧剤が投与される[15].

- **禁忌**：重度の母体出血，重度の母体低血圧，凝固系異常，刺入部局所の感染，全身の敗血症，患者の拒否，症状増悪が予測される神経疾患，低身長や病的肥満者において禁忌である．
- **副作用**：低血圧，呼吸困難感，嘔気・嘔吐，頭痛（PDPH）などがある[15,16].

(2) 硬膜外麻酔

- **特徴**：血圧低下が緩徐で，血行動態の安定性に優れている．麻酔範囲をみながら，薬剤を少量分割注入できるため，麻酔が広がりすぎる危険が少ない．術中に追加投与することも可能で，術後鎮痛に使用できる．心疾患合併患者や，挿管困難が予測される肥満患者，低身長患者などでも有用である．硬膜外無痛分娩をする妊産婦では，速やかに帝王切開術に切り替えることができる．
  局所麻酔薬の使用量が多いため，注入前後に必ずカテーテルを吸引し，血管内やくも膜下誤注入がないかを確認しながら投与が繰り返される．
- **副作用**：低血圧，呼吸困難感，嘔気，シバリング（震え），掻痒感などがある[15].

(3) 脊髄くも膜下硬膜外併用麻酔

- **特徴**：脊髄くも膜下麻酔と硬膜外麻酔のメリットが組み合わさって互いのデメリットを補完する麻酔方法である．急激な血圧低下を起こしたくないが，確実で長時間の麻酔を得たいとき，脊髄麻酔単独では安定した麻酔が得られない麻酔歴や脊柱構造を有するときなどに適応される[15].

2) 全身麻酔

- **特徴**：麻酔導入時間が最短であり，臍帯脱出や子宮破裂，常位胎盤早期剥離による胎児機能不全など，超緊急ケースに最適である．超未熟児や展退していないpreterm PROM（妊娠37週未満の前期破水）などは十分子宮を弛緩させたうえで全身麻酔が行われている．ただし誤嚥，挿管困難の危険が高い．超緊急で行う場合が多いため，妊婦の胃内容排泄が遅延していることを前提に対処する必要がある．
- **注意**：新生児に関しては，胎児機能不全や麻酔薬の移行などにより蘇生を要する可能性があり，小児科医や新生児蘇生が可能なスタッフの立ち会いが望ましい[15].
  全身麻酔の児への影響については，次項（p.113）を参照されたい．

3 帝王切開における腹部と子宮の切開創について確認しておきましょう．

(1) 腹壁切開（開腹）

- 開腹における皮膚切開方法は，下腹部正中切開（縦切開）と下腹部横切開に二分される[15].
- 下腹部正中切開（縦切開）（図1-a）では，臍下3～4 cmから約10 cm正中切開する．正中切開の利点は，十分な視野が確保できるため子宮全摘出術や癒着剥離術など帝王切開術と同時に他の手術が行いやすいことである．欠点は，腹部の中心に傷が残るため美容的に目立ちやすいことなどである[15,17]．縦切開の場合，筋膜の剥離部分が大きくなり死腔が大きくなる．既往帝王切開や筋腫核出後妊娠の場合，膀胱が挙上し，腸管や子宮前壁に癒着していることがあるため，膀胱損傷や腸管損傷を起こさないよう留意して行われている[18].
- 下腹部横切開（図1-b）では，恥骨上部約10 cmを切開する[18]．下腹部横切開の利点は，美

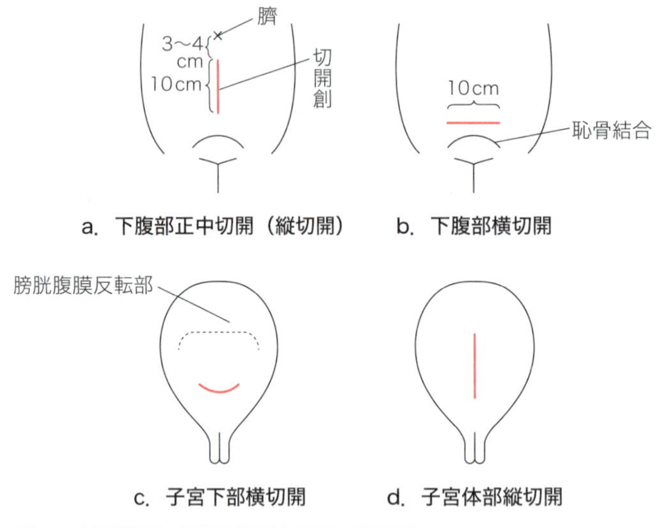

図1 帝王切開における腹部と子宮の切開創

容的に目立ちにくいことであり[17]，緊急帝王切開術以外は横切開が行われることが多い．欠点は切開法によっては下腹部正中切開よりも視野が限られること，筋膜と腹直筋の癒着が起こりやすく，次回の帝王切開術に影響することなどである[15]．

(2) 子宮切開

- 通常は子宮下部横切開が選択される（図1-c）．前置胎盤の場合，出血を少量にするため，胎児先進部の圧迫により胎盤の厚さが薄くなっている部位を切開する[18]．
- 切開部に子宮筋腫がある場合は，高位の横切開，あるいは古典的帝王切開（子宮体部縦切開，図1-d）が行われることがある[18]．
- 子宮下部横切開で胎児の娩出が困難な場合は逆T字，L字，U字切開を行う場合がある[17]．
- 子宮下部が厚く，展退していない妊娠中期では子宮下部横切開が困難なため，古典的帝王切開（子宮体部縦切開）が行われることもある．超未熟児の場合，古典的帝王切開で卵膜と胎盤を大きく剥離し被膜児で娩出させるのが，児の管理上，望ましいといわれている．

4 帝王切開術を受ける産婦の状態を判断するために必要な情報について整理しましょう．

妊産婦の生理学的変化をふまえたうえで，手術侵襲と生体反応を考えた周手術期のケアを行う必要があります．妊産婦の生理学的変化には，以下のような特徴があります．

(1) 循環血液量は妊娠32〜34週では非妊時の約40〜45%増加している

妊婦は，①子宮の増大，血管系の発達による代謝性需要を満たす，②急速に成長する胎盤と胎児のために豊富な栄養と要素を供給する，③血管内容積が増加することにより生じる仰臥位や立位における静脈還流減少による有害事象から母体および胎児を守る，④分娩時の出血に備える目的から，循環血漿量，循環赤血球量がともに増加している[19]．循環赤血球量よりも循環血漿量の増加量が大きいため，相対的に赤血球の割合が減り，水血症の状態にある．循環血漿量は妊娠28〜32週をピークに増加する．

(2) 血液の凝固系も線溶系も亢進するが，止血機能を維持するようバランスが保たれている[19]

分娩時の胎盤剥離による出血に備えるため，凝固系は亢進する．これに反応して線溶系促進因子も増加するが，それ以上に線溶抑制因子が増加するため，凝固の活性化に見合うだけの線溶活性化は認められない．過凝固状態になっているため非妊時に比べ播種性血管内凝固症候群（disseminated intravascular coagulation；DIC），血栓症が発症しやすい．

(3) 血小板はあまり変化がないか，やや低下している[19]

胎盤循環系による血小板消費の亢進によって血小板寿命は短縮するが，分娩に備えて血小板の産生は亢進される．

このように，もともと妊産婦は循環血漿量が多いなどの特徴があるが，それ以上にホメオスタシスを逸脱した大量の出血が手術時に起こると，急性腎不全や循環血液量減少性ショックを引き起こすこともあるため，観察や対応をしなければならない．臨床での出血量計測では，真の出血量の半分程度しか推定できないとされている．基礎疾患（常位胎盤早期剥離，妊娠高血圧症候群，子癇，羊水塞栓，癒着胎盤など）をもつ産科出血では，中等量の出血でも容易にDICを併発するため，産科危機的出血への対応フローチャート[20]に則って対応する．

生理学的変化に加え，現病歴など産婦の個々の状況も加味して産婦の状態を判断していきます．帝王切開術後の予測に必要な個々の状況に関する情報を**表3**に示します．

表３　帝王切開術後の予測に必要な個々の状況に関する情報

循環器系に影響する現病歴
・虚血性心疾患などの既往があれば，循環血液量が減少した場合，代償機能が不十分となり，ショックを引き起こすリスクが高くなる． ・高血圧症がある場合は，術中の血圧上昇が心筋の虚血を起こしやすくする． ・慢性の貧血がある場合，急性出血に対する循環動態の予備能力が低下する． ・腎疾患の既往歴や，糸球体濾過量の低下を意味するクレアチニンクリアランスの低下がないかなど，腎機能の状態を確認し，循環血液量平衡への影響を判断する． ・止血機能を障害する疾患（肝硬変，血友病，再生不良性貧血，悪性貧血など）や，血液凝固阻止薬の内服は，手術中の出血によって循環血液量が減少するリスクを高める．
循環器系への影響を判断する術前検査
・安静時心電図，負荷心電図，胸部Ｘ線検査（心胸郭比），バイタルサイン ・血清クレアチニン，尿素窒素，クレアチニンクリアランス ・血小板数，出血時間，活性化部分トロンボプラスチン時間，プロトロンビン時間，フィブリノゲン値
呼吸器系に影響する現病歴 / 生活習慣
・術後の無気肺や肺炎のリスクを判断するために術前の呼吸機能を把握しておく． ・喫煙は気道粘膜の線毛運動を減弱にし，気道の自浄作用を障害し，粘膜産生量を増加させる． ・肥満は，仰臥位になると腹部脂肪で腹腔内圧が上昇し，横隔膜が押し上げられ，その程度が著しいと拘束性障害をきたす．
呼吸器系への影響を判断する術前検査
・換気機能検査，ガス交換機能検査，胸部Ｘ線検査
消化器系に影響する現病歴 / 生活習慣
・麻痺性イレウスの誘因には低蛋白血症，低カリウム血症がある．低蛋白血症は，膠質浸透圧を低下させ，水分を毛細血管内から血管外細胞外液へ移動させ，腸管浮腫を助長させる．低カリウム血症は，カリウムの働きである神経・筋肉などの細胞の興奮，伝達，収縮を低下させるため，腸管運動の低下が起こる． ・便秘など，腸管が拡張した状態では，術後腸管麻痺が遅延する． ・開腹術が２回以上短期間に行われた後には，初回手術と比較して，腸管運動の回復が遅れ，麻痺性イレウスに陥りやすい傾向がある．腸管漿膜や腹膜が損傷を受けると，フィブリノゲンが滲出してフィブリン（線維素）が形成され，周囲と線維素性膠着を生じる．これが線維芽細胞の増殖により線維性膠着となり，結合織としての器質化が進んで癒着が完成する．この腸管癒着によって腸管運動が低下すると考えられている．
消化器系への影響を判断する術前検査
血清総蛋白，血清アルブミン，A/G 比
創傷治癒に影響する現病歴 / 生活習慣
・創傷治癒を阻害する因子には，低栄養状態，糖尿病の合併症，ステロイドの長期投与や化学療法，喫煙，術前の除毛による微細な切創があり，局所的因子には創部感染，壊死組織の存在，創部の乾燥，創部の血行不良，機械的外力などがある． ・創傷治癒を促進する因子は，創面の閉塞・湿潤環境である．

2　事例の情報整理と情報の分析・解釈・統合（アセスメント）

あなたは今日，37 週 1 日で予定帝王切開術を受けるなつみさんを受け持つことになりました．この事例をアセスメントして援助していくプロセスを一緒に考えていきましょう．

なつみさんの現在の状態

34 歳，会社員．2 妊 1 産．身長 157 cm，非妊時体重 55 kg，現在は 66 kg である．第 1 子（長女）の出産（30 歳）は，妊娠 26 週 5 日，骨盤位で前期破水したため緊急帝王切開術（子宮体部縦切開）を行った．前回の帝王切開時の切開創は，図 1-b，d（p.102）のとおり．
第 1 子は女児で，出生体重は 1,020 g であった．NICU に管理入院し，生後 3 か月で退院した．現在，長女（4 歳）は小児科で発達，健康状態をフォロー中であるが，特に問題なく健康で，保育園に通っている．
前回帝王切開術分娩のため，昨日より入院中．反復帝王切開術を本日 14:00，妊娠 37 週 1 日で行う予定である．感染症もなく，既往歴，家族歴もない．妊娠中，妊娠高血圧症候群，妊娠糖尿病，貧血は認められなかったが，切迫早産で妊娠 30 週から自宅で安静にしていた．内服はなし．最終妊婦健康診査（妊娠 36 週 1 日）で，子宮口未開大，子宮頸管長 20 mm，先進部は頭部，St−2，未破水，胎児推定体重は 2,700 g であった．
入院時に「上の子どもの時は，急に破水してしまって，あれよあれよという間に手術になっちゃって．今回も破水するんじゃないかと，ずっと心配でした．この日までもって嬉しいです．でも，麻酔とかは怖いな．前回はお腹の傷も産後，痛かったし……」と話す．

1 なつみさんの現在の状態をアセスメントするための情報収集に必要な視点について確認しましょう．

- **手術予定時間の変更（緊急帝王切開術）の必要性**（分娩開始あるいは開始の予知徴候はないか，妊婦・胎児の健康状態はどうか）
  - ①陣痛（子宮収縮）の状態（規則性，産痛）
  - ②子宮口開大度，展退，先進部下降度
  - ③破水，胎胞の緊満度，羊水の性状
  - ④産徴／異常出血，腟分泌物
  - ⑤胎児の健康状態（CTG モニタリング所見，胎動，胎児の発育状態）
  - ⑥妊婦の健康状態（バイタルサイン，感染徴候など検査データ）
- **術中・術後の産婦／褥婦のリスク**（子宮破裂，出血，術後合併症，創部癒合不全）
  - ①帝王切開術や筋腫核出術など，子宮切開既往歴と術式（縦切開・横切開）
  - ②子宮壁の薄さ（超音波検査）
  - ③胎児の大きさ，前回分娩時の子どもの大きさ
  - ④子宮破裂の前駆症状
  - ⑤弛緩出血を起こすリスク（肥満，子宮収縮を阻害する筋腫や子宮形態異常）

⑥術後合併症を起こしやすい現病歴（循環器系，呼吸器系，消化器系）
⑦創傷治癒を阻害するリスク（糖尿病，低栄養）

・**胎児／新生児のリスク**
①胎児の健康状態（CTG モニタリング所見，胎動，胎児の発育状態）

追加情報：妊娠 37 週 1 日のなつみさんの状態

6:00 バイタルサイン所見は，体温 36.8℃，脈拍 74 回/分，血圧 126/82 mmHg. CTG 所見は，胎児心拍数基線 150 bpm，胎児心拍数基線細変動 10〜20 bpm，一過性頻脈 15 bpm 以上 20 秒持続，一過性徐脈なし，胎動の自覚もある.
9:00 子宮は時折収縮するが，規則性はなく，産痛もみられない．破水感，出血もない.

2 帝王切開術の麻酔を選択する際に，麻酔科医が必要としている情報について確認しておきましょう.

・過去の麻酔歴．脊髄くも膜下麻酔の薬剤使用量と広がり，全身麻酔での挿管困難の有無，術後合併症.
・既往歴，アレルギー（薬剤，食物，ゴム製品）の有無，家族歴.
・常用薬物．子宮収縮抑制薬には心血管・呼吸器・神経筋接合部などへの副作用があるため，投与期間と副作用，血中マグネシウム濃度を確認する.

3 なつみさんの全体像を把握するために，以下の項目をアセスメントしましょう.

・**年齢**

情報 年齢 34 歳.

⇒ 34 歳は妊娠出産，また手術を受ける患者の状態としても問題はありません.

・**産科歴が今回の妊娠・分娩に及ぼす影響**

情報 2 妊 1 産．前回，妊娠 26 週 5 日，骨盤位で前期破水したため緊急帝王切開術（子宮体部縦切開）．出生体重は 1,020 g.

⇒前回の分娩では，子宮体部縦切開による帝王切開術を行い，今回の妊娠期には，子宮増大に伴い子宮破裂のリスクが増す状態にありました．しかし，手術当日まで問題なく過ごせました.

・**現在の妊婦の状態（身体，心理，社会面）**

情報　感染症，既往歴，家族歴なし．妊娠高血圧症候群，妊娠糖尿病，貧血なし．切迫早産で妊娠30週から自宅安静．内服はなし．子宮口未開大，子宮頸管長20 mm，先進部は頭部，St−2，未破水．「上の子どもの時は，急に破水してしまって，あれよあれよという間に手術になっちゃって．今回も破水するんじゃないかと，ずっと心配でした．この日までもって嬉しいです．でも麻酔とかは怖いな．前回はお腹の傷も産後，痛かったし……」

⇒第１子は早産児でしたが，現在は問題なく過ごせているようです．今回の妊娠中に切迫早産になりましたが，妊娠37週まで継続できました．第１子の時は前期破水を起こして緊急の帝王切開術を受けたため，今回育児をしながらの自宅安静は，心身ともに負担も大きく，心配であったと考えられます．産褥期のバースレビューで話を聴いていきましょう．

・**胎児の状態**

情報　妊娠36週１日の胎児推定体重は2,700 g，本日37週１日．

⇒在胎週数に見合った発育をしています．正期産児です．

4 子宮破裂について知識を確認しましょう．

・帝王切開術や筋腫核出術など，子宮切開手術既往のある妊婦では，そうでない妊婦に比べ子宮破裂の発生率が高い．
・子宮破裂症例のうち90％以上に帝王切開術の既往があり，非瘢痕性子宮破裂はまれである．帝王切開術既往のある妊婦の経腟分娩（TOLAC）では，0.2〜0.7％前後に子宮破裂が発生するとされている[21]．
・子宮体部縦切開法既往の場合，陣痛発来前に自然に子宮破裂が起こることがあり，特に子宮が増大する妊娠9か月以降は注意を要する．子宮体部縦切開法既往妊婦が切迫早産と診断され，症状が非定型的，かつCTGが異常を示す場合は子宮破裂を念頭に管理する．
・切迫破裂徴候としては，CTG異常，子宮下部の過伸展による収縮輪（Bandl病的収縮輪）の上昇，急激で強い腹痛，性器出血，母体バイタルサインの異常などの症状がみられる[22]．

5 以上のアセスメントを統合して，なつみさんの現在の状態をどのようにアセスメントしますか．

・**手術予定時間の変更（緊急帝王切開術）の必要性**（分娩開始あるいは開始の予知徴候はないか，妊婦・胎児の健康状態はどうか）
⇒分娩が開始あるいは開始の予知徴候はなく，妊婦や胎児の健康状態も緊急を要する状態ではないため，現時点で予定どおり14:00の手術時間まで状態の観察を継続します．

・**術中・術後の産婦／褥婦のリスク**（子宮破裂，出血，術後合併症，創部癒合不全）
⇒術中・術後も含め，現時点で子宮破裂のリスクはまだありますが，分娩開始しておらず，リスクレベルに変化はないといえます．肥満や子宮収縮を阻害するような筋腫，子宮の形態異常もなく，妊婦の身体状態には問題がないため，弛緩出血，術後合併症のリスク，創傷治癒を阻害するリスクは低いです．ただし，前回は心の準備もなく，手術，出産を終えたため，前回の経験からくる心理的な不安が大きいと考えられます．

・胎児／新生児のリスク
⇒胎動もあり，CTG 所見は well-being であるため，胎児は生存しており，健康状態も良好です．正期産児であり，在胎週数相当の児体重が予測されます．

3　事例の助産診断の導き方と助産診断の決定

現時点でなつみさんは，このまま予定どおり帝王切開術が受けられると考えます．あなたは，なつみさんが，術後も正常に経過し，より安楽に過ごせるように準備する必要があります．

1 上記のアセスメントから，なつみさんの助産診断を考えてみましょう．

1）子宮破裂のリスクはあるものの，母児ともに健康である．
2）緊急帝王切開術経験による手術，手術創に対する不安がある．

4　助産計画の立案（目標と具体策）

1 助産計画を立案するにあたって，2 つの助産診断の優先順位はどうなるでしょうか．

1）緊急帝王切開術経験による手術，手術創に対する不安がある．
2）子宮破裂のリスクはあるものの，母児ともに健康である．

2 どのような助産目標が考えられますか．

1）術後の見通しが立ち，不安が軽減して手術に臨むことができる．
2）このまま分娩が開始せず，母児ともに健康な状態で手術に臨むことができる．

3 助産目標 1）に対して，どのような具体策が考えられますか．

【観察プラン】
①妊婦本人，家族の手術に関する不安の訴え
②表情，態度，言動
【ケアプラン】
①妊婦の健康状態（バイタルサイン，特に緊張からくる脈拍，血圧の変化）

【指導・説明・支持プラン】

①妊婦，家族に対するオリエンテーション

手術前後から退院までの検査やケアに関するスケジュールについてクリニカルパス（図2）を用いて説明する．

②妊婦，家族に対する心理的支援

- 手術前後の母児の健康状態，手術のリスクなど，産科医や麻酔科医からどのような説明を受け，理解し，納得しているのかを確認する．
- 担当助産師を配置するなどの配慮も考える．
- 不安の内容によっては産科医，麻酔科医，手術室看護師などと面談できるように調整する．

4 助産目標 2）に対して，どのような具体策が考えられますか．

【観察プラン】

①陣痛（子宮収縮）の状態（規則性，産痛）
②破水の有無
③産徴／異常出血の有無
④胎児の健康状態（CTG モニタリング所見，胎動）
⑤妊婦の健康状態（バイタルサイン）

【ケアプラン】

・術前準備

①術前検査の確認

血液型，感染症の確認，手術同意書の確認，生化学検査，血球計数，（心電図），必要があれば胸部X線撮影，尿検査一般，クロスマッチ用採血を外来で行う．検査結果を確認し，手術室看護師と情報共有できるようにしておく．

②絶飲食

手術時間によって，手術前日あるいは当日から絶飲食を開始する．医師の指示を確認する．

③静脈ルートの確保

手術前後の輸液，抗生物質などの薬剤の投与のために静脈ルートを確保する．医師の指示を確認する．血栓予防のため，1 日 2,000 mL 以上の輸液を行う場合が多い．輸血が必要となる可能性がある場合（前置胎盤，子宮破裂，妊娠高血圧症候群，常位胎盤早期剝離など），末梢の静脈ルート 2 本と中心静脈ラインを確保することがある．

④深部静脈血栓症，肺血栓塞栓症の予防

「産婦人科診療ガイドライン　産科編 2023」に基づき，周術期の脱水の回避，改善を図るとともに，術後全例に弾性ストッキングの装着あるいは間欠的空気圧迫法を行い，早期離床を勧める[23]．高齢肥満妊婦，抗リン脂質抗体症候群，血栓症既往妊婦の場合，低用量未分画ヘパリンの投与が必要となることがある．

入院中のケア計画（帝王切開）

○○　なつみ　様
担当看護師：○○○○
主治医：○○○○

ご出産おめでとうございます．
ご入院中の○○なつみ様へのケア計画書です．ご体調に合わせて，計画が前後することがあります．
その都度，説明いたします．

	お母さん	赤ちゃん
手術前日	夕食後は飲んだり食べたりしないでください． シャワーを浴びてください． 寝る前に下剤を飲みます． 十分睡眠をとってください． 不安で眠れない場合など，お気軽に看護師にお声かけください．	
手術当日	朝，浣腸をします． 朝から点滴を始めます． 手術時間まで，ゆっくりお部屋でご家族とお過ごしください． 時折，看護師がバイタルサイン，腹部のはり，赤ちゃんの状態を観察します． 手術前に，弾性ストッキングをはいてもらいます． 貴重品はご家族に預けてください． 手術後，体を横に向けたくなったり，のどが渇いたりした場合は，看護師が行います． 点滴はついたまま，尿の管も入った状態で過ごしていただきます． 心電図モニターをつけ観察します． 赤ちゃんが泣くたびに，お母さんの状態に合わせ，授乳のお手伝いをします．	モニターをつけ観察します． K_2 シロップを飲みます．
1日	朝から流動食が始まります．昼は三分粥，夜は五分粥です． 体を拭いて着替えをします． 尿の管を抜き，心電図モニターをはずします． 尿の管が抜けたら，室内の歩行ができます． はじめてベッドから降りる時は看護師がお手伝いします． その後，トイレは3〜4時間ごとに行き， 毎回パッドを交換することを心がけてください． 夕方まで点滴をします． 赤ちゃんと同室，同床します．	モニターをはずします． 毎日からだを拭きます．
2〜3日	弾性ストッキングをはずします． 朝は全粥，昼から産褥食となります． 抗生物質の点滴，または内服薬があります． 体調が良ければ，シャワーができます． 赤ちゃんの授乳を積極的に行っていただきますが， 体調が悪い場合など，いつでもお声かけください．	聴覚スクリーニングの検査をします．
4日	産褥健診（体重・血圧測定，むくみの観察，尿検査）をします． 退院に向け，お母さんのからだ，赤ちゃんの沐浴などのお世話の仕方， 今後の家族計画について個別，または集団で看護師がお話しします． 出産育児一時金の書類を提出してください． 新生児訪問依頼のはがきを準備したり， 2週間健診・1か月健診の予約をします．	K_2 シロップを飲みます．
5日	創部のテープをはがし観察します．抜鈎します． 退院診察があります．	先天性代謝異常の検査をします．
6日	赤ちゃんと一緒に退院します． 14日以内に市役所で出生届を提出してください． 赤ちゃんの健康保険の加入手続きをしてから， 市町村で乳児医療証の手続きをしてください． 加入している健康保険組合から後日出産育児一時金が支給されます．	身体計測をします．

図2　帝王切開術を受ける産婦のクリニカルパス（例）

表４　術後管理の必要物品

バイタルサイン測定	□体温計　□聴診器　□血圧計／自動血圧測定装置　□パルスオキシメータ
輸液	□精密持続点滴装置（輸液ポンプ等）　□薬剤（医師の処方確認）　□支柱台
尿測定	□蓄尿瓶
吸引	□吸引チューブ　□吸引器
酸素	□酸素マスク
血栓症予防	□弾性ストッキング　□間欠的空気圧迫法フットポンプ
その他	□救急カート　□産褥パッド　□Ｔ字帯　□術後腹帯

⑤術後管理に必要な物品の準備

術後管理に備えて，必要物品（表４）を準備する．

⑥手術室に帝王切開術に必要な物品を配置していない施設の場合

臍帯クリップ，臍帯剪刀，胎盤袋（もしくは胎盤を入れる膿盆）を手術室に持参する．

【指導・説明・支持プラン】

①観察の結果，現時点で破水はなく陣痛も開始していないこと，胎児の健康状態も良好であることから，緊急で手術時間を早める必要はないことを説明する．

②１時間おきに観察を行うために，訪室することを説明する．絶飲食で過ごすこと，尿意などが出現した場合や何か不安があれば，ナースコールで知らせるように説明する．

③出棟時間まで，家族とリラックスして過ごせるように促し，環境を整える．

文献

1）日本産科婦人科学会：産婦人科専門医のための必修知識 2022 年度版．pp.B77-78，日本産科婦人科学会，2022.
2）岡本愛光監修：ウィリアムス産科学．原著 25 版，p.963，南山堂，2019.
3）日本産科婦人科学会：産婦人科研修の必修知識 2016-2018．pp.165-166，日本産科婦人科学会，2016.
4）前掲 1）p.B145.
5）Hannah ME, et al : Planned caesarean section versus planned vaginal birth for breech presentation at term : a randomised multicentre trial. Term Breech Trial Collaborative Group. Lancet, 356(9239) : 1375-1383, 2000.
6）Hofmeyr GJ, et al : Planned caesarean section for term breech delivery. Cochrane Database Syst Rev, (1) : CD000166, 2001.
7）日本産科婦人科学会，日本産婦人科医会監修：CQ402.「産婦人科診療ガイドライン 産科編 2023」．pp.202-204，日本産科婦人科学会，2023.
8）前掲 1）p.D40.
9）Bulun SE, et al : Uterine leiomyoma stemcells: linking progesterone to grows. Semin Reprod Med, 33(5) : 357, 2015.
10）Ouyang D, et al : Uterine fibroids (leiomyomas) : Issues in pregnancy. UpTo Date.
11）Tian YC, et al : Change of uterine leiomyoma size during pregnancy and the influencing factors: A cohort study. Int J Gynaecol Obstet, 157(3) : 677-685, 2022.
12）前掲 7）CQ501．pp.284-285.
13）Klatsky PC, et al : Fibroids and reproductive outcomes: a systematic literature review from conception to delivery. Am J Obstet Gynecol, 198(4) : 357-366, 2008.
14）江口勝人編集：必携　ハイリスク妊娠の診療を極める．pp.97-104，永井書店，2009.

15）村越　毅編著：ペリネイタルケア 2018 年新春増刊　帝王切開バイブル．pp.42-43，pp.52-63，メディカ出版，2018.
16）前掲 1）pp.B209-212.
17）前掲 1）pp.B207-209.
18）前掲 3）pp.366-375.
19）前掲 2）pp.67-75.
20）日本産科婦人科学会，他：産科危機的出血への対応指針 2022．https://www.jsog.or.jp/activity/pdf/shusanki_taioushishin2022.pdf（2023/11/24 アクセス）
21）前掲 7）CQ403．pp.205-207.
22）前掲 1）pp.B149-151.
23）前掲 7）CQ004-2，CQ416．pp.13-17，pp.261-263.

参考文献

・日本産科婦人科学会，日本産婦人科医会編集・監修：CQ304.「産婦人科診療ガイドライン 産科編 2023」．pp.156-159，日本産科婦人科学会，2023.
・岡本愛光監修：ウィリアムス産科学．原著 25 版，pp.963，南山堂，2019.
・日本産科婦人科学会編：産科婦人科用語集・用語解説集．改訂第 4 版，日本産科婦人科学会，2018.
・江口勝人編集：必携　ハイリスク妊娠の診療を極める．永井書店，2009.
・関　洲二：術後患者の管理．金原出版，2000.
・糸満盛憲，他編集：最新整形外科学大系　9 周術期管理，リスク管理，疼痛管理．中山書店，2008.

1. 予定帝王切開を受ける産婦・新生児
2) 新生児

1 アセスメントに必要な知識

帝王切開分娩の場合，その適応や児の在胎週数，疾患の有無などによりリスクは異なるため，出生前のリスクアセスメントおよびそれに応じた準備が重要となります．

出生直後の新生児ケアとしては，分娩様式にかかわらずConsensus 2020に基づく日本版新生児蘇生法ガイドラインに基づいた新生児蘇生法アルゴリズム[1](p.73)に沿って行います．

1 帝王切開分娩で出生した新生児に起こりやすい新生児一過性多呼吸について確認しましょう．

- 新生児一過性多呼吸（transient tachypnea of newborn；TTN）とは出生時に起こる肺胞内の肺水の排出・吸収遅延による一時的な呼吸障害である．一般的には生後6時間以内に発症し，主症状は多呼吸である．肺サーファクタントは正常にあるため，チアノーゼや陥没呼吸，その他の呼吸障害を伴うことは少ないが，軽度の呻吟を伴うことがある[2]．
- 帝王切開分娩で出生した児は，産道における胸部の圧迫がないため肺水の排出・吸収遅延が起こりやすい．また，分娩時や陣痛発来に伴うストレスはカテコラミンやステロイドを介して出生前の子宮内における肺水の動態に影響を及ぼすと考えられているが，予定帝王切開ではこれらのストレスがかからないので，肺水の排出・吸収遅延が起こりやすいと考えられる[3]．
- 新生児一過性多呼吸による呼吸障害は，特に治療を必要とせず48〜72時間前後の経過で自然に軽快することも多い[2]．治療は通常，低濃度の酸素投与を行いながら肺水の吸収を待つ．
- 重症例の場合は，酸素投与の実施，呼気終末陽圧を加える，アルブミン投与（低たんぱく血症を伴う場合）などの治療が行われることがある[2]．

2 帝王切開時の麻酔による新生児への影響について確認しましょう．

- 分娩時の麻酔については，母体への麻酔が適切に管理されているかぎり，児への重篤な合併症は非常にまれである．しかし，全身麻酔の場合は母体に投与された薬剤が胎児に移行するため，麻酔導入から児娩出までの時間によってはSleepy baby[*2]として出生することがある．この場合，出生直後に無呼吸であったり，Apgar scoreが低くなったりすることがある．

[*2] Sleepy babyは，無呼吸，活動性低下，哺乳障害，低体温などの症状を伴う．吸入麻酔は短時間でその作用が消失するが，静脈麻酔薬は生後数日間，影響を及ぼしうる（仁志田博司編著：産科スタッフのための新生児学．改訂2版，p.170，メディカ出版，2007．より）．

・Consensus 2020 に基づく日本版新生児蘇生法ガイドライン[1)](p.73)に沿った蘇生を行うことで重篤な影響は避けることができる.

2 事例の情報整理と情報の分析・解釈・統合(アセスメント)

あなたは病棟で,帝王切開分娩で出生したなつみさんの新生児,将也くんを受け持つことになりました.この事例をアセスメントして援助していくプロセスを一緒に考えていきましょう.

なつみさんの情報(再掲,p.105 参照)

34 歳,会社員,2 妊 1 産.
第 1 子(長女)の出産(30 歳)は,妊娠 26 週 5 日,骨盤位で前期破水したため緊急帝王切開術(子宮体部縦切開)を行った.児の出生体重 1,020 g,NICU に管理入院.
現在,長女(4 歳)は小児科で発達,健康状態をフォロー中であるが,特に問題なく健康である.今回は 37 週 1 日で反復帝王切開術により男児を出産した.手術室で児と対面し,笑顔を見せていた.

出生時の将也くんの状態

在胎週数 37 週 1 日,男児.
出生体重 2,760 g,身長 48.5 cm,頭囲 32.0 cm,胸囲 31.5 cm.
Apgar score 1 分後 8 点(皮膚色−2)/ 5 分後 8 点(皮膚色−2).
臍帯動脈血ガス:pH 7.21,PCO_2 65.8 mmHg,PO_2 15.2 mmHg,HCO_3^- 19.2 mmol/L,BE−4.8 mEq/L.
体温 36.3℃(直腸温),36.2℃(皮膚温),末梢四肢冷感あり.
心拍数 152 回/分,心雑音軽度あり.
呼吸数 72 回/分,リズム整,肺音クリア,陥没呼吸,努力呼吸,呻吟なし.
胎盤:大きさ 20.0×19.0×1.5 cm,重さ 530 g,胎盤実質・卵膜欠損なし,副胎盤なし.
白色梗塞,石灰沈着なし.
臍帯:長さ 59 cm,太さ 1.2×1.0 cm,左捻転,側方付着,臍帯巻絡なし.
羊水混濁なし,外表奇形なし,分娩外傷なし.

1 出生時の将也くんの身体発育の well-being についてアセスメントしましょう.

情報 母親 なつみさん 2 妊 1 産,34 歳.
在胎週数 37 週 1 日,男児,出生体重 2,760 g,身長 48.5 cm,頭囲 32.0 cm,胸囲 31.5 cm.
胎盤:大きさ 20.0×19.0×1.5 cm,重さ 530 g,胎盤実質・卵膜欠損なし,副胎盤なし.
白色梗塞,石灰沈着なし.
臍帯:長さ 59 cm,太さ 1.2×1.0 cm,左捻転,側方付着,臍帯巻絡なし.
外表奇形なし,分娩外傷なし.

⇒在胎週数 37 週 1 日という正期産で出生した男児で，在胎週数相当の相当体重児（AFD 児）です．身長，体重，頭囲，胸囲は身体発育上成熟していると判断できます．外表奇形や分娩外傷もなく，身体発育は正常であるといえます．

2 出生直後の将也くんの全身状態の well-being についてアセスメントしましょう．

情報 Apgar score 1 分後 8 点（皮膚色－2）／5 分後 8 点（皮膚色－2）．
臍帯動脈血ガス：pH 7.21，PCO_2 65.8 mmHg，PO_2 15.2 mmHg，HCO_3^- 19.2 mmol/L，BE－4.8 mEq/L．
体温 36.3℃（直腸温），36.2℃（皮膚温），末梢四肢冷感あり．
心拍数 152 回/分，心雑音軽度あり．
呼吸数 72 回/分，リズム整，肺音クリア，陥没呼吸，努力呼吸，呻吟なし．
羊水混濁なし，外表奇形なし，分娩外傷なし．

⇒出生時に臍帯巻絡や羊水混濁はなく，出生時の Apgar score は 1 分後，5 分後ともに 8 点（皮膚色－2）であり，正常と判断できます．
臍帯動脈血ガスは，pH 7.21 であるため，ややアシドーシスに傾いてはいますが，正常範囲の値です．PCO_2，HCO_3^- も正常値です．これより，胎内での将也くんの状態は良好であったことがわかります．
将也くんの出生直後の全身状態については，Apgar score が 1 分後，5 分後ともに 8 点で全身にチアノーゼが観察されます．
体温は直腸温で 36.3℃，皮膚温で 36.2℃であり，新生児体温の正常範囲である 36.5～37.5℃よりも低い状態です．四肢末梢に冷感を認めていることからも，保温の必要性が高いと判断できます．
心拍数に関しては新生児覚醒時の正常範囲 130～160 回/分の範囲内ですが，心雑音が軽度聴取されています．生後 2～3 時間の児は正常であっても心雑音が聴取されることがあります．どこの部位で強く聴取されるのか，どの程度聴取されるのかを確認し，その他の全身状態と統合しながら注意深く観察を継続していく必要があります．
出生直後の新生児の呼吸数の正常範囲は 30～60 回/分であり，将也くんは 72 回/分の多呼吸の状態です．帝王切開分娩で出生した児は新生児一過性多呼吸のリスクが高く，慎重に観察していく必要があります．呼吸数のみならず，呼吸状態の観察も重要です．将也くんの肺音はクリアであり，異常呼吸もないため，今後も慎重に呼吸状態を観察しつつ，多呼吸が改善されるような看護を行っていきます．

3　事例の健康課題の導き方と健康課題の決定

1 将也くんの出生直後の健康課題はどのように設定されるでしょうか．

1）陣痛発来前の予定帝王切開に関連した肺水吸収遅延に伴う，新生児一過性多呼吸のリスク状態である．
2）正期産，相当体重児，予定帝王切開で出生した新生児であるが，全身チアノーゼや四肢末梢冷感を認め，低体温のリスク状態である．
3）帝王切開術で出産した母親と児との愛着形成過程にある．

4　看護計画の立案（目標と具体策）

1 帝王切開で出生した新生児に対しては，経腟分娩で出生した新生児へのケアのポイントに加え，どのような点をより注意深く観察していく必要がありますか．

基本的な出生直後の新生児へのケアのポイントは，経腟分娩で出生した新生児のケアのポイントに準じます（p.81）．それに加え，特に以下の3点が重要です．
①より慎重な保温を行う．
②注意深い呼吸状態の観察を行う．
③母親との早期面会の実施ができるようにする．

2 新生児一過性多呼吸のリスク状態であるという健康課題1）に対して，どのような看護目標が考えられますか．

・多呼吸が改善され，呼吸状態が安定する．

3 この看護目標に対して，どのような具体策が考えられますか．

【観察プラン】
①呼吸数，呼吸リズム，異常呼吸の有無と程度，肺へのエアー入りの観察
②パルスオキシメータ（SpO_2）
③全身皮膚色

【ケアプラン】
①保育器内に収容し，継続的モニタリング（心拍・呼吸モニタ，SpO_2）を行う．
②（必要時）鼻咽腔の分泌物吸引を適宜行う．
③児の体位を工夫しながら，適宜体位変換を行う．
④頻回な観察と記録を行う．
⑤（必要時）医師への報告を行いながら指示をあおぐ．
⑥（呼吸状態を観察し，医師に報告しながら，必要時）低濃度の酸素投与を行う．

⑦（呼吸状態の改善がみられず悪化する場合，医師の指示のもと）人工換気を行う（図3, 4）.

【指導・説明・支持プラン】

①児の現在の状態や，新生児一過性多呼吸について，母親・家族に説明する.

②治療や処置を必要とする場合は，内容について医師から母親・家族に説明してもらう.

③説明内容に疑問や心配があれば傾聴し，再度説明が必要な場合は医師に診察を依頼する.

④不安を表出できるように，そばに付き添う.

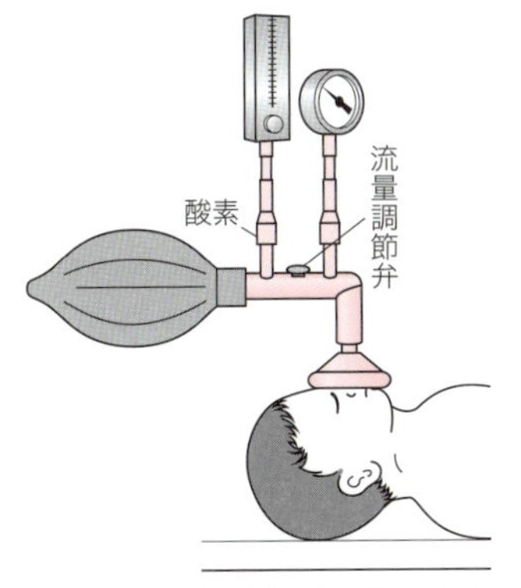

図３　流量膨張式バッグによる持続気道陽圧

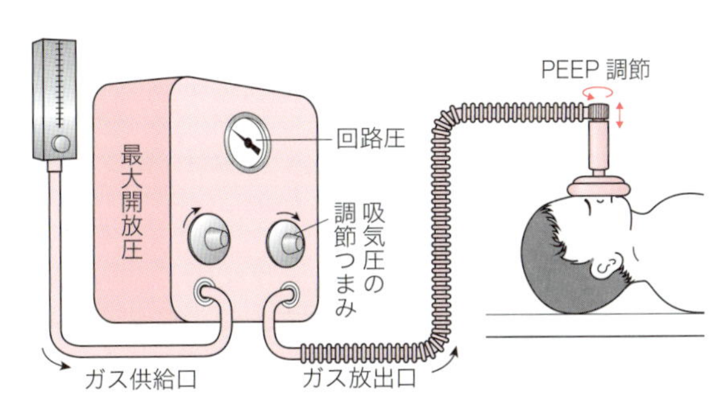

図４　Ｔピース蘇生装置による持続気道陽圧

4 低体温のリスク状態であるという健康課題 2）に対して，将也くんが胎外生活に順調に適応していくにはどのような看護目標が考えられますか.

・循環動態が安定し，全身チアノーゼや四肢冷感が改善し，体温を維持できる.

5 この看護目標に対して，どのような具体策が考えられますか.

【観察プラン】

①バイタルサイン，SpO_2

②皮膚色，チアノーゼ，冷感

③児の活気や全身状態

【ケアプラン】

①保育器内に収容し，至適温度環境を維持する.

②継続的モニタリング（心拍・呼吸など）を行う.

【指導・説明・支持プラン】

・児の状態を適宜母親や家族に説明する.

6 帝王切開術で出産した母親と児との愛着形成過程にあるという健康課題 3）を達成していくには，どのような看護目標が考えられますか.

・早期面会，早期母子接触（早期授乳）を行うことで，母子相互の愛着行動がみられる.

7 この看護目標に対して，どのような具体策が考えられますか.

【観察プラン】

（1）母親

①術中および産褥の経過（血圧の変動，出血量，子宮収縮状態など）
②帝王切開による疲労や疼痛の有無と程度
③全身状態の観察（バイタルサイン，in-out バランス，意識状態など）
④早期面会，早期母子接触，早期授乳への希望や意思
⑤面会中の母親の表情や声かけ

（2）新生児

①全身状態（バイタルサイン，SpO_2，state など）
②面会中の児の反応

【ケアプラン】

①できるだけ多くの時間，母子がともに過ごせるよう配慮する.
②母親は動きが制限されているので，安全に面会できるよう配慮する（ベッド柵やクッションの利用，付き添い，ナースコールの位置，頻回な訪室など）.
③面会中に児が低体温にならないよう，特に保温に注意する.
④母親の希望に沿って，ベッド上での早期授乳の介助を行う.

【指導・説明・支持プラン】

①早期面会，早期母子接触（早期授乳）ができたことをともに喜び，帝王切開術分娩がマイナスイメージにならないように支援する.
②退院までに担当助産師と分娩の振り返りを行ったり，帝王切開になったことへの思いの表出があれば，その都度ゆっくり傾聴したりする.

文献

1）細野茂春監修：日本版救急蘇生ガイドライン 2020 に基づく新生児蘇生法テキスト．第 4 版，pp.52-59，メジカルビュー社，2021.
2）北川眞理子，他：今日の助産　マタニティサイクルの助産診断・実践過程．改訂第 4 版，pp.1037-1041，南江堂，2019.
3）仁志田博司：新生児学入門．第 5 版，p.160，医学書院，2018.

参考文献

・仁志田博司：新生児学入門．第 5 版，医学書院，2018.
・北川眞理子，他：今日の助産　マタニティサイクルの助産診断・実践過程．改訂第 4 版，南江堂，2019.
・江藤宏美，他：助産師基礎教育テキスト第 6 巻　産褥期のケア / 新生児期・乳幼児期のケア．2020 年版，pp.145-151，日本看護協会出版会，2020.
・小林康江，他：助産師基礎教育テキスト第 7 巻　ハイリスク妊産褥婦・新生児へのケア．2020 年版，p.261，日本看護協会出版会，2020.
・仁志田博司編著：産科スタッフのための新生児学．改訂 2 版，pp.168-172，メディカ出版，2007.
・NPO 法人日本ラクテーション・コンサルタント協会：母乳育児支援スタンダード．第 2 版，医学書院，2015.

2. 分娩誘発を行う産婦

1 アセスメントに必要な知識

1 分娩誘発の定義と適応について確認しましょう.

1）定義

経腟分娩を目指して，自然陣痛発来前に器械的刺激や子宮収縮薬の投与により陣痛を誘発すること.

2）適応

(1) 医学的適応

- 胎児側因子によるものとしては，胎盤機能不全などにより，児救命のため新生児治療を必要とする場合や，児の早期娩出が必要と判断される絨毛膜羊膜炎，胎児発育不全，子宮内胎児死亡などが挙げられる．また，妊娠41週を過ぎる過期妊娠に伴うトラブルを未然に予防するためや，糖尿病合併妊娠，巨大児が予測される場合など母体の合併症のため分娩誘発を行う場合もある.
- 母体側因子によるものとしては，微弱陣痛，前期破水，妊娠高血圧症候群，急産予防が挙げられる.

(2) 社会的適応

産婦側の希望や医療施設の体制などが挙げられる.

2 分娩誘発を行う時に用いる頸管熟化法の方法と留意点について確認しましょう.

頸管熟化法には，器械的方法としてラミナリア桿（図1，2）の頸管内留置，メトロイリンテル（図3）の子宮内挿入，卵膜（用手）剥離などの方法が用いられる．また，薬物的方法として，プロスタグランジンE_2腟用剤が用いられる.

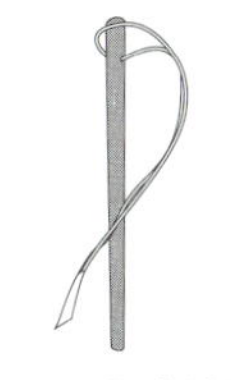

図1 ラミナリア桿

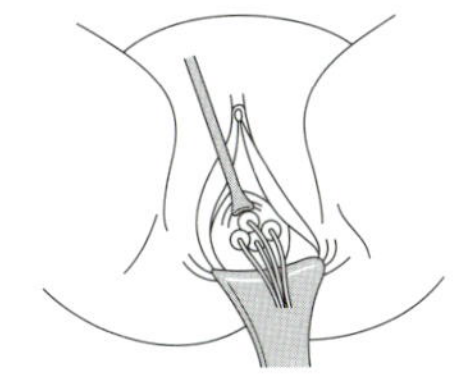

図2 ラミナリア桿による頸管の開大

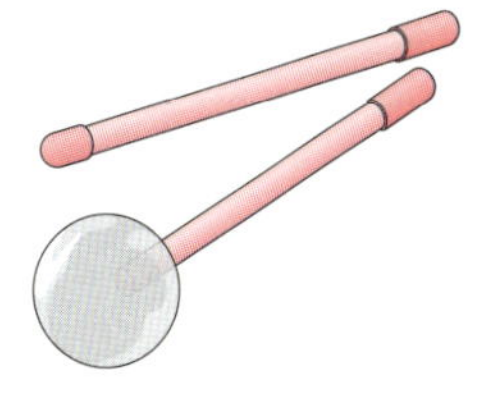

図3 メトロイリンテル

1）ラミナリア桿（図1）の挿入

- ラミナリア桿とは海藻の根を乾燥して作られたもので，水分を吸収し膨化する性質がある．
- 子宮口が未開大で未破水の例に実施する．
- 挿入する本数は産婦によって異なる（図2）．
- 感染徴候に十分注意して，前期破水例妊婦に対しては必要に応じて抗菌薬を投与する．

2）メトロイリンテル（図3）の挿入

- メトロイリンテルは，滅菌水を注入して先端を風船状に膨らますことができる棒状の器具である．
- メトロイリンテルは40 mL以下の容量で使用する場合は，頸管熟化を目的として用いられる．41 mLをこえて使用する場合は，分娩誘発促進も合わせた目的として使用される．
- 挿入前に臍帯下垂がないことを確認してから子宮腔内に挿入する．頭位の場合，内容量は150 mL以下とする．
- 脱出時や破水時には，臍帯下垂や臍帯脱出に注意する．
- 陣痛発来時にはすみやかに分娩監視装置を装着し，モニタリングを行う．特に，内容量41 mL以上のメトロイリンテル使用時には，臍帯下垂・脱出のリスクが高まるため，陣痛開始前から連続モニタリングを行う．
- メトロイリンテルと子宮収縮薬との併用には，メトロイリンテル挿入時から1時間以上分娩監視装置による観察を行った後に必要時子宮収縮薬を開始する．

3）卵膜（用手）剥離

- 子宮壁と卵膜の間に指先を挿入し，卵膜を子宮壁から剥離する．この刺激で頸管が軟化するとともに，脱落膜よりプロスタグランジンが生産され子宮収縮も生じる．

4）プロスタグランジン E_2 腟用剤（ジノプロストン / プロウペス®）の腟内投与

- プロスタグランジン E_2 であるジノプロストンの腟内投与は，海外では以前より頸管熟化促進法として行われ，日本では2020年より使用が開始された．
- ジノプロストンの腟内投与では，頸管熟化促進と同時に子宮収縮が生じやすい．そのため，投与中は分娩監視装置の連続モニタリングによる陣痛の状態および児の健常性（well-being）を把握しながら行い，過強陣痛および胎児機能不全を生じた場合には薬剤の抜去を行う．投与中に破水が生じた場合は，E_2 放出速度の変化により過強陣痛などの発現リスクが高くなるため，薬剤の抜去を行う．
- ジノプロストン腟内留置用製剤と子宮収縮薬を併用してはならない．使用後に子宮収縮薬を投与する場合は，1時間以上間隔をあけて開始する．

3 子宮収縮薬を投与する前の確認事項と準備について整理しておきましょう．

- 適応と禁忌がないことを確認する（表1，2）．
- 実施による有益性と危険性について，文書による説明と同意を得る．
- 投与開始前に分娩監視装置によって胎児心拍数陣痛図を記録し，胎児機能不全でないことを確認する．
- 経静脈投与時には精密持続点滴装置（輸液ポンプなど）を用いて，基準範囲内で投与を開始する．
- ラミナリアなどの吸湿性頸管拡張材の挿入中は子宮収縮薬を投与しない．また，オキシトシン

表 1　陣痛誘発もしくは促進の適応となりうる場合

医学的適応	胎児側の因子	1. 児救命等のために新生児治療を必要とする場合 2. 絨毛膜羊膜炎 3. 過期妊娠またはその予防 4. 糖尿病合併妊娠 5. 胎児発育不全 6. 巨大児が予想される場合 7. 子宮内胎児死亡 8. その他，児早期娩出が必要と判断された場合
	母体側の因子	1. 微弱陣痛 2. 前期破水 3. 妊娠高血圧症候群 4. 急産予防 5. 妊娠継続が母体の危険を招くおそれがある場合
社会的適応		1. 妊産婦側の希望等

（日本産科婦人科学会，日本産婦人科医会編集・監修：CQ415-1.「産婦人科診療ガイドライン産科編 2023」. p.254，日本産科婦人科学会，2023. より）

とプロスタグランジン $F_{2\alpha}$も同時に使用しない.

- プロスタグランジン E_2 製剤（経口剤）に引き続いて他の子宮収縮薬を使用する場合，あるいは静注後にプロスタグランジン E_2 製剤（経口剤）を用いる場合には，1 時間以上の時間をおいてから開始する.
- 子宮頸管熟化薬のプロスタグランジン E_2 製剤（腟用剤）に引き続いて子宮収縮薬を用いる場合には，1 時間以上の時間をおいてから開始する．子宮収縮薬を同時に使用しない.
- メトロイリンテル挿入中の子宮収縮薬投与は，挿入後 1 時間以上記録した胎児心拍数陣痛図の評価を行い，必要と判断した場合のみ行う.

4 子宮収縮薬の使用上の留意点について確認しましょう.

1）オキシトシン（表 2）

- 5%糖液にオキシトシン 5 単位を加え，精密持続点滴装置を用いて投与を行う．1～2 ミリ単位 / 分（6～12 mL/ 時間）の速度で開始する．オキシトシンには子宮収縮作用はあるが，頸管軟化作用はない.
- 子宮収縮パターンは，子宮内圧が高く，周期も規則的な収縮が薬剤使用初期から出現し，分娩進行につれて周期も短縮する.

2）プロスタグランジン（PG）

①プロスタグランジン $F_{2\alpha}$（$PGF_{2\alpha}$）（表 2）

- 5%糖液にプロスタグランジン $F_{2\alpha}$ 3,000 μg を加え，精密持続点滴装置を用いて投与を行う. 1.5～3.0 μg/ 分（15～30 mL/ 時間）の速度で開始する．最大投与量は 25 μg/ 分（250 mL/ 時間）.
- プロスタグランジンはオキシトシンに比較して半減期が長く，調整しにくいという欠点がある．オキシトシンによる陣痛誘発では子宮内圧は急激に上昇し，間欠期の短い収縮が特徴で

表2 子宮収縮薬の投与方法と副作用，禁忌

	オキシトシン	プロスタグランジン $F_{2\alpha}$	プロスタグランジン E_2(経口剤)
開始時投与量	1～2ミリ単位/分 (6～12 mL/時間)	1.5～3.0 μg/分 (15～30 mL/時間)	1回1錠，次回服用には1時間以上あける．1日最大で6錠まで
維持量	5～15ミリ単位/分 (30～90 mL/時間)	6～15 μg/分 (60～150 mL/時間)	
最大投与量	20ミリ単位/分 (120 mL/時間)	25 μg/分 (250 mL/時間)	
用法・用量に関する注意	頸管未熟例には不適 Bishop score 良好のもの 増量法：30分以上経てから，1時間当たりの輸液量を6～12 mL（1～2ミリ単位/分）増やす	増量法：30分以上経てから，1時間当たりの輸液量を15～30 mL（1.5～3.0 μg/分）増やす	分娩監視装置を初回服用前に装着し，連続モニタリングを行う．最終服用時点より1時間は分娩監視装置で子宮収縮の消長について観察する
重大な副作用	ショック，アナフィラキシー，過強陣痛，子宮破裂，頸管裂傷，羊水塞栓症，微弱陣痛，弛緩出血	心室細動，心停止，ショック，呼吸困難，過強陣痛，子宮破裂，頸管裂傷，胎児機能不全徴候，羊水の混濁	過強陣痛，子宮破裂，頸管裂傷，胎児機能不全徴候，羊水の混濁
禁忌	PGE_2 最終投与から1時間以内，重度胎児機能不全，切迫子宮破裂，帝王切開既往2回以上	骨盤位等の胎位異常，重度胎児機能不全，帝王切開既往（単回も）子宮切開既往，気管支喘息・その既往，PGE_2（経口剤）最終投与から1時間以内	骨盤位等の胎位異常，常位胎盤早期剝離（胎児死亡時でも），胎児機能不全，帝王切開既往（単回も）子宮切開既往，子宮収縮薬静注終了後1時間以内
禁忌（三薬剤共通）	当該薬剤に過敏症，子宮体部に切開を加えた帝王切開既往（古典的帝切，T字切開，底部切開など），子宮筋全層もしくはそれに近い子宮切開（子宮鏡下筋腫核出術含む），他の子宮収縮薬との同時使用，プラステロン硫酸（レボスパ®等）投与中または投与後で十分な時間が経過していない，メトロイリンテル挿入後1時間以内，吸湿性頸管拡張材（ラミナリア等）との同時使用，子宮頸管熟化薬〔PGE_2（腟用剤）（プロウペス®）との同時併用〕，前置胎盤，児頭骨盤不均衡が明らかな場合，骨盤狭窄，横位，常位胎盤早期剝離（胎児生存時），過強陣痛		
慎重投与	胎児機能不全，妊娠高血圧症候群，心・腎・血管障害，胎位胎勢異常による難産，軟産道強靱症，帝王切開既往回数1回，禁忌にあるもの以外の子宮切開，高年初産婦，常位胎盤早期剝離（胎児死亡時）	緑内障，心疾患，高血圧症，胎児機能不全，常位胎盤早期剝離（胎児死亡時），急性骨盤腔内感染症・その既往	緑内障，気管支喘息・その既往
慎重投与（三薬剤共通）	児頭骨盤不均衡が疑われる，多胎妊娠，多産婦		

（各薬剤添付文書および日本産科婦人科学会，日本産婦人科医会編集・監修：CQ415-1.「産婦人科診療ガイドライン 産科編2023」．pp.253-256，日本産科婦人科学会，2023．より）

あるが，$PGF_{2\alpha}$では子宮収縮は不確実で弱く，持続時間の長い収縮から，次第に規則的，協調的な収縮が得られる．

- 気管支収縮作用があるため，気管支喘息やその既往がある産婦への使用は禁忌である．
- 眼圧亢進や血管収縮作用があるため，緑内障，心疾患，高血圧症の妊婦には慎重に投与する．

②プロスタグランジン E_2（PGE_2）（表 2）

- PGE_2 は 1 回 1 錠，服用間隔を 1 時間以上あけて，1 日最大 6 錠まで経口投与することができる．調整性が乏しいため，胎児機能不全あるいは子宮頻収縮（> 5 回 /10 分）が出現した場合には，以降の投与は中止する．
- 作用の特徴は子宮体部に対しては収縮作用，子宮頸管に対しては弛緩作用を有する点である．
- 初回服用前に分娩監視装置を装着し，連続モニタリングを行う．最終服用時点より 1 時間は分娩監監視装置で子宮収縮の消失を確認する．

5 子宮収縮薬投与中にルーチンで行うべきことを確認しておきましょう[1]．

- 2 時間ごとを目安に，産婦の血圧と脈拍数をチェックする．
- 分娩監視装置を連続装着して，胎児心拍数陣痛図を記録する．
- 分娩第 1 期は約 15 分間隔，第 2 期は約 5 分間隔で胎児心拍数陣痛図を評価する．
- 子宮頻収縮（子宮収縮回数> 5 回 /10 分），胎児機能不全のいずれかがあれば過強陣痛などの異常を疑い，投与の減量・中止を行う．

2 事例の情報整理と情報の分析・解釈・統合（アセスメント）

あなたは陣痛室で分娩誘発をするりか子さんを受け持つことになりました．この事例をアセスメントして援助していくプロセスを一緒に考えましょう．

りか子さんの妊娠・分娩状況

27 歳，経産婦，主婦，夫は自営業，両親学級受講なし．
身長 158 cm，体重 64 kg（非妊時体重 52 kg，BMI 20.8），血液型 O 型（Rh＋）．
既往歴：気管支喘息．
家族歴：なし．
産科歴：2 妊 1 産．
　2 年前　妊娠 41 週　予定日超過のため分娩誘発にて 3,260 g の女児を出産した．
　分娩所要時間 8 時間，弛緩出血 720 mL．
検査：感染症なし
　前期　RBC $353 \times 10^4/\mu L$，WBC 7,200/μL，Hb 13.2 g/dL，Ht 34%，PLT $27 \times 10^4/\mu L$．
　後期　RBC $346 \times 10^4/\mu L$，WBC 7,400/μL，Hb 10.2 g/dL，Ht 33%，PLT $29 \times 10^4/\mu L$．
妊娠経過：
　妊娠 11 週　血圧 98/70 mmHg，随時血糖値 92 mg/dL．
　妊娠 20 週〜　血圧 100〜110/70〜80 mmHg，尿蛋白（−），尿糖（−），浮腫（−〜＋）．
　妊娠 40 週　子宮底 34 cm，子宮口開大 1.5 cm，展退 20%
　胎児推定体重 3,125 g（±0 SD），胎児異常なし，AFI 6 cm，胎位第 2 頭位，
　NST 所見 reactive．

分娩経過：

妊娠41週0日

13:00 予定日超過のため分娩誘発目的で入院となる，子宮収縮なし．
内診所見は子宮口開大1.5 cm，展退20%，St−3，子宮口位置：後方．
子宮頸部の硬度：中，未破水，CTG所見はwell-being．

15:00 主治医にてミニメトロ（滅菌水40 mL）挿入，CTG所見はwell-being．

18:00 ミニメトロ脱出なし，未破水，不規則な子宮収縮あり，CTG所見はwell-being．

妊娠41週1日

8:00 体温36.2℃，脈拍72回/分，血圧118/72 mmHg，ミニメトロ脱出なし．

9:00 CTG所見はwell-being，子宮収縮は不規則，主治医より，りか子さんへオキシトシン使用による分娩誘発について説明し，同意を得る．
「夜中はお腹がときどき張るくらいで眠れました．朝ご飯も全部食べました」
「前回のお産の時も，自然に陣痛が来なくて……．子宮収縮の点滴を始めたら，お昼くらいから急に痛くなって，そこからは早かったことを覚えています．またあの痛みが来ると思うと不安です．でも，今日こそは産みたいです」
現在，付き添いはおらず，夫は夕方に来院予定である．近所に住む義母に長女（2歳）を預けている．

1 りか子さんの全体像の把握に必要な情報を整理し，アセスメントしましょう．

- **年齢，初経産**

⇒27歳の経産婦です．

- **身長，体重，BMI**

⇒身長158 cm，体重は非妊時52 kg，BMI 20.8の普通体型です．体重は＋12 kgで体重増加量指導の目安の範囲内です．

- **既往歴，産科歴**

⇒既往歴に気管支喘息があり，プロスタグランジンの使用は禁忌です．2年前に妊娠41週の予定日超過のため分娩誘発にて3,260 gの女児を出産しています．分娩所要時間は，分娩誘発のため初産婦の平均分娩所要時間（11〜15時間）よりも短い8時間でした．その際の出血量は弛緩出血（720 mL）でした．

- **今回の妊娠経過**

⇒感染症はありません．Hb 10.2 g/dLの妊娠性貧血ですが，その他の血液検査データに異常は認めません．血圧，血糖値，尿蛋白，尿糖の検査結果からも，順調な妊娠経過といえます．

- **胎児の発育状況**

⇒妊娠40週で胎児推定体重3,125 g（± 0 SD），NSTはreactiveより順調な発育状態です．ただし，AFI 6 cmは正常範囲内ですが，羊水量はやや少ないといえます．

- **分娩誘発の適応**

⇒妊娠41週の予定日超過であり，過期妊娠になれば胎盤機能不全や羊水過少による臍帯圧迫の危険性が高まるため，分娩誘発の適応となります．

3 事例の助産診断の導き方と助産診断の決定

1 現在の分娩進行状態について判断してみましょう.

・**時期診断**

⇒妊娠 41 週 1 日，正期産，分娩開始していない.

・**根拠**

⇒子宮収縮が不規則であるため.

2 現在までの経過診断をしましょう．産婦の分娩への適応を含め，以下の分娩の 4 要素の項目について必要な情報を挙げ，アセスメントしましょう.

1）娩出力

情報 27 歳．子宮収縮は不規則．2 年前の第 1 子出産時も分娩誘発で分娩所要時間は 8 時間であった．昨晩の睡眠状況は良好，朝食は全量摂取している.

⇒分娩開始していませんが，陣痛が発来すれば娩出力に分娩進行を妨げる要因はありません.

2）産道

情報 身長 158 cm，非妊時 BMI 20.8，体重増加＋12 kg，2 年前に 3,260 g の児を出産.
子宮口開大 1.5 cm，ミニメトロ挿入中.

⇒骨産道，軟産道に分娩進行を妨げる要因はありません.

3）胎児およびその付属物

情報 妊娠 41 週 1 日，胎児推定体重 3,125 g（±0 SD），胎児異常なし，AFI 6 cm，
胎位：第 2 頭位，CTG 所見は well-being，未破水.

⇒妊娠 41 週ですが胎児健康状態は良好で，分娩進行を妨げる要因はありません.

4）母体精神

情報 経産婦，2 年前に分娩誘発，夫は夕方に来院予定，陣痛への不安あり，「今日こそは産みたいです」，義母に長女を預けている.

⇒りか子さんは 2 回目の分娩誘発であるため，薬剤についての知識があり，分娩経過についても予測ができています．しかし，陣痛の痛みへの不安や「今日こそは産みたい」という焦りなどがみられます．分娩中に家族のサポートがない点も考慮しながら，りか子さんの気持ちに寄り添い，支持的にケアする必要があります.

3 りか子さんの現在の身体的健康状態について情報を挙げ，アセスメントしましょう．

情報 体温36.2℃，脈拍72回/分，血圧118/72 mmHg，ミニメトロ脱出なし，未破水，昨晩の睡眠状況は良好，朝食は全量摂取．

⇒バイタルサインは正常で，ミニメトロ挿入による感染徴候は認められません．睡眠状況，栄養摂取状況も良好です．

4 胎児の健康状態について情報を挙げ，アセスメントしましょう．

情報 妊娠41週1日，胎児推定体重3,125 g（±0 SD），胎児異常なし，AFI 6 cm，胎位：第2頭位，CTG所見はwell-being，未破水．

⇒妊娠41週1日の予定日超過です．羊水量はやや少なめですが，現在のところ胎児心拍数の異常も認めず，胎児の健康状態は良好であるといえます．

5 リスクとウェルネスの視点でアセスメントし，分娩第4期までの経過について予測して，助産ケアのポイントを考えてみましょう．

・分娩進行

⇒前回の分娩誘発の経過から，オキシトシンに対する子宮筋の感受性は高いと考えられます．2年前には今回とほぼ同じ体重の児を娩出していることから，陣痛開始後の分娩進行は早いことが予測されます．そのため，分娩誘発中のモニタリングを継続し，過強陣痛や墜落産，頸管裂傷にも十分に注意します．また，ミニメトロの脱出時は，破水やそれに伴う臍帯脱出の可能性があるため，内診による先進部の確認が必要です．前回分娩時，弛緩出血であったこと，今回も分娩誘発であることや早い分娩経過予測からも異常出血を生じる可能性が高いといえます．そのため，分娩第3期の胎盤娩出後は子宮収縮状態を観察し，腹部の冷罨法や子宮収縮薬の使用もあらかじめ検討しておく必要があります．また，分娩第4期では，妊娠後期のHb値が10.2 g/dLであることや分娩時の出血から貧血症状が出現する可能性があるため，バイタルサインを測定し，貧血症状に注意して帰室させることが大切です．

・産婦の健康状態

⇒現在，ミニメトロ挿入による感染徴候は認めず，バイタルサインは正常であり，睡眠と栄養摂取状況も良好です．分娩進行に伴い，休息や栄養摂取が困難になることが予測されるため，疼痛緩和や呼吸法を行いながら，水分や栄養摂取を促し，分娩進行を促進させるケアが必要です．オキシトシンの副作用により血圧上昇，不整脈，悪心，嘔吐が出現する可能性もあるため，2時間ごとの血圧と脈拍測定を実施します．分娩誘発中も歩行可能であれば児下降を促すため定期的にトイレに誘導し，排泄を促すとともに気分転換を図ることも必要です．

・胎児の健康状態

⇒現在，胎児の健康状態は良好です．しかし陣痛増強に伴い，妊娠41週1日の予定日超過や

AFI 6 cm であることから胎児機能不全のリスクも高いため，CTG 所見の陣痛周期と胎児心拍数に注意が必要です．

6 助産診断はどのように設定されるでしょうか．優先順位も考えてみましょう．

1）メトロイリンテル挿入後のオキシトシン投与による，過強陣痛が発現するリスクがある．
2）前回の分娩誘発経過からオキシトシンの感受性が高く，産婦の健康状態も良好なことから急速な分娩経過が予測され，それに伴う墜落産，弛緩出血のリスクがある．
3）オキシトシンの投与に加え，妊娠 41 週，AFI 6 cm であることから，胎児機能不全のリスクがある．

4 助産計画の立案（目標と具体策）

1 どのような助産目標が考えられますか．

1）過強陣痛や弛緩出血を起こすことなく進行し，分娩が終了する．
2）胎児機能不全を起こすなど胎児の健康状態が悪化しない．

2 助産目標 1）に対して，どのような具体策が考えられますか．

ここでは，正常分娩のケア以外に分娩誘発に特徴的なケアについて考えてみましょう．

（正常分娩については pp.21～23 参照）

【観察プラン】

①メトロイリンテル脱出の有無
②破水後の臍帯脱出・臍帯下垂の有無
③オキシトシンの副作用（血圧上昇・下降，不整脈，悪心，嘔吐など）の有無

【ケアプラン】

①子宮収縮薬使用中は血圧と脈拍を定期的に確認する（間隔は 2 時間を目安）．
②子宮収縮薬使用中は分娩監視装置を継続装着する（分娩第 1 期は約 15 分間隔，分娩第 2 期は約 5 分間隔で評価する）．薬剤の効果には個人差があり，産婦の反応はさまざまであるため，子宮収縮の観察はモニター記録に依存せず，助産師は必ず問診や触診による観察を行う．
③精密持続点滴装置（輸液ポンプなど）を使用したオキシトシンの適切な投与調整をする．
④子宮収縮薬を増量する場合は，分娩進行に対して子宮収縮が十分であること，胎児機能不全（レベル 3～5 の胎児心拍数波形）がないこと，子宮頻収縮がないこと，前回増量時から 30 分以上経過していること，最大投与量に達していないことのすべてを満たしているかを確認する．
⑤メトロイリンテル脱出時は，破水の有無，臍帯脱出，臍帯下垂の有無を確認する．
⑥産婦の反応で異常が予測される場合や，CTG 所見から異常胎児心拍数パターンが確認された場合は，適切な対応を行うとともに速やかに医師に報告する．

【指導・説明・支持プラン】

①頻回な陣痛や急激な痛みの増強があれば，すぐに伝えるよう説明する．
②メトロイリンテル挿入中のため，殿部に違和感があれば伝えるよう説明する．
③オキシトシンの投与量や陣痛状態，胎児の健康状態を合わせて説明しながら分娩を進める．

5 その後の経過

りか子さんの分娩が進行しました．陣痛室でのりか子さんの状態をアセスメントしましょう．

追加情報：りか子さんの分娩第1期活動期の状態

妊娠41週1日

10:00 輸液ポンプにてオキシトシン1A（5単位）+5%糖液500 mLを12 mL/hで開始，CTG所見はwell-being.

11:00 陣痛周期3分，陣痛持続時間60秒，ミニメトロ脱出，子宮口開大5 cm，展退60%，St−1，臍帯下垂なし，未破水．
輸液ポンプにてオキシトシン1A(5単位)+5%糖液500 mLを24 mL/hで滴下中．
胎児心拍数基線130 bpm，一過性頻脈あり，一過性徐脈なし．
座位で過ごしながら，陣痛発作時は「腰から下が痛い」と話し，間欠期は穏やかに話をしている．

12:00 陣痛周期1分，陣痛持続時間40秒，子宮口開大7 cm，展退70%，St±0.
小泉門が先進し，10時方向に触れる．完全破水，羊水混濁（+），脈拍90/分，血圧128/88 mmHg.
オキシトシン1A（5単位）+5%糖液500 mLを36 mL/hで投与．
胎児心拍数基線135 bpm，軽度変動一過性徐脈あり．
陣痛発作・間欠時も苦しそうな表情で，「さっきから，ずっと痛い．もういきみたい」とベッド上で前屈みになって動かない．

1 りか子さんの現在の分娩進行状態について必要な情報を挙げ，アセスメントしましょう．

情報 12:00 陣痛周期1分，陣痛持続時間40秒，子宮口開大7 cm，展退70%，St ± 0.
完全破水，小泉門が先進し，10時方向に触れる．
脈拍90回/分，血圧128/88 mmHg.
オキシトシン1A（5単位）+5%糖液を500 mLを36 mL/hで投与．
胎児心拍数基線135 bpm，軽度変動一過性徐脈あり．
陣痛発作・間欠時も苦しそうな表情で，「さっきから，ずっと痛い．もういきみたい」とベッド上で前屈みになって動かない．

⇒バイタルサインは分娩経過に伴い上昇していますが正常範囲内です．分娩第1期活動期の極期です．オキシトシンの感受性が高く，11:00の時点では分娩経過は良好でしたが，12:00の陣痛周期やりか子さんの表情・訴えから過強陣痛であると考えられます．
小泉門の位置から児の回旋は良好です．直ちに医師に報告するとともに過強陣痛時のケアを行い，陣痛を調整しなければなりません．同時に陣痛室から分娩室への移室方法を検討し，早急に分娩室へ移室させる必要があります．

2 現在の胎児の健康状態について情報を挙げ，アセスメントしましょう．

情報 12:00 陣痛周期1分，陣痛持続時間40秒，子宮口開大7 cm，St±0，完全破水，羊水混濁(+)，胎児心拍数基線135 bpm，軽度変動一過性徐脈あり．

⇒CTG所見より胎児機能不全に陥っている可能性は低いため，今後もモニタリングを継続し，異常の早期発見に努める必要があります．

3 胎児機能不全や子宮頻収縮が出現した時に助産師が行うケアについて考えてみましょう．

- 重度胎児機能不全（レベル5の胎児心拍数波形が目安）が出現した場合には投与を中止する．
- 陣痛状態，産婦の痛みの訴えや表情，CTG所見や触診による子宮収縮の観察，陣痛周期から，胎児機能不全や子宮頻収縮が出現した場合には，直ちに医師に連絡するとともに，(1/2以下量への）減量あるいは中止を検討する．
- 側臥位への体位変換，酸素投与を行う．
- 産婦の緊張が強い場合は，産痛緩和のためリラクゼーションや呼吸法を促す．
- 子宮収縮薬投与を中止しても収縮抑制の効果がない場合は，子宮収縮抑制薬を投与する．

文献

1) 日本産科婦人科学会，日本産婦人科医会編集・監修：CQ412-1,2，415-1〜3．「産婦人科診療ガイドライン 産科編2023」．pp.238-243，pp.253-260，日本産科婦人科学会，2023．

参考文献

・北川眞理子：分娩誘発の助産管理．「今日の助産 マタニティサイクルの助産診断・実践過程」．北川眞理子，他編，改訂第4版，pp.722-739，南江堂，2019．
・日本産科婦人科学会，日本産婦人科医会編集・監修：産婦人科診療ガイドライン 産科編2023．日本産科婦人科学会，2023．
・松永 健，他：分娩誘発・陣痛促進法．「助産学講座7 助産診断・技術学Ⅱ［2］分娩期・産褥期」．我部山キヨ子，他編，pp.181-183，医学書院，2023．
・進 純郎：分娩誘発と陣痛促進．「分娩介助学」．第2版，pp.146-157，医学書院，2014．
・武田雄二，他監修：陣痛誘発法．「プリンシプル産科婦人科学 2」．第3版，pp.639-647，メジカルビュー社，2014．
・岡本愛光監修：分娩誘発，分娩促進．「ウィリアムス産科学」．原著第25版，pp.619-633，南山堂，2019．

3. 疲労性微弱陣痛により促進分娩を行う産婦

1 アセスメントに必要な知識

1 微弱陣痛について知識を確認しましょう．

- 微弱陣痛とは，子宮内圧，陣痛周期，陣痛持続時間が子宮口開大度に見合わない場合をいい（表 1），分娩開始時から微弱で分娩が進行しない原発性微弱陣痛と，分娩経過中に微弱になった続発性微弱陣痛に分類される（表 2）．

表 1　微弱陣痛の定義

<table>
<tr><th colspan="2">子宮口開大度</th><th>4～6 cm</th><th>7～8 cm</th><th>9 cm～</th><th>分娩第 2 期</th></tr>
<tr><td rowspan="3">子宮内圧</td><td>平均</td><td>40 mmHg</td><td>45 mmHg</td><td colspan="2">50 mmHg</td></tr>
<tr><td>過強陣痛</td><td>70 mmHg 以上</td><td>80 mmHg 以上</td><td colspan="2">55 mmHg 以上</td></tr>
<tr><td>微弱陣痛</td><td>10 mmHg 未満</td><td>10 mmHg 未満</td><td colspan="2">40 mmHg 未満</td></tr>
<tr><td rowspan="3">陣痛周期</td><td>平均</td><td>3 分</td><td>2 分 30 秒</td><td colspan="2">2 分</td></tr>
<tr><td>過強陣痛</td><td>1 分 30 秒以内</td><td>1 分以内</td><td colspan="2">1 分以内</td></tr>
<tr><td>微弱陣痛</td><td>6 分 30 秒以上</td><td>6 分以上</td><td>4 分以上</td><td>初産 4 分以上
経産 3 分 30 秒以上</td></tr>
<tr><td rowspan="3">陣痛持続時間</td><td>平均</td><td>70 秒</td><td>70 秒</td><td colspan="2">60 秒</td></tr>
<tr><td>過強陣痛</td><td>2 分以上</td><td>2 分以上</td><td colspan="2">1 分 30 秒以上</td></tr>
<tr><td>微弱陣痛</td><td>40 秒以内</td><td>30 秒以内</td><td colspan="2">30 秒以内</td></tr>
</table>

（田村友宏，他：微弱陣痛・遷延分娩．周産期医学，41：287，2011．をもとに作表）

表 2　微弱陣痛の原因

原発性微弱陣痛	・**子宮**：子宮発育不全，子宮奇形，子宮筋腫，羊水過多症などの子宮筋変化 ・**胎児・胎児付属物**：骨盤位，横位，前置胎盤など ・**子宮内感染** ・**心理状態** ・**その他**：母体の不眠，衰弱，栄養不良などによる内因性オキシトシン，プロスタグランジンの低下あるいは子宮筋の感受性低下
続発性微弱陣痛	・**産道**：狭骨盤，骨盤内腫瘍，軟産道強靱，児頭骨盤不均衡（CPD）など ・**胎児**：胎児の過大，奇形，児頭骨盤不均衡（CPD）など ・**胎位・胎勢の異常** ・**膀胱・直腸の充満** ・**麻酔**：早期麻酔，無痛分娩 ・**その他**：二次的に全身性または子宮筋の疲労をきたしている状態

（田村友宏，他：微弱陣痛・遷延分娩．周産期医学，41：286，2011．をもとに作表）

2 促進分娩および陣痛促進法の適応について知識を確認しましょう．

- 促進分娩とは，微弱陣痛などにより分娩の進行が遅れている場合，陣痛促進法によって陣痛の強化を図り，分娩を促進することである．
- 陣痛による痛みのため，生理的ニード充足に必要な水分摂取，食事摂取，睡眠が困難となり，遷延分娩またはその可能性が高い場合に，分娩予後に及ぼす影響を考慮し陣痛促進法が用いられる．

3 陣痛促進法にはどのような方法があるか確認しましょう．

(1) 子宮収縮薬による陣痛促進

陣痛促進法に用いられる子宮収縮薬には，オキシトシン，プロスタグランジン $F_{2\alpha}$（ジノプロスト），プロスタグランジン E_2（ジノプロストン）がある（pp.121～123 参照）．

(2) 母体の生理的ニード充足による方法[1)]

脱水・エネルギー摂取不足が微弱陣痛の原因となるか否かについてのエビデンスはないが，陣痛が子宮筋収縮であることを考えると，エネルギー供給と疲労回復は必要であり，エネルギー摂取および休息の援助による陣痛促進効果が期待される．また，水分摂取は遷延分娩回避に重要であると考えられている．したがって，分娩が遷延した場合は，経口水分摂取や輸液などによって脱水を補正することが必要となる．

一方，分娩中の飲食について摂取を制限する場合としない場合で，アウトカムに違いは認められなかったとの報告もある[2)]．分娩経過に問題がない場合は，産婦の欲求に合わせて支援する．

(3) 継続的なケアによる方法[3)]

産婦の継続的サポートは，産痛の緩和や子宮収縮薬による陣痛促進実施率の減少，帝王切開や吸引・鉗子分娩率の減少に寄与するとともに，児の Apgar score 5 分値が上がるなど，経腟分娩を完遂するうえで有効である．

(4) 人工破膜による方法

人工破膜による分娩促進効果について評価は一定していない．人工破膜を実施する場合は，臍帯下垂がなく児頭が固定していることを確認したうえで慎重に実施する．また，破膜後は，臍帯脱出の有無，胎児心音，羊水の性状を必ず確認する．

(5) 乳頭刺激による方法

乳頭刺激は，脳下垂体後葉からの内因性のオキシトシンの分泌を促し子宮収縮を誘発することが知られている．さらなる検証が必要であるが，ローリスクの妊婦に対する乳房・乳頭刺激は，薬剤によらない分娩誘発の選択肢の一つとなりうることが示されている．しかし，ハイリスクや頸管熟化不全の産婦には，周産期死亡例が報告されていることから用いるべきではないと述べられている[4)]．微弱陣痛に対する陣痛促進法としての乳頭刺激の安全性と有効性の検証は十分とはいえないが，臨床では微弱陣痛に対する陣痛促進法として乳頭刺激は比較的よく用いられている[5)]．薬剤によらない陣痛促進法として乳頭への刺激を開始する場合は，産婦の羞恥心や不快感へ配慮し，CTG を装着するなど子宮収縮と胎児心拍数を注意深く観察しながら実施する．

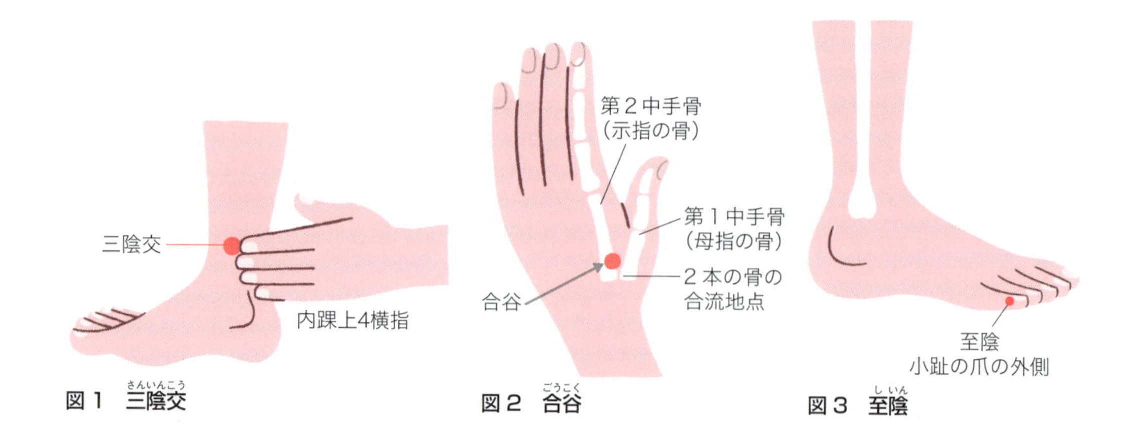

図１ 三陰交（さんいんこう）　図２ 合谷（ごうこく）　図３ 至陰（しいん）

(6) 歩行や指圧による方法[6)]

分娩第１期の歩行によって，分娩第１期の時間短縮の可能性が示されている．三陰交，合谷，至陰への指圧は陣痛促進効果が見込まれ，分娩促進の方法の選択肢の一つとして考えられる．しかし，根拠の確実性は低く，さらなる研究が必要である．（図１〜3）．

2 事例の情報整理と情報の分析・解釈・統合（アセスメント）

亜衣さんは，分娩開始後 13 時間が経過しました．39 週 0 日 9:00 現在，陣痛周期 7〜8 分，子宮口開大 7 cm です．「夜も眠れず，疲れました」とのことです．微弱陣痛のためオキシトシンによる促進分娩が決定しました．

亜衣さんの妊娠・分娩状況

30 歳，身長 158 cm，体重 65 kg（非妊時 55 kg，BMI 22.0）

既往歴・アレルギー・家族歴：なし　**産科歴**：2 妊 0 産，2 年前に妊娠 7 週で自然流産．

検査：感染症なし．妊娠 33 週　GBS（−）．

前期（妊娠 10 週）　Hb 12.3 g/dL，Ht 36%，随時血糖値 98 mg/dL．

後期（妊娠 32 週）　RBC 310 × 10^4/μL，Hb 11.5 g/dL，Ht 33%，Alb 3.8 g/dL，AST 24 IU/L，ALT 15 IU/L．

妊娠経過：

妊娠 6 週　初診，自然妊娠．

妊娠 20 週〜　血圧 110〜130/60〜70 mmHg，尿蛋白（−），尿糖（−），浮腫（−）．

妊娠 38 週 4 日　子宮底長 33 cm，腹囲 90 cm，血圧 126/68 mmHg，尿蛋白（−），尿糖（−），浮腫（−）．
胎児推定体重 2,830 g（BPD 91 mm，AC 31.5 cm，FL 68 mm）．
胎盤の位置正常，AFI 7 cm．
内診所見：子宮口開大 1 cm，展退 0%，児頭触れず，胎動あり，頭位．
胎児心拍数基線 130 bpm，NST reactive pattern．

分娩経過：
妊娠38週6日
13:30　不規則な子宮収縮と粘稠血性分泌物.
20:00　10分以内の規則的子宮収縮と下腹部痛あり.
23:00　入院. 陣痛周期6〜7分, 陣痛持続時間30〜40秒, 陣痛発作時に腰痛と下腹部痛あり. 子宮口開大4 cm, St−2, 展退70%, 子宮頸部の硬度：中, 子宮口位置：中央. 未破水, 出血なし. 体温36.7℃, 脈拍78回/分, 血圧114/64 mmHg. 胎児心拍数基線140 bpm, 基線細変動10〜15 bpm, 一過性頻脈あり, 一過性徐脈なし. 分娩について「はじめてのことでとても緊張します」と話し, 表情が硬い.
妊娠39週0日
3:00　陣痛周期5〜6分, 陣痛持続時間30〜40秒. 発作時は腰痛が強く苦悶表情. 陣痛発作時にマッサージや圧迫法を用いてリラックスを支援するが, 全身に力が入る. 発汗あり. 子宮口開大6 cm, St−1, 展退80%, 子宮頸部の硬度：軟, 子宮口位置：中央, 小泉門2時.「とても痛くて不安です. もっと痛くなるんですか？」
7:00　陣痛周期5〜6分, 陣痛持続時間20〜40秒, 疲労の表情.
トイレ歩行を実施し, 排尿あり. 残尿感なし. 最終の排便は昨日19:00に普通量.
8:00　朝食摂取できず. お茶を2〜3口摂取.
9:00　陣痛周期7〜8分, 陣痛持続時間20〜30秒, 子宮口開大7 cm, St±0, 展退80%.
子宮頸部の硬度：軟, 子宮口位置：前方, 小泉門1時. 未破水, 出血なし.
体温37.1℃, 脈拍82回/分, 血圧128/64 mmHg.
胎児心拍数基線145 bpm, 基線細変動8〜15 bpm, 一過性頻脈あり, 一過性徐脈なし.「疲れた. まだですか？　夜中のほうが痛かったと思う. 陣痛が弱くなった気がするけど, 生まれますか？」

亜衣さんの情報について知識をもとに整理し, 現在の状態をアセスメントしましょう.

1 亜衣さんの全体像の把握のために情報を整理し, 以下の項目をアセスメントしましょう.

- **年齢, 初経産**
  ⇒ 30歳, 初産婦です. これらの情報についてリスク因子はありません.
- **身長, 体重, BMI**
  ⇒ 158 cm, 非妊時体重55 kg, BMI 22.0の普通体型です. 体重増加は10 kgで, 体重増加指導の目安の範囲内です. これらの情報からリスク因子はないと判断できます.
- **既往歴, 産科歴**
  ⇒妊娠初期の自然流産を1度経験しています.
- **今回の妊娠経過**
  ⇒血圧, 尿検査, 血液検査などの結果を総合して考えると, 妊娠経過は正常であるといえます.
- **胎児の発育状況と健康状態**
  ⇒ 3日前（38週4日）の妊婦健康診査で, 胎児推定体重2,830 g（BPD 91 mm, AC 31.5 cm, FL 68 mm）は, ほぼ平均値であり, 週数相当です. 胎盤の位置正常, AFI 7 cm, 胎児心拍数基線 130 bpm，NST reactive pattern です．以上より，妊娠期の胎児発育および胎児の健康状態は良好であるといえます．

3 事例の助産診断の導き方と助産診断の決定

1 現在の分娩進行状態について判断してみましょう．

・**時期診断**

⇒分娩第 1 期，活動期である．

・**根拠**

⇒ 38 週 6 日 20:00 以降，陣痛周期 10 分以内の有痛性の規則的な子宮収縮が継続し，現在，陣痛周期 7〜8 分，子宮口開大 7 cm と分娩進行が認められるため．

2 分娩開始から現在までの分娩経過について，経過診断をしましょう．亜衣さんの分娩への適応を含め，以下の分娩の 4 要素の項目について必要な情報を挙げ，アセスメントしましょう．

1）娩出力

情報 分娩開始から 7 時間で，陣痛周期 5〜6 分，陣痛持続時間 30〜40 秒，子宮口開大 6 cm，分娩開始から 13 時間で，陣痛周期 7〜8 分，陣痛持続時間 20〜30 秒，子宮口開大 7 cm．

⇒分娩開始から 7 時間の子宮口開大 6 cm の時点では，内診所見から分娩進行および産痛の増強も認められました．陣痛持続時間は微弱陣痛の域内にありましたが，娩出力に明らかな異常があったとはいえません．しかし，分娩開始から 13 時間後の現在は，陣痛周期，陣痛持続時間ともに微弱陣痛の定義が当てはまり，活動期における子宮口開大の速度が 2 cm/4 時間であることから，娩出力が弱いことが分娩進行を遅らせているといえます．

2）産道

情報 身長 158 cm，胎児推定体重 2,830 g（BPD 91 mm）．非妊時 BMI 22.0，体重増加は 10 kg．分娩開始から 13 時間で，陣痛周期 7〜8 分，陣痛持続時間 20〜30 秒，子宮口開大 7 cm，St ± 0，展退 80%，子宮頸部の硬度：軟，子宮口位置：前方．

⇒骨産道については，身長，胎児推定体重，現在の児頭下降度，児頭回旋状況から児頭骨盤不均衡の可能性は考えにくいです．軟産道についても，入院時 Bishop score は 7 点でしたが，微弱陣痛にもかかわらず子宮口開大が進み，Bishop score 12 点となっていることから，軟産道強靱の可能性も低く，問題はないといえます．

3）胎児およびその付属物

情報 3日前（38週4日）の胎児推定体重2,830 g（BPD 91 mm，AC 31.5 cm，FL 68 mm），胎盤の位置正常，AFI 7 cm．現在（39週0日 9：00）は未破水，出血なし．

⇒胎児発育は正常であり，胎児付属物の異常も考えにくいです．

4）母体精神

情報 入院時 「はじめてのことでとても緊張します」と話し，表情が硬い．
分娩開始7時間後 「とても痛くて不安です．もっと痛くなるんですか？」
分娩開始13時間後 陣痛周期7～8分，陣痛持続時間20～30秒，子宮口開大7 cm，St ± 0，「疲れた．まだですか？ 夜中のほうが痛かったと思う．陣痛が弱くなった気がするけど，生まれますか？」

⇒亜衣さんは，分娩に対する緊張と不安が強いですが，陣痛の強さの変化に気づく冷静さもあります．

3 亜衣さんの現在の身体的健康状態について情報を挙げ，アセスメントしましょう．

情報 体温37.1℃，脈拍82回/分，血圧128/64 mmHg，未破水，朝食摂取できず，お茶を2～3口摂取．

⇒バイタルサインは正常ですが，エネルギーと水分摂取が不足しており，微弱陣痛を悪化させ遷延分娩となる可能性があります．

4 胎児の健康状態について情報を挙げ，アセスメントしましょう．

情報 未破水，出血なし，胎児心拍数基線145 bpm，基線細変動8～15 bpm，一過性頻脈あり，一過性徐脈なし．

⇒胎児心拍数波形分類はレベル1で，胎児の健康状態は良好であるといえます．

5 これまでの経過から，今後の分娩経過について経過予測診断を行いましょう．

⇒分娩の時期に対して，娩出力が弱く，産婦の分娩に対する不安と緊張が強いこと，エネルギーと水分摂取不足から，微弱陣痛が改善されず遷延分娩となる可能性が高い．オキシトシンによる促進分娩によって，娩出力が改善し分娩が進行する可能性がある．しかし，娩出力の改善は産痛増強につながり，産婦の不安と緊張を高める可能性もある．さらに，オキシトシン投与による過強陣痛の可能性もある．

6 助産診断はどのように設定されるでしょうか．優先順位も考えてみましょう．

1）娩出力が弱く，産婦の分娩に対する不安と緊張が強いこと，エネルギーと水分摂取不足から微弱陣痛による遷延分娩のリスクがある．
2）胎児発育状態，分娩開始後の胎児心拍数モニタリング所見より，胎児の健康状態は良好である．
3）オキシトシン投与による過強陣痛のリスクがある．

4　助産計画の立案（目標と具体策）

1 どのような助産目標が考えられますか．

1）産婦が分娩に対する不安と緊張を軽減し，生理的ニードが充足され，分娩を促進するための対処行動がとれる．
2）胎児の健康状態が維持される（具体策は正常分娩 pp.21～23 参照）．
3）過強陣痛を起こさず適切な娩出力が得られる（具体策は分娩誘発 pp.127～128 参照）．

2 助産目標 1）に対して，どのような具体策が考えられますか．ここでは，正常分娩のケア以外に促進分娩の特徴的なケアについて考えてみましょう（正常分娩 pp.21～23 参照）

【観察プラン】
①産婦の反応（発言，筋緊張，陣痛発作時の行動）
②生理的ニードの充足（エネルギー・水分摂取，排尿，排便，リラックス，発汗）
③産婦の体位，姿勢，活動

【ケアプラン】
①精神的サポートを行う（産婦を一人にせず受容的に寄り添う，ねぎらう）．
②三陰交，合谷，至陰への指圧（p.132 参照）．
③体位，姿勢の工夫（側臥位，座位，立位，アクティブチェア）．
④ 3～4 時間おきにトイレ歩行を促す．
⑤足浴または入浴を提案する（38～40℃程度の湯で 20 分程度）．
⑥マッサージ（産婦の呼吸に合わせて陣痛発作時に，産痛部位・腰背部・大腿部など，産婦の希望部位を手掌全体でさする）．
⑦タッチング（手掌を温め，鈍感な部位からゆっくりと触れる）
⑧圧迫法（腰部，仙骨部，肛門部など産婦の希望部位を指・手掌・手拳で圧迫する）
⑨環境整備（照明，音楽，室温，寝具，寝衣，クッション，アロマなど）

【指導・説明・支持プラン】
①体位・姿勢の工夫や活動によって分娩が促進される可能性について説明する．
②リラックスすることで分娩が進行する可能性があることを説明する．

5 その後の経過

亜衣さんの陣痛が増強し，状況は以下のとおりです．この状態をアセスメントしましょう．

追加情報：妊娠 39 週 0 日の状況

10:00 オキシトシン投与開始（オキシトシン5単位＋5%ブドウ糖液500 mL），12 mL/時間.
10:30 足浴実施（20 分），足浴中に三陰交・至陰への指圧を行う.「気持ちいい．陣痛は強くなったような気がするけど，ほっとします」
11:00 陣痛周期 3～4 分，陣痛持続時間 40～50 秒，アクティブチェア使用中，陣痛発作時苦悶表情，ため息のようなフーフー呼吸で力が抜ける，上半身に発汗あり.
12:00 オキシトシン 36 mL/時間，体温 36.9℃，脈拍 78 回/分，血圧 130/68 mmHg.
トイレ歩行実施し，排尿あり，残尿感なし.
12:30 陣痛周期 2～3 分，陣痛持続時間 40～50 秒，未破水．胎児心拍数基線 140 bpm，基線細変動 10 bpm，一過性頻脈あり，一過性徐脈なし，心音聴取部位は左臍棘線中央と恥骨中央を結ぶ線の中央からやや恥骨側である．全身に発汗著明，陣痛発作時に仙骨～尾骨部痛あり.「お通じがしたい．トイレに行きたいです」

1 亜衣さんの現在の分娩進行状態について情報を挙げ，アセスメントしましょう.

情報 分娩開始後 16 時間 30 分，オキシトシン 36 mL/時間，陣痛周期 2～3 分，陣痛持続時間 40～50 秒，体温 36.9℃，脈拍 78 回/分，血圧 130/68 mmHg，心音聴取部位は左臍棘線中央と恥骨中央を結ぶ線の中央からやや恥骨側．全身に発汗著明，陣痛発作時に仙骨～尾骨部痛あり，「お通じがしたい．トイレに行きたいです」

⇒オキシトシン投与に加え，足浴，指圧，アクティブチェアの使用が陣痛増強に有効であった可能性があります．増強した陣痛によって分娩進行が認められます．
陣痛周期・持続時間，産痛部位，便意，心音聴取部位から，現在，分娩第 1 期極期から 2 期にあると考えられます．バイタルサインおよび陣痛の状態は良好です．内診により，分娩進行状態を確認する必要があります．

2 現在の胎児の健康状態について情報を挙げ，アセスメントしましょう.

情報 胎児心拍数基線 140 bpm，基線細変動 10 bpm，一過性頻脈あり，一過性徐脈なし，陣痛周期 2～3 分，陣痛持続時間 40～50 秒，未破水.

⇒胎児心拍数波形分類はレベル 1 で，胎児健康状態は良好です．まもなく破水と分娩第 2 期への移行が予測され，胎児へのストレスが増強するため，今後の胎児心拍数に対し，より注意することが必要です．

文献

1) 日本産科婦人科学会，日本産婦人科医会編集・監修：CQ404.「産婦人科診療ガイドライン産科編 2023」. pp.208-210，日本産科婦人科学会，2023.
2) Scrutton MJ, et al : Eating in labour. A randomised controlled trial assessing the risks and benefits. Anaesthesia，54(4) : 329-334, 1999.
3) Bohren MA, et al : Continuous support for women during childbirth. Cochrane Database Syst Rev, 7(7) : CD003766, 2017.
4) 日本助産学会：CQ203.「エビデンスに基づく助産ガイドライン―妊娠期・分娩期・産褥期 2020」. pp.82-83, 日本助産学会ガイドライン委員会，2020.
5) 清水かおり，他：エビデンスに基づく助産ケアガイドライン；病院，診療所，助産所における分娩第 1 期ケア方針の調査. 日本助産学会誌，27(2)：267-278，2013.
6) 前掲 4) CQ211，214. pp.106-107，pp.112-116.

参考文献

・小川 幸，他：分娩誘発と促進. 周産期医学，41：358-360，2011.
・進 純郎，他：正常分娩の助産術 トラブルへの対処と会陰裂傷縫合. pp.47-63，医学書院，2011.

4. 回旋異常（後方後頭位）により遷延分娩となった産婦

1 アセスメントに必要な知識

1 遷延分娩の定義と基準を確認しましょう.

- 日本産科婦人科学会では，分娩開始後，初産婦では30時間，経産婦では15時間を経過しても児娩出に至らないものを遷延分娩と定義している[1].
- WHOでは，分娩第1期の活動期について，周期性・有痛性の子宮収縮があり，子宮口開大5cmから全開大までの急速に進行する時期とし，所要時間の中央値は，初産婦で4時間，経産婦で3時間としている[2]．また，活動期の所要時間は通常，初産婦で12時間，経産婦で10時間をこえないとしている．分娩第2期については，初産婦で3時間以内，経産婦で2時間以内を目安として介入の必要性を検討するとしている.
- 日本産科婦人科学会等による最近の研究報告[3]では，日本における自然分娩の分娩曲線は子宮口開大5cmになると分娩が加速し，6cmから急速に進行することが報告された．初産婦の分娩進行に要した平均時間は，子宮口開大5-6cmに3.55時間，6-10cmに2.88時間，経産婦は5-6cmに0.79時間，6-10cmに1.05時間を要していた（p.55の表2参照）．この報告は遷延分娩を定義するものではないが，アセスメントの参考になる.

2 遷延分娩の原因について知識を確認しましょう.

分娩の3要素に分けて考える.

①娩出力では微弱陣痛が考えられる.
②産道では，軟産道強靱や母体骨盤に比して児頭が大きい場合などがある.
③胎児および付属物では，巨大児，胎位異常，胎勢異常，進入異常，回旋異常などがある.

3 遷延分娩が母児に及ぼす影響について知識を確認しましょう.

- 遷延分娩は母体の心身の疲労，脱水を引き起こすほか，子宮筋の収縮力を低下させ，胎盤娩出後の弛緩出血のリスク因子となる．また，破水後であれば感染のリスクを増す.
- 分娩が遷延すると，胎児機能不全など，胎児の健康状態への影響も出てくる可能性がある.

4 回旋異常の定義と種類について知識を確認しましょう.

- 正常回旋では, 第1回旋で, 児頭は屈位をとることにより後頭が先進し, 最小周囲径あるいは小斜径周囲径で骨盤内に進入する. 第2回旋では, 児頭の矢状縫合を骨盤前後径あるいは縦径に一致させるように回旋する. 正常回旋以外は回旋異常である.
- 第1回旋の異常は, 胎勢の異常であり, 屈位をとらない反屈位をいう. 大泉門が先進する前頭位, 額が先進する額位, 内診によって鼻や口などを触知する顔位がある.
- 第2回旋の異常は胎向の異常である. 正常とは逆の方向に回旋し, 児の後頭が母体の後方へ向かう場合を後方後頭位という. 第2回旋が起こらず, 児頭がそのまま下降し矢状縫合が骨盤横径に一致して分娩が停止している場合を低在横定位という. また, 児頭の矢状縫合が骨盤入口の縦径に一致し, 分娩進行がみられないものを高在縦定位といい, 狭骨盤や漏斗骨盤にみられる.
- 回旋異常には分類されないが, 児頭の骨盤への進入の異常が2種類ある. 児頭の矢状縫合は, 母体の岬角と恥骨結合のほぼ中央に位置して骨盤内に進入するのが正常であるが, 矢状縫合が恥骨結合に近づき, 後方にある頭頂骨が先進するものを後不正軸進入といい, 分娩停止に至り帝王切開になることも多い. 逆に, 矢状縫合が母体後方に偏位するものを前不正軸進入という. 分娩進行とともに正常に移行することが多いが, 側屈が増し分娩が進行しない場合もある.

5 回旋異常の原因と分娩経過に及ぼす影響について知識を確認しましょう.

(1) 回旋異常の原因

胎勢の回旋異常の原因としては, 過大児頭, 狭骨盤, 懸垂腹, 子宮下部の腫瘤, 直腸・膀胱充満, 前期破水, 早期破水, 微弱陣痛などがある. 胎向の回旋異常の原因としては, 扁平骨盤, 広骨盤, 過小児頭, 子宮頸部の腫瘤, 第2分類などがある.

(2) 回旋異常が分娩経過に及ぼす影響

分娩経過中に回旋異常が改善されない場合は, 遷延分娩や分娩停止につながる. 分娩停止に至った場合は, 児の下降が十分であれば, 吸引分娩や鉗子分娩の適応となる. それ以外の場合は, 帝王切開術の適応となる.

6 回旋異常の改善のための援助について考えてみましょう[4, 5].

- 胎胞形成が回旋の改善に寄与する可能性や, 産痛の緩和などにより, 気力と体力を保持したうえで陣痛促進を図ることが, 経腟分娩を可能にするとの報告がある.
- 膝手位（四つ這い）が回旋異常（後方後頭位）の改善に有効であるとのエビデンスは得られていない.

2 事例の情報整理と情報の分析・解釈・統合（アセスメント）

佳那（かな）さんは, 分娩開始後14時間経過した現在, 陣痛周期3～5分, 子宮口開大8 cm, St±0, 小泉門が5時の位置に触れます.

佳那さんの妊娠・分娩状況

29歳，身長156 cm，体重64 kg（非妊時54 kg，BMI 22.2）.
既往歴・アレルギー：なし　**家族歴**：父親が高血圧症（内服治療中）
産科歴：1妊0産
検査：感染症なし，妊娠34週　GBS（−）.
　前期（妊娠10週）Hb 12.4 g/dL，Ht 35%，随時血糖値90 mg/dL.
　後期（妊娠32週）RBC 311×10^4/μL，Hb 11.6 g/dL，Ht 33%，Alb 3.7 g/dL，AST 26 IU/L，ALT 16 IU/L.

妊娠経過：
　妊娠7週　初診　自然妊娠
　妊娠22週〜　血圧104〜128/62〜76 mmHg，尿蛋白（−），尿糖（−），浮腫（−）.
　妊娠38週5日　子宮底長33.5 cm，腹囲88.7 cm，血圧118/64 mmHg，尿蛋白（−），尿糖（−），浮腫（±）.
　胎児推定体重2,942 g（BPD 95 mm，AC 31.5 cm，FL 68 mm）.
　胎盤の位置正常，AFI 8 cm.
　内診所見：子宮口開大1 cm，展退30〜40%，St−3，胎動あり，頭位.
　胎児心拍数基線140 bpm，NST reactive pattern.

分娩経過：
妊娠39週0日
　19:00　10分以内の規則的子宮収縮と下腹部痛あり.
　22:00　入院，陣痛周期7〜8分，陣痛持続時間30〜40秒，陣痛発作時に下腹部痛あり. 子宮口開大3〜4 cm，St−2，展退70〜80%，子宮頸部の硬度：中，子宮口位置：中央〜後方. 未破水，出血なし. 体温36.5℃，脈拍74回/分，血圧120/68 mmHg. 胎児心拍数基線140 bpm，基線細変動10〜20 bpm，一過性頻脈あり，一過性徐脈なし，「これからもっと痛みが強くなると思うと不安です. 頑張れるかな……」と話し，緊張ぎみの表情.

妊娠39週1日
　3:00　陣痛周期4〜5分，陣痛持続時間40〜50秒，陣痛発作時に力が入る. 「かなり痛くなってきました」 発汗あり. マッサージや圧迫法で力が抜ける. 子宮口開大7 cm. St−1，展退70%，子宮頸部の硬度：軟，子宮口位置：中央，小泉門2時.
　5:00　陣痛周期4〜6分，陣痛持続時間30〜40秒，疲労の表情. 「陣痛の強さは変わりません」
　8:00　朝食1/2努力摂取，水分100 mL摂取，最終排尿は3:00のため，排尿を促すが尿意なし. トイレ歩行で排尿あり，残尿感なし. 最終排便は昨日19:00普通量.
　9:00　陣痛周期3〜5分，陣痛持続時間40〜50秒，仙骨部痛と恥骨部痛あり. 陣痛発作時は苦悶様だが，フーフー呼吸で力を抜いている. 「すごく痛いです. 肛門が押される感じがする」 間欠時の表情は安定，子宮口開大8 cm，St±0，展退80%，子宮頸部の硬度：軟，子宮口位置：前方，小泉門5時. 未破水，出血なし.
　体温37.1℃，脈拍82回/分，血圧128/64 mmHg.
　胎児心拍数基線145 bpm，基線細変動8〜15 bpm，一過性頻脈あり，一過性徐脈なし.

佳那さんの情報について知識をもとに整理し，現在の状態をアセスメントしましょう．

1 佳那さんの全体像の把握のために情報を整理し，以下の項目をアセスメントしましょう．

・**年齢，初経産**
⇒29歳，初産婦です．これらの情報についてリスク因子はありません．

・**身長，体重，BMI**
⇒156 cm，非妊時体重54 kg，BMI 22.2の普通体型です．体重増加は10 kgで，体重増加指導の目安の範囲内です．これらの情報からリスク因子はないと判断できます．

・**既往歴，産科歴**
⇒リスク因子はありません．

・**今回の妊娠経過**
⇒血圧，尿検査，血液検査などの結果を総合して考えると，妊娠経過は正常であるといえます．

・**胎児の発育状況と健康状態**
⇒3日前の胎児推定体重2,942 g（BPD 95 mm，AC 31.5 cm，FL 68 mm），BPDはやや大きめですが，すべて週数相当です．胎盤の位置正常，AFI 8 cm，胎児心拍数基線140 bpm，NST reactive patternです．以上より，胎児発育および胎児の健康状態は良好です．

3 事例の助産診断の導き方と助産診断の決定

1 現在の分娩進行状態について判断してみましょう．

・**時期診断**
⇒分娩第1期，活動期の遷延である．

・**根拠**
⇒39週0日19:00以降，陣痛周期10分以内の有痛性の規則的な子宮収縮が継続し，現在，子宮口開大8 cm，St±0と分娩進行が認められるが，39週1日午前3時以降の活動期の子宮口開大が1 cm/6時間，児頭下降が1 cm/6時間であるため．

2 分娩開始から現在までの経過を診断しましょう．佳那さんの分娩への適応を含め，以下の分娩の4要素の項目について必要な情報を挙げ，アセスメントしましょう．

1）娩出力

情報 分娩開始後14時間，陣痛周期3～5分，陣痛持続時間40～50秒，子宮口開大8 cm，St±0，仙骨部と恥骨部痛あり，「すごく痛いです．肛門が押される感じがする」

⇒子宮口開大に見合った陣痛周期・陣痛持続時間であり，娩出力は良好といえます．

2）産道

情報 身長156 cm，胎児推定体重2,942 g（BPD 95 mm），非妊時BMI 22.2，体重増加は10 kg，分娩開始後14時間で，子宮口開大8 cm，St ± 0，展退80%，子宮頸部の硬度：軟，子宮口位置：前方，小泉門5時.

⇒骨産道は，母体身長，胎児推定体重には問題はありませんが，児頭最大周囲径が骨盤濶部にあり，後方後頭位で，BPD 95 mm とやや大きいことから，骨盤峡部の児頭骨盤不均衡の可能性も否定できません．軟産道については，Bishop score 12点で，現時点では軟産道強靱の可能性は低く，問題はないと考えられます.

3）胎児およびその付属物

情報 3日前の胎児推定体重2,942 g（BPD 95 mm，AC 31.5 cm，FL 68 mm），胎盤の位置正常，AFI 8 cm．現在は子宮口開大8 cm，St ± 0，小泉門5時，未破水，出血なし.

⇒胎児発育と胎児付属物は正常です．児頭最大周囲径が骨盤濶部にあり，後方後頭位で回旋異常です.

4）母体精神

情報 分娩開始後14時間，陣痛周期3～5分，陣痛持続時間40～50秒，仙骨部と恥骨部痛あり，陣痛発作時は苦悶様だが，フーフー呼吸で力を抜いている，間欠時の表情は安定，「すごく痛いです．肛門が押される感じがする」

⇒陣痛発作時の対処行動，身体感覚のセルフモニタリングの状況から，分娩への適応状態は良好といえます.

3 佳那さんの現在の身体的健康状態について情報を挙げ，アセスメントしましょう.

情報 体温37.1℃，脈拍82回/分，血圧128/64 mmHg，8:00にトイレ歩行し排尿あり，朝食1/2努力摂取，水分100 mL摂取.

⇒バイタルサイン，生理的ニードの充足状況から母体の健康状態は良好であると考えられます.

4 現在の胎児の健康状態について情報を挙げ，アセスメントしましょう.

情報 未破水，出血なし，胎児心拍数基線145 bpm，基線細変動8～15 bpm，一過性頻脈あり，一過性徐脈なし.

⇒胎児心拍数波形分類はレベル1で，胎児の健康状態は良好です.

5 これまでの経過から，今後の分娩経過について経過予測診断を行いましょう．

⇒娩出力，母体・胎児の健康状態は現在のところ良好であるが，後方後頭位で回旋異常となっており，活動期が遷延している．回旋が改善されず，この状況が継続すれば，母体疲労による続発性微弱陣痛となり分娩停止の可能性がある．

6 助産診断はどのように設定されるでしょうか．優先順位も考えてみましょう．

1）後方後頭位による分娩第1期活動期の遷延から，遷延分娩または分娩停止のリスクがある．
2）分娩開始後の胎児心拍数モニタリング所見より，胎児の健康状態は良好である．

4　助産計画の立案（目標と具体策）

1 どのような助産目標が考えられますか．

1）回旋の改善，娩出力の増強により，分娩が進行する．
2）胎児の健康状態が維持される（具体策は正常分娩 pp.21～23 参照）．

2 助産目標 1）に対して，どのような具体策が考えられますか．ここでは，正常分娩のケア以外に回旋異常，遷延分娩の特徴的なケアについて考えてみましょう．

【観察プラン】（具体策は正常分娩 pp.21～23 参照）
【ケアプラン】
①陣痛促進のためのケアを行う（p.136 参照）．
②体位の工夫（過ごしやすい体位）やスクワットを行う．
【指導・説明・支持プラン】
①分娩進行に伴い正常回旋に戻る可能性もあることを説明する．
②後方後頭位での経腟分娩が可能であることを説明する．

5　その後の経過

その後，佳那さんの陣痛が増強し，努責感が強くなってきました．現在の分娩進行状態は以下のとおりです．この状態をアセスメントしましょう．

追加情報

9:30　未破水のため湯浴を行う（20分）．「陣痛がやわらいでリラックスできました」
10:00　「自分で頑張りたいです」 アクティブチェアで座位をとる（50分）．腰痛・恥骨痛軽減．「このほうが楽です」

11:00　陣痛周期 3～4 分，陣痛持続時間 50 秒，胎児心拍数基線 130 bpm，スクワットを行う（15 分）．「お尻が押される感じが出てきました」

12:00　陣痛周期 2～3 分，陣痛持続時間 50 秒，努責感を強く訴える．心音聴取部位は恥骨結合直上．胎児心拍数基線 130 bpm，基線細変動 8～10 bpm，一過性頻脈あり，軽度変動一過性徐脈あり，子宮口全開大，St+2，小泉門先進部 12 時，未破水．「陣痛の時は，いきみたくてしょうがないです．陣痛がない時も便がしたい感じです」

1 現在（12:00）の佳那さんの分娩進行状態についてアセスメントしましょう．

情報　分娩開始後 17 時間，陣痛周期 2～3 分，陣痛持続時間 50 秒，努責感を強く訴える．心音聴取部位は恥骨結合直上，胎児心拍数基線 130 bpm，基線細変動 8～10 bpm，一過性頻脈あり，軽度変動一過性徐脈あり，子宮口全開大，St+2，小泉門先進部 12 時．

⇒分娩第 2 期，正常回旋です．湯浴を実施し身体がリラックスできたことで陣痛が増強し，アクティブチェアの使用により腰痛・恥骨痛が軽減したこと，胎児下降を促すスクワットが分娩進行に効果的であったと考えられます．

2 現在の胎児の健康状態についてアセスメントしましょう．

情報　胎児心拍数基線 130 bpm，基線細変動 8～10 bpm，一過性頻脈あり，軽度変動一過性徐脈あり，子宮口全開大，St+2，小泉門先進部 12 時，未破水．

⇒胎児心拍数波形分類はレベル 2 です．軽度変動一過性徐脈の原因は臍帯因子によるものが多いこと，分娩開始以降の CTG 所見から総合的に考えると，現時点での胎児健康状態は良好である可能性が高いです．破水後は分娩ストレスが増強するため，胎児心拍数の変化に対し，より注意が必要です．

文献

1）日本産科婦人科学会編：産科婦人科用語集・用語解説集．改訂第 4 版，p.198，日本産科婦人科学会，2018.
2）WHO：WHO recommendations：Intrapartum care for a positive childbirth experience. WHO, 2018.
3）Shindo R, et al：Spontaneous labor curve based on a retrospective multi-center study in Japan. J Obstet Gynaecol Res, 47(12)：4263-4269, 2021.
4）日本助産学会：エビデンスに基づく助産ガイドライン―妊娠期・分娩期・産褥期 2020．pp.133-134，日本助産学会ガイドライン委員会，2020.
5）吉川真弓，他：回旋異常にも関わらず経腟分娩に至った初産婦 6 事例の検討．日本母性看護学会誌，15(1)：34-39，2015.

参考文献

・田村友宏，他：微弱陣痛・遷延分娩．周産期医学，41：286-288，2011.
・綾部琢哉：遷延分娩．「標準産科婦人科学」．岡井　崇，他編集，pp.481-483，医学書院，2011.
・荒木　勤：最新産科学　異常編．改訂 21 版，pp.297-310，文光堂，2008.
・進　純郎，他：正常分娩の助産術　トラブルへの対処と会陰裂傷縫合．pp.47-63，医学書院，2011.

5. 分娩停止により 緊急帝王切開分娩となった産婦

1 アセスメントに必要な知識

1 分娩停止の定義について知識を確認しましょう[1].

・分娩停止とは，陣痛発来し，分娩が進行していたが，それまで同様の陣痛が続いているにもかかわらず，2時間以上分娩の進行（子宮口の開大や児頭の下降）が認められない状態をいう.

2 分娩停止の原因について知識を確認しましょう.

・分娩停止の原因は，分娩3要素の異常または不調和であることが多い．分娩停止のリスクとなる娩出力異常は，微弱陣痛が主である．産道異常は，扁平型骨盤，男性型骨盤，類人猿型骨盤，狭骨盤，広骨盤などの骨盤の異常と，軟産道強靭とよばれる軟産道の異常がある．これらがなくとも，児頭径が骨盤径に対して大きい場合は，児頭骨盤不均衡（CPD）となり，経腟分娩は不可能となる．胎児と付属物の異常は，胎位（横位，骨盤位，斜位），胎勢，回旋，進入異常がある（p.139参照）.
・分娩停止の原因として頻度が高いものとして，低在横定位や高在縦定位，骨盤峡部CPDなどがある．骨盤峡部CPDによる分娩停止では，経腟分娩は不可能であり帝王切開術が選択される．低在横定位による分娩停止の場合は，通常，吸引分娩を施行する．高在縦定位による分娩停止の場合は，通常，帝王切開術を施行する.

3 帝王切開術について調べてみましょう.

1）適応，2）術式，3）麻酔法，4）母子の健康に及ぼす影響について調べてみましょう.

（予定帝王切開 pp.98～104，pp.113～114参照）

4 緊急帝王切開術を受ける産婦の心理と必要な看護について学習しましょう.

・緊急帝王切開術の場合，産婦は，突然，帝王切開術の必要性を告げられ，母子の生命に対する危機感や不安を増す．状況の把握・理解が追いつかず，混乱した状態に陥ることもある.
・助産師は産婦の不安に寄り添い，落ち着いた気持ちで手術が受けられるよう援助することが求められる．産婦に手術前に行われる検査・準備，今後の経過についてていねいに説明し，納得したうえで手術を受ける決断ができるよう意思決定のプロセスを支援する.

2 事例の情報整理と情報の分析・解釈・統合（アセスメント）

佐智さんは，分娩開始後17時間経過した現在，陣痛周期2～3分，子宮口開大8cmです．佐智さんは閉眼し，苦悶表情です．オキシトシンによる陣痛促進を行いましたが分娩進行がみられず，高在縦定位による分娩停止の診断で緊急帝王切開術の施行が決定しました．

佐智さんの妊娠・分娩状況

31歳，身長157cm，体重67kg（非妊時56kg，BMI 22.7）
既往歴・アレルギー・家族歴：なし
産科歴：1妊0産
検査：感染症なし．妊娠35週　GBS（－）．
　前期（妊娠11週）　Hb 12.6g/dL，Ht 35%，随時血糖値88mg/dL．
　後期（妊娠32週）　RBC $312 \times 10^4/\mu L$，Hb 11.3g/dL，Ht 33%，Alb 3.7g/dL，AST 25IU/L，ALT 13IU/L．

妊娠経過：
　妊娠7週　初診　自然妊娠
　妊娠22週～　血圧100～120/58～68mmHg，尿蛋白（－），尿糖（－），浮腫（－）．
　妊娠39週0日　子宮底長32.5cm，腹囲90cm，血圧120/62mmHg，尿蛋白（－），尿糖（－），浮腫（－）．
　胎児推定体重2,724g（BPD 88mm，AC 31.5cm，FL 67mm）
　胎盤の位置正常，AFI 8.5cm．
　内診所見：子宮口開大1cm，展退30%，児頭触れず，胎動あり，頭位．
　胎児心拍数基線135bpm，NST reactive pattern．

分娩経過：
妊娠39週1日
　21:00　10分以内の規則的子宮収縮と下腹部痛あり
　23:30　入院．体温36.6℃，脈拍70回/分，血圧108/60mmHg，子宮口開大3cm，St－3，展退70%，子宮頸部の硬度：中，子宮口位置：中央．「とても緊張しています．お産が怖いです」 胎児心拍数基線135bpm，基線細変動8～12bpm，一過性頻脈あり，一過性徐脈なし．

妊娠39週2日
　3:30　陣痛周期4～5分，陣痛持続時間30～40秒，発作時に腰痛が強く苦悶表情をしており，緊張が強い．閉眼・入眠できない．「痛くて眠れない」
　7:00　陣痛周期5～6分，陣痛持続時間20～40秒，夜間，睡眠がとれず，疲労の表情がみられる．体温37.2℃，脈拍82回/分，血圧124/60mmHg，排尿あり．
　9:00　歩行，足浴，座位を促すが，疲労のため不要とのこと．
　11:00　陣痛周期5～6分，陣痛持続時間20～30秒，子宮口開大5cm，St－2，展退60%，子宮頸部の硬度：中，子宮口位置：中央，小泉門6時，朝食・昼食摂取できず．水分摂取を促すと一口ずつ飲むことができた．「痛くて辛い」
　胎児心拍数基線140bpm，基線細変動10～15bpm，一過性頻脈あり，一過性徐脈なし．体温37.3℃，脈拍80回/分，血圧128/64mmHg．オキシトシンによる陣痛促進開始，排尿あり．

12:00　自然破水あり，羊水混濁なし.「腰とお腹が痛くて辛い. いきみたいような気もする」 陣痛周期 2〜3 分，陣痛持続時間 40〜50 秒，子宮口開大 8 cm，St−1，展退 80%. 子宮頸部の硬度：軟，子宮口位置：中央，小泉門 6 時.
胎児心拍数基線 140 bpm，基線細変動 10 bpm，一過性頻脈あり，軽度変動一過性徐脈あり.

14:00　「腰とお腹がすごく痛い」全身に発汗. 陣痛発作時は短いフーフー呼吸で力を抜いている. 陣痛周期 2〜3 分，陣痛持続時間 40〜50 秒，子宮口開大 8 cm，St−1，展退 80%，子宮頸部の硬度：軟，子宮口位置：中央，小泉門 6 時，胎児心拍数基線 135 bpm，基線細変動 8〜12 bpm，一過性頻脈あり，軽度変動一過性徐脈あり. 体温 37.2℃，脈拍 84 回/分，血圧 130/68 mmHg. 医師は高在縦定位による分娩停止と診断し，緊急帝王切開術施行が決定した.「頑張ってるのに下から産めないんですね. お産も怖いけど，帝王切開も怖い. 下から産みたかったな……」

佐智さんの情報について知識をもとに整理し，現在の状態をアセスメントしましょう.

1 佐智さんの全体像の把握のために情報を整理し，以下の項目をアセスメントしましょう.

・年齢，初経産

⇒ 31 歳，初産婦です. これらの情報についてリスク因子はありません.

・身長，体重，BMI

⇒ 157 cm，非妊時体重 56 kg，BMI 22.7 の普通体型です. 体重増加は 11 kg で，体重増加指導の目安の範囲内です. これらの情報からリスク因子はないと判断できます.

・既往歴，産科歴

⇒リスク因子はありません.

・今回の妊娠経過

⇒血圧，尿検査，血液検査などの結果を総合して考えると，妊娠経過は正常であるといえます.

・胎児の発育状況と健康状態

⇒ 39 週 0 日の胎児推定体重 2,724 g（BPD 88 mm，AC 31.5 cm，FL 67 mm），BPD はやや小さいですが，正常範囲内です. 推定体重，AC，FL は週数相当のため，統合すると胎児発育は良好といえます. 胎盤の位置正常，AFI 8.5 cm，胎児心拍数基線 135 bpm，NST reactive pattern より，胎児の健康状態も良好です.

3 事例の助産診断の導き方と助産診断の決定

1 現在の分娩進行状態について判断してみましょう．

・**時期診断**

⇒分娩第1期活動期，高在縦定位で分娩停止である．

・**根拠**

⇒分娩開始から17時間（オキシトシン使用後3時間）が経過した．オキシトシンにより陣痛促進効果はあったが，児頭回旋は改善されず，下降のみ進行した．現在，陣痛周期2〜3分，陣痛持続時間40〜50秒，子宮口開大8 cm，St－1，小泉門6時で内診所見は2時間不変である．

2 分娩開始から現在までの分娩経過について，経過診断をしましょう．佐智さんの分娩への適応を含め，以下の分娩の4要素の項目について必要な情報を挙げ，アセスメントしましょう．

1）娩出力

情報 11:00 分娩開始から14時間，陣痛周期5〜6分，陣痛持続時間20〜30秒．オキシトシンによる陣痛促進開始．
12:00 オキシトシン使用後1時間で，陣痛周期2〜3分，陣痛持続時間40〜50秒，子宮口開大8 cm，St－1，小泉門6時となった．
14:00 オキシトシン使用後3時間，陣痛周期2〜3分，陣痛持続時間40〜50秒，腰部・腹部の強い産痛，全身の発汗，陣痛発作時は短いフーフー呼吸を実施，子宮口開大8 cm，St－1，小泉門6時．

⇒オキシトシン投与開始前は微弱陣痛となっていましたが，オキシトシン使用によって，現時点では子宮口開大に応じた陣痛周期，陣痛持続時間です．しかし，直近2時間は回旋異常が認められ，分娩進行はみられません．

2）産道

情報 身長157 cm，胎児推定体重2,724 g（BPD 88 mm），非妊時BMI 22.7，体重増加は11 kg．
11:00 分娩開始から14時間，子宮口開大5 cm，St－2．
14:00 オキシトシン使用後3時間で，子宮口開大8 cm，St－1，展退80%，子宮頸部の硬度：軟，子宮口位置：中央，小泉門6時．

⇒産婦の身長，BPD，胎児推定体重から，児頭骨盤不均衡の可能性は考えにくいです．非妊時BMI，母体体重増加，分娩開始時のBishop score 7点，現在のBishop score 11点であることから軟産道強靱の可能性も考えにくいです．しかし，十分な娩出力が得られたにもかかわらず，児頭下降と回旋が改善されないことから，相対的な広骨盤の可能性，あるいは骨盤形態異常による児頭骨盤不均衡の可能性も否定できません．

3）胎児およびその付属物

情報 2日前（39週0日）の胎児推定体重2,724 g（BPD 88 mm），胎盤の位置正常，AFI 8.5 cm.
11:00 分娩開始から14時間，子宮口開大5 cm，St−2，小泉門6時.
12:00 分娩開始から15時間（オキシトシン使用後1時間），自然破水あり，羊水混濁なし，子宮口開大8 cm，St−1，小泉門6時.
14:00 分娩開始から17時間（オキシトシン使用後3時間），陣痛周期2〜3分，陣痛持続時間40〜50秒，子宮口開大8 cm，St−1，小泉門6時.

⇒ BPDはやや小さめですが，胎児発育は良好です．早期破水ですが，児頭は骨盤内に嵌入しており，臍帯下垂・臍帯脱出の可能性は低いです．オキシトシン使用後，子宮口の開大，児頭下降がみられますが，回旋の改善はなく，直近2時間は分娩進行がみられないことから，医師の診断のとおり，高在縦定位による分娩停止といえます．

4）母体精神

情報 23:30 入院時「とても緊張しています．お産が怖いです」
3:30 陣痛周期4〜5分，陣痛持続時間30〜40秒，発作時に腰痛が強く苦悶表情．緊張が強く，閉眼・入眠できない．「痛くて眠れない」
11:00 分娩開始から14時間，陣痛周期5〜6分，陣痛持続時間20〜30秒，子宮口開大5 cm，St−2，小泉門6時，「痛くて辛い」
14:00 分娩開始から17時間（オキシトシン使用後3時間），陣痛周期2〜3分，陣痛持続時間40〜50秒，子宮口開大8 cm，St−1，小泉門6時，「腰とお腹がすごく痛い」，全身に発汗，陣痛発作時は短いフーフー呼吸を実施．高在縦定位による分娩停止の診断で緊急帝王切開術施行が決定した．「頑張ってるのに，下から産めないんですね．お産も怖いけど，帝王切開も怖い．下から産みたかったな……」

⇒分娩に対する不安と緊張がありましたが，オキシトシン使用後の陣痛増強に対して，呼吸法を用いて力を抜いており，分娩に適応してきた可能性があります．しかし，分娩停止による緊急帝王切開術を行うことが決定したことで，手術に対する恐怖と経腟分娩できなかった喪失体験という新たな健康課題が生じている可能性が高いです．

3 佐智さんの身体的健康状態について情報を挙げ，アセスメントしましょう．

情報 入院時 体温36.6℃，脈拍70回/分，血圧108/60 mmHg.
11:00 （分娩開始後14時間） 体温37.3℃，脈拍80回/分，血圧128/64 mmHg，朝食・昼食摂取できず，水分摂取を促すと一口ずつ飲める.
12:00 （分娩開始後15時間） 自然破水あり，羊水混濁なし.
14:00 （分娩開始後17時間） 体温37.2℃，脈拍84回/分，血圧130/68 mmHg，分娩停止で緊急帝王切開術施行が決定した.

⇒破水前から体温が軽度上昇していますが，分娩による産熱の可能性が高く，感染の可能性は考えにくいため，手術を受けるにあたって問題はないと考えられます．しかし，エネルギーと水分摂取不足が考えられること，さらに，術中の体液喪失に備え，輸液による術前のエネルギー・水分補給が必要です．

4 胎児の健康状態について情報を挙げ，アセスメントしましょう．

情報 23:30 （入院時） 胎児心拍数基線 135 bpm，基線細変動 8～12 bpm，一過性頻脈あり，一過性徐脈なし．
11:00 （分娩開始後 14 時間） 胎児心拍数基線 140 bpm，基線細変動 10～15 bpm，一過性頻脈あり，一過性徐脈なし．
12:00 （分娩開始後 15 時間） 自然破水あり，羊水混濁なし，胎児心拍数基線 140 bpm，基線細変動 10 bpm，一過性頻脈あり，軽度変動一過性徐脈あり．
14:00 （分娩開始後 17 時間） 胎児心拍数基線 135 bpm，8～12 bpm 一過性頻脈あり，軽度変動一過性徐脈あり．

⇒分娩開始から破水までの胎児心拍数波形分類はレベル 1 で胎児健康状態は良好でした．破水後は，軽度変動一過性徐脈の出現により胎児心拍数波形分類レベル 2 です．軽度変動一過性徐脈の原因は，破水によって羊水腔が減少したことによる臍帯因子の可能性があるため，現時点では胎児の健康状態に問題はないと考えられます．

5 これまでの経過から，今後の分娩経過について経過予測診断を行いましょう．

⇒高在縦定位による分娩停止のため分娩進行は見込めない．緊急帝王切開術施行のための術前準備が終了次第，手術となる．術前準備，手術に対する産婦と家族の不安や恐怖への支援が重要となる．

6 助産診断はどのように設定されるでしょうか．優先順位も考えてみましょう．

（予定帝王切開 pp.108～111 参照）

1）緊急帝王切開術に対する産婦の不安と喪失感がある．
2）早期破水，回旋異常，胎児心拍数波形分類レベル 2 のため，胎児機能不全のリスクはあるが，現時点では胎児状態は良好である．

4 助産計画の立案（目標と具体策）

1 どのような助産目標が考えられますか．

1）産婦が帝王切開の必要性を理解し，納得して主体的に手術に臨むことができる．
2）手術による出生まで，胎児が良好な健康状態を維持できる．

2 助産目標 1）に対して，どのような具体策が考えられますか．ここでは，予定帝王切開術施行前のケア以外に緊急帝王切開術の術前に特徴的なケアについて考えてみましょう．（予定帝王切開 pp.108〜111 参照）

【観察プラン】

①緊急帝王切開術の決定や術前準備に対する佐智さんの反応（発言，表情，行動）を観察する．

【ケアプラン】

①産痛部位のマッサージ，圧迫法やタッチケアを継続しながら，術前検査・術前処置を進める．
②帝王切開分娩のバースプランを調整する．
③そばに寄り添う．
④環境調整（夫婦や家族で過ごす，照明，音楽，室温など）．

【指導・説明・支持プラン】

①高在縦定位により分娩進行が見込めないことから，帝王切開の適応であることを説明する（医師の説明の補足）．
②胎児心拍数陣痛図の所見および胎児状態が良好であることを説明する．
③分娩経過中の頑張りをほめ，緊急帝王切開の決断を支持する．
④術前検査内容および緊急帝王切開術前後の予測される経過について説明する．
⑤緊急帝王切開になったのは産婦の責任ではないこと，母子ともに頑張っていることを伝える．

3 助産目標 2）に対して，どのような具体策が考えられますか．

予定帝王切開 pp.108〜111 参照．

5　その後の経過

佐智さんは手術室に入院し，帝王切開により女児を出生しました．

追加情報

14:45　手術室入室．
15:30　女児娩出．体重 2,864 g，身長 49.0 cm．Apgar score 1 分後 8 点（皮膚色−2，全身チアノーゼ）／5 分後 10 点．
15:35　胎盤剥離，出血量 680 mL（羊水込）．
17:00　周産期病棟に帰室．体温 36.9℃，脈拍 78 回/分，血圧 124/60 mmHg，尿量 70 mL/時間，赤色悪露 15 g/時間，子宮底の高さ：臍下 1 横指，子宮底の硬度：硬式テニスボール様．悪露臭気：血液臭，術後輸液 70 mL/時間（オキシトシン 5 単位 1 A 混合）．
「傷の痛みはありません．薬が効いているみたいです．足も動かせます」「手術室で赤ちゃんに頬ずりして，写真を撮ってもらいました．早期授乳もお願いしています．下から産めなかったのは残念ですが，赤ちゃんが元気だから…，それでいいです」

1 佐智さんの分娩後の健康状態について情報を挙げ，アセスメントしましょう．

情報 15:30 女児娩出，出血量 680 mL（羊水込），帰室後体温 36.9℃，脈拍 78 回/分，血圧 124/60 mmHg，尿量 70 mL/時間，赤色悪露 15 g/時間，子宮底の高さ：臍下 1 横指，子宮底の硬度：硬式テニスボール様．悪露臭気：血液臭，術後輸液 70 mL/時間（オキシトシン 5 単位 1A 混合）

「傷の痛みはありません」「手術室で写真を撮ってもらいました．早期授乳もお願いしています．下から産めなかったのは残念ですが，赤ちゃんが元気だから…，それでいいです」

⇒帰室後のバイタルサインは良好で創痛もみられません．悪露量，子宮底の高さ，子宮底の硬度から，子宮収縮についても問題はないと考えられます．現時点の術後経過は良好です．バースプランも実施でき，佐智さんは帝王切開分娩になったことについては納得しているようですが，経腟分娩できなかった喪失感があることも確かです．そのため，体調を考慮しながら，バースレビューなどの分娩体験を統合できるための援助をなるべく産褥早期に実施する必要があります．

文献

1）日本産科婦人科学会編：産科婦人科用語集・用語解説集．改訂第 4 版，p.328，日本産科婦人科学会，2018．

参考文献

・田中忠夫，他：胎位・胎勢・回旋異常．「臨床エビデンス産科学」．第 2 版，佐藤和雄，他編，pp.342-355，メジカルビュー社，2006．
・笠井真祐子，他：帝王切開術 産科手術の介助とケア．「助産師基礎教育テキスト 2015 年版　第 7 巻　ハイリスク妊産褥婦・新生児へのケア」．遠藤俊子責任編集，pp.182-192，日本看護協会出版会，2015．
・浦野晃義，他：帝王切開．周産期医学，41：368-370，2011．
・市塚清健：緊急帝王切開．「ペリネイタルケア 2013 新春増刊　帝王切開のすべて」．竹内正人編，pp.44-48，メディカ出版，2013．
・椎谷由実，他：緊急帝王切開における分娩体験の受容と自分なりの意味づけを促す看護．母性衛生，55(4)：643-650，2015．

6. 分娩第2期の胎児機能不全により吸引分娩となった産婦

1 アセスメントに必要な知識

1 胎児機能不全の定義を確認しましょう.

胎児機能不全とは，妊娠中あるいは分娩中に胎児の状態を評価する臨床検査において「正常ではない所見」が存在し，胎児の健康に問題があることに確信がもてない場合をいう[1]．胎児心拍数波形のレベル分類（p.17）に基づく波形分類で，レベル3〜5にあたる．

2 胎児機能不全の原因について知識を確認しましょう.

胎児機能不全は，以下のようなさまざまな原因で起こる．

- **母体因子**：仰臥位低血圧症候群，出血，麻酔などによる血圧低下や，心疾患，喘息，てんかん発作などによる低酸素血症，子癇，重症貧血など．
- **胎児因子**：染色体異常，双胎間輸血症候群，血液型不適合妊娠など．
- **臍帯因子**：臍帯巻絡，臍帯脱出，臍帯真結節など．
- **胎盤因子**：常位胎盤早期剝離，前置胎盤に伴う出血，過期妊娠に伴う胎盤機能不全など．

3 早発一過性徐脈の発現機序について知識を確認しましょう. （pp.16〜17 参照）

早発一過性徐脈は胎児頭部の圧迫により引き起こされる．児頭の圧迫は，脳内血流の局所変化をもたらし，迷走神経中枢を刺激し徐脈を出現させると考えられている（図1）．

児頭圧迫 → 脳内血流の変化 → 中枢迷走神経刺激 → 胎児徐脈出現

図1 早発一過性徐脈の発現機序
（藤森敬也：胎児心拍数モニタリング講座．改訂3版，p.94，メディカ出版，2019．をもとに作成）

4 変動一過性徐脈について知識を確認しましょう（図2）. （pp.16〜17 参照）

1）圧受容体反射による機序

子宮収縮開始とともに臍帯が圧迫され，血管壁の薄い臍帯静脈が先に閉塞し，胎盤からの静脈還流量が減少するため，一過性に頻脈が出現する．さらに子宮収縮が増強すると臍帯動脈も圧迫

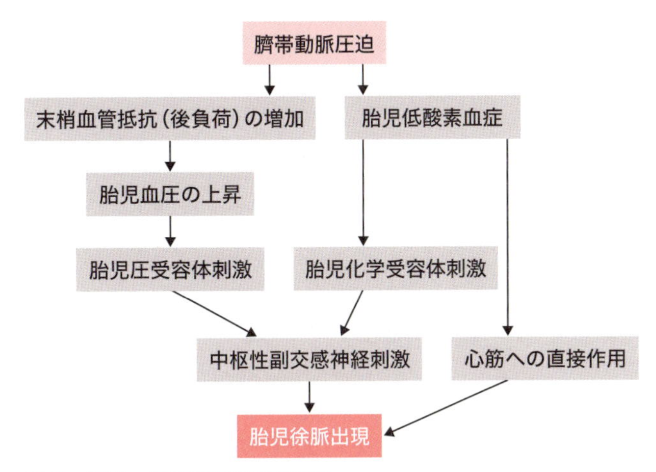

図2　変動一過性徐脈の出現機序
（藤森敬也：胎児心拍数モニタリング講座．改訂3版，p.109，メディカ出版，2019．をもとに作成）

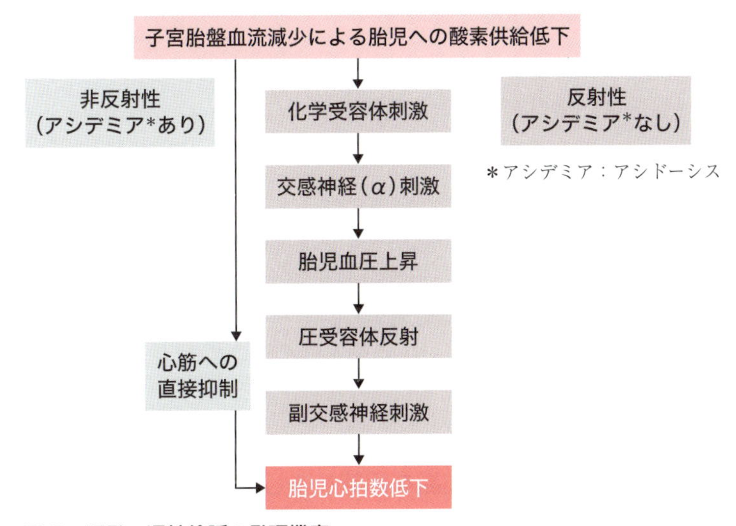

図3　遅発一過性徐脈の発現機序
（藤森敬也：胎児心拍数モニタリング講座．改訂3版，p.102，メディカ出版，2019．をもとに作成）

され，後負荷の増加により血圧が上昇し，圧受容体反射による迷走神経刺激によって心拍数が急激に減少する．

2）化学受容体反射による機序

臍帯圧迫による臍帯血流減少が胎児低酸素症を引き起こし，この低酸素症が化学受容体を刺激したり，心筋を直接抑制することによって胎児徐脈を出現させる．この機序は，圧受容体反射による徐脈出現より，通常遅れて出現する．

5 遅発一過性徐脈について知識を確認しましょう（p.155の図3）[2]．（pp.16～17参照）

1）反射性遅発一過性徐脈

子宮収縮に伴い胎盤灌流が減少し，胎児への酸素供給が一時的に低下することによって胎児が低酸素症となり，化学受容体が反応し，迷走神経刺激によって発生する．この場合，基線細変動は認められる．

2）非反射性遅発一過性徐脈

胎児低酸素血症が進行し，胎児予備能力が低下し，胎児低酸素血症が胎児心筋に直接作用して徐脈が発生する．この場合，基線細変動は減少あるいは消失する．

6 遷延一過性徐脈について知識を確認しましょう[3]．（pp.16～17参照）

- 遷延一過性徐脈の出現原因は多岐にわたるため，慎重な対応が求められる．
- 迷走神経反射として出現する場合は，通常，数分以内に心拍数が回復し，比較的予後がよい．
- 高度変動一過性徐脈や遅発一過性徐脈の後に出現した遷延一過性徐脈は，胎児が危機的状態である可能性が高く，急速遂娩が必要となる．
- 遷延一過性徐脈の出現時は，子宮胎盤循環の改善を図り，徐脈の原因は明らかであるのか，徐脈直前の所見がwell-beingかどうか，心拍数の回復後にwell-beingとなったかについて確認し，その後の対応を判断する（表1）．

表1 遷延一過性徐脈の出現原因

①過強あるいは過長子宮収縮
(hypertonic/prolonged contraction)
②内診
③児頭頭皮電極装着
④児頭採血
⑤臍帯脱出
⑥母体痙攣
⑦硬膜外・脊椎麻酔
⑧母体仰臥位
⑨胎児中枢神経系奇形
⑩臍帯圧迫
⑪母体呼吸・循環異常
⑫子宮破裂
⑬常位胎盤早期剝離

（藤森敬也：胎児心拍数モニタリング講座．改訂3版．p.119，メディカ出版，2019．より引用）

7 吸引分娩の適応と合併症について知識を確認しましょう．

- 吸引分娩は，急速遂娩法の一つである．急速遂娩は，分娩経過中に母児の健康に危機が生じた場合に，直ちに児を娩出させ分娩を終了する方法で，母体適応と胎児適応がある．
- 吸引分娩の母体適応は，分娩の第2期の遷延・停止，母体合併症などによる分娩第2期の短縮が必要な場合である．胎児適応には，胎児機能不全がある．
- 母体合併症として産道損傷が挙げられる．児の合併症として，頭皮損傷，頭血腫，網膜出血，帽状腱膜下血腫，頭蓋内出血，頭蓋骨骨折などがある．

8 吸引分娩実施の条件について学びましょう．

吸引分娩は，原則として手技に習熟した医師が行います．吸引分娩を実施する場合は，次の条件を満たしていることを確認します．

- 妊娠 34 週以降
- 子宮口全開大かつ既破水
- 児頭が骨盤内に嵌入している.

9 吸引分娩の方法について確認しておきましょう.

1）種類

児頭に装着する吸引カップには，金属製やプラスチック製のハードカップとシリコン製のソフトカップがある．また，陰圧をつくるポンプには機械式と手動式がある.

2）手技

- **内診と導尿**：子宮口開大度，児頭下降度，回旋，大泉門・小泉門・矢状縫合の位置，産瘤の状態を確認し，導尿を行う.
- **吸引機材の動作確認**：手掌にカップを当て，吸引圧を確認する.
- **吸引カップの装着**：大泉門を避け，小泉門と矢状縫合の一部にまたがるように装着する．児頭とカップの間に子宮頸管や腟壁を挟み込んでいないことを確認する.
- **ポンプの作動**：陣痛間欠時に 15 cmHg（20 kPa）まで陰圧をかけ，子宮頸管や腟壁の挟み込みを確認する．試験的牽引を行って滑脱しないことを確認し，陣痛開始を待つ.
- **牽引**：陣痛開始したら吸引圧を 40～60 cmHg（50～80 kPa）まで上げ，陣痛発作・産婦の努責に合わせ骨盤軸に沿って牽引する．児頭が陰門を通過したら牽引を中止し陰圧を解除する.
- **留意点**[4]：吸引分娩の総牽引時間は 20 分以内，吸引回数は滑脱回数を含め 5 回を上限とする．これらをこえても滑脱を繰り返す場合や，吸引による児頭下降がみられない場合は，鉗子娩出術や帝王切開術に切り換えることが推奨されている.

2 事例の情報整理と情報の分析・解釈・統合（アセスメント）

多香子さんは，妊娠 41 週 1 日の 6:00 に子宮口全開大を確認し，努責を開始しましたが，胎児機能不全の診断で吸引分娩を行うことになりました.

多香子さんの妊娠・分娩状況

32 歳，身長 159 cm，体重 69 kg（非妊時 57 kg，BMI 22.5）.
既往歴・アレルギー：なし　　**家族歴**：母親が高血圧症（内服治療中）
産科歴：2 妊 0 産，3 年前に妊娠 8 週で自然流産.
検査：感染症なし．妊娠 36 週　GBS（−）.
前期（妊娠 10 週）　Hb 13.0 g/dL，Ht 36%，随時血糖値 92 mg/dL.
後期（妊娠 33 週）　RBC 314×10^4/μL，Hb 12.0 g/dL，Ht 35%，Alb 3.9 g/dL，AST 22 IU/L，ALT 14 IU/L.

妊娠経過：

妊娠 24 週～	血圧 112～130/60～74 mmHg，尿蛋白（−），尿糖（−），浮腫（−）．
妊娠 41 週 0 日	子宮底長 34 cm，腹囲 90 cm，血圧 126/68 mmHg，尿蛋白（−），尿糖（−），浮腫（−）． 胎児推定体重 3,110 g（BPD 93 mm，AC 32.5 cm，FL 71 mm），胎盤の位置正常，AFI 5 cm． 内診所見：子宮口開大 3 cm，展退 40%，St−3．胎動あり，頭位，胎児心拍数基線 130 bpm．NST reactive pattern. 明日（41 週 1 日），分娩誘発目的で入院予定．

分娩経過：

妊娠 41 週 0 日

20:30	9～10 分以内の規則的子宮収縮と下腹部痛あり．
22:50	入院．陣痛周期 6～8 分，陣痛持続時間 30～50 秒，子宮口開大 4 cm，St−2．展退 70～80%，子宮頸部の硬度：中～軟，子宮口位置：中央． 体温 36.8℃，脈拍 74 回/分，血圧 120/74 mmHg．胎児心拍数基線 125 bpm，基線細変動 8～10 bpm，一過性頻脈あり，一過性徐脈なし．「やっと陣痛が来ました．いざ始まると耐えられるかどうか少し不安です」

妊娠 41 週 1 日

3:20	排尿後に破水あり，羊水混濁軽度．陣痛周期 3～5 分，陣痛持続時間 40～50 秒，胎児心拍数基線 135 bpm，基線細変動 10～15 bpm，一過性頻脈あり，軽度変動一過性徐脈あり．陣痛発作時に力が入る．「かなり痛い，力が入りそう」 発汗あり，仙骨部の圧迫法と大腿部のマッサージにより発作時は何とか力が抜ける． 子宮口開大 8 cm，St ± 0，展退 80%，子宮頸部の硬度：軟，子宮口位置：前方，小泉門 1 時．
6:00	陣痛周期 2 分，陣痛持続時間 50 秒，体温 37.1 ℃，脈拍 76 回/分，血圧 120/62 mmHg．「いきみたい．お尻痛い！ 押さえてください」肛門部痛と努責感を強く訴える． 内診所見：子宮口全開大，St+1，矢状縫合は骨盤縦径に一致．胎児心拍数基線 130 bpm，基線細変動 6～10 bpm，一過性頻脈なし，高度遅発一過性徐脈あり．酸素 10 L/分マスク投与開始．努責開始．陣痛間欠時は深呼吸している．
6:15	CTG 所見：胎児心拍数基線 135 bpm，基線細変動 6～8 bpm，遅発一過性徐脈に引き続いて遷延一過性徐脈が 1 回あり．70 bpm まで低下し 4 分持続． 回復後の胎児心拍数基線 120 bpm，基線細変動 15～25 bpm，一過性頻脈なし（図 4）．St+1．吸引分娩が決定した．

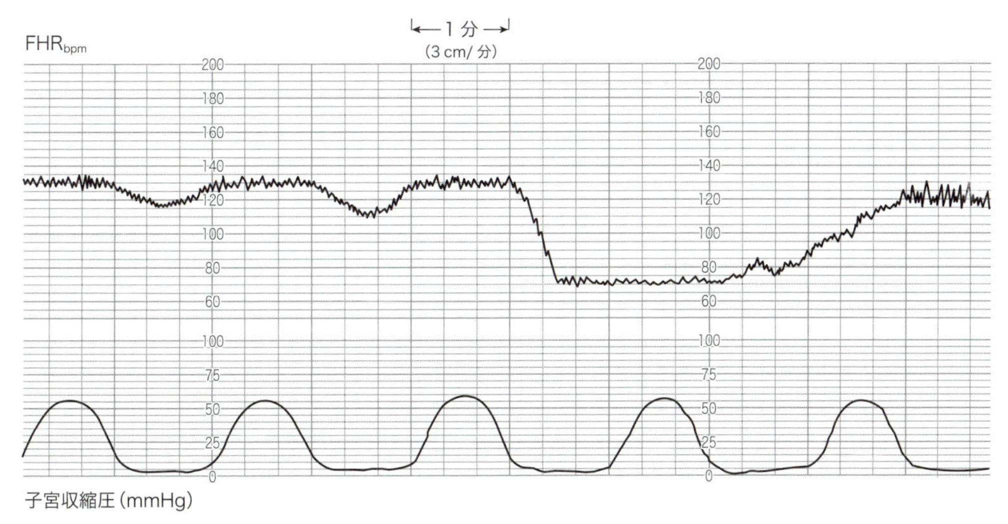

図４　CTG 所見

多香子さんの情報について知識をもとに整理し，現在の状態をアセスメントしましょう．

1 多香子さんの全体像の把握のために情報を整理し，以下の項目についてアセスメントしましょう．

・年齢，初経産

⇒ 32 歳，初産婦です．これらの情報についてリスク因子はありません．

・身長，体重，BMI

⇒ 159 cm，非妊時体重 57 kg，BMI 22.5 の普通体型です．体重増加は 12 kg で，体重増加指導の目安の範囲内です．これらの情報からリスク因子はないと判断できます．

・既往歴，産科歴

⇒妊娠初期の自然流産を１度経験しています．

・今回の妊娠経過

⇒血圧，尿検査，血液検査などの結果を総合して考えると，妊娠経過は正常であるといえます．しかし，現在，予定日超過となっており，AFI も正常下限であることから，胎児・胎盤機能低下が推測されるため，なるべく早期に分娩が終了するようケアが必要です．

・胎児の発育状況と健康状態

⇒最終健診時（41 週０日）の胎児推定体重 3,110 g（BPD 93 mm，AC 32.5 cm，FL 71 mm）は，週数相当です．胎盤の位置正常，AFI 5 cm，胎動あり，胎児心拍数基線 130 bpm，NST reactive pattern より，胎児状態は良好ですが，予定日超過，羊水量は正常下限であり，胎盤機能低下の可能性もあるため分娩期の胎児機能不全に注意が必要です．

3　事例の助産診断の導き方と助産診断の決定

1 現在の分娩進行状態について判断してみましょう．

- **時期診断**

⇒分娩第2期である．

- **根拠**

⇒6:00の時点で，子宮口全開大，St+1であり，矢状縫合は骨盤縦径に一致しているため．

2 分娩開始から現在までの経過診断をしましょう．多香子さんの分娩への適応を含め，以下の分娩の4要素の項目について必要な情報を挙げ，アセスメントしましょう．

1）娩出力

情報			
	41週0日	20:30	9～10分以内の規則的子宮収縮と下腹部痛あり．
		22:50	陣痛周期6～8分，陣痛持続時間30～50秒，子宮口開大4 cm．
	41週1日	3:20	陣痛周期3～5分，陣痛持続時間40～50秒，子宮口開大8 cm．
		6:00	陣痛周期2分，陣痛持続時間50秒，子宮口全開大，St+1．
		6:15	努責開始後15分でSt+1．

⇒分娩開始後9時間30分で子宮口全開大となっており，それまでの娩出力は良好です．しかし，胎児機能不全となり娩出を急ぐ必要がある状況において，努責による児頭下降がみられないことを総合的に判断すると，努責の有効性は乏しく，娩出力は不十分と考えられます．

2）産道

情報　身長159 cm，胎児推定体重3,110 g（BPD 93 mm），非妊時BMI 22.5，体重増加は12 kg．分娩開始から9時間30分で子宮口全開大，St+1．

⇒これまでの分娩経過における軟産道開大および胎児の下降状態から，骨産道・軟産道ともに問題はないと考えられます．

3）胎児およびその付属物

情報　1日前（41週0日）の胎児推定体重3,110 g（BPD 93 mm），胎盤の位置正常，AFI 5 cm．

41週1日	3:20	破水，羊水混濁軽度．
	6:00	子宮口全開大，St+1，矢状縫合は骨盤縦径に一致．
	6:15	努責開始後15分でSt+1．

⇒AFIは正常下限であったところに早期破水となり，羊水過少となっている可能性があります．児頭の回旋は正常ですが，努責によっても児頭下降は進行していません．

4）母体精神

情報 6:00 「いきみたい．お尻痛い！　押さえてください」，陣痛周期2分，子宮口全開大，St+1，高度遅発一過性徐脈あり，酸素10 L/分マスク投与開始，努責開始，陣痛間欠時は深呼吸．
6:15 遷延一過性徐脈あり，吸引分娩が決定した．

⇒胎児機能不全による吸引分娩が決定したことにより，児の健康および吸引分娩に対する不安を抱いている可能性があります．

3 多香子さんの現在の身体的健康状態について情報を挙げ，アセスメントしましょう．

情報 6:00 体温37.1℃，脈拍76回/分，血圧120/62 mmHg，陣痛周期2分，子宮口全開大，St+1．

⇒分娩第2期です．6:00に測定したバイタルサインの結果から，母体健康状態は良好であると考えられます．

4 胎児の健康状態について情報を挙げ，アセスメントしましょう．

情報 入院時，妊娠41週0日．AFI 5 cm，胎児心拍数基線125 bpm，基線細変動8～10 bpm，一過性頻脈あり，一過性徐脈なし．
3:20 破水あり，羊水混濁軽度，胎児心拍数基線135 bpm，基線細変動10～15 bpm，一過性頻脈あり，軽度変動一過性徐脈あり．
6:00 子宮口全開大，胎児心拍数基線130 bpm，基線細変動6～10 bpm，一過性頻脈なし，高度遅発一過性徐脈あり，酸素10 L/分マスク投与開始，努責開始．
6:15 胎児心拍数基線135 bpm，基線細変動6～8 bpm，遷延一過性徐脈あり，70 bpmまで低下し4分持続，回復後の胎児心拍数基線120 bpm，基線細変動15～25 bpm，一過性頻脈なし，St+1，吸引分娩が決定した．

⇒入院時の胎児心拍波形分類はレベル1で，胎児状態は良好でした．破水後，羊水腔減少による臍帯因子と考えられる軽度変動一過性徐脈がみられた時点では胎児心拍波形分類はレベル2です．子宮口全開大後の高度遅発一過性徐脈がみられた時点で胎児心拍波形分類はレベル3となり，胎児機能不全の基準を満たします．胎児の低酸素状態が推察され，母体への酸素投与がなされました．その後，高度遷延一過性徐脈がみられ，胎児心拍波形分類はレベル4となり酸素投与後も胎児機能不全は改善されなかったため，吸引分娩による急速遂娩は一般的選択と考えられます．羊水混濁を認めており，胎便吸引症候群にも注意が必要です．

5 これまでの経過から，今後の分娩経過について経過予測診断を行いましょう．

⇒高度遷延徐脈が1回であることや直前・回復後に基線細変動が保たれていることから，胎児がアシドーシスに陥っている可能性は低く，速やかに分娩が終了すれば，新生児仮死は回避できる可能性がある．しかし，蘇生処置の準備を行う必要がある．産婦には吸引分娩に伴う処置として導尿と会陰切開の実施が予測される．

6 助産診断はどのように設定されるでしょうか．優先順位も考えてみましょう．

1）胎児機能不全に起因する新生児仮死の可能性がある．
2）急速遂娩および胎児健康状態に対する産婦の不安の可能性がある．

4 助産計画の立案（目標と具体策）

1 どのような助産目標が考えられますか．

・産婦が吸引分娩の理由と目的を理解し，児が速やかに娩出される．

2 この助産目標に対して，どのような具体策が考えられますか．ここでは，正常分娩の分娩第2期のケア以外に吸引分娩の特徴的なケアについて考えてみましょう．
（正常分娩のケアについてはpp.31～33参照）

【観察プラン】
①陣痛周期と陰圧開始のタイミング
②吸引圧と児頭娩出状態
③吸引回数と吸引時間

【ケアプラン】
①吸引分娩の事前処置と処置介助（導尿，必要時会陰切開）．
②吸引分娩機器の準備と動作確認．
③新生児蘇生準備（機器，物品，薬品，人員，動作確認）．

【指導・説明・支持プラン】
①軟産道開大を阻害しないように導尿を行うことを説明する．
②吸引分娩は娩出力を補うもので，産婦自身の娩出力が重要であることを伝える．
③陣痛開始と吸引圧と産婦の呼吸のタイミングを見計らい，努責のタイミングを伝える．

5 その後の経過

多香子さんは，6:21に吸引分娩により男児を出生しました．分娩後の多香子さんと新生児の状態についてアセスメントしましょう．

追加情報

6:18　導尿，会陰切開（右正中側切開），胎児心拍数基線 125 bpm，一過性徐脈なし．
6:20　ソフトカップ，吸引圧 60 kPa，1 回．
6:21　児娩出（男児）．Apgar score 1 分 9 点（皮膚色－1）／ 5 分後 10 点，体重 3,250 g，身長 49.5 cm，臍帯動脈血 pH 7.22.「赤ちゃん大丈夫ですか？」
6:29　胎盤娩出（シュルツェ様式），子宮底の高さ：臍下 3 横指．子宮底の硬度：硬式テニスボール様，胎盤娩出までの出血量 264 mL，血圧 120/68 mmHg，脈拍 84 回/分．「気分は悪くないです．ほっとしました．ありがとうございます」

1 多香子さんの分娩後の健康状態について情報を挙げ，アセスメントしましょう．

情報　6:21　男児娩出．
6:29　胎盤娩出（シュルツェ様式），血圧 120/68 mmHg，脈拍 84 回/分，子宮底の高さ：臍下 3 横指，子宮底の硬度：硬式テニスボール様．胎盤娩出までの出血量 264 mL，「気分は悪くないです．ほっとしました．ありがとうございます」

⇒吸引分娩 1 回実施後，速やかに分娩が終了しました．胎盤娩出直後の子宮収縮状態，全身状態ともに良好です．現在，分娩第 4 期であるため，注意深い観察が必要です．

2 現在の新生児の健康状態について情報を挙げ，アセスメントしましょう．

情報　6:21　出生，体重 3,250 g，身長 49.5 cm，男児．
Apgar score 1 分 9 点（皮膚色－1）　5 分後 10 点，臍帯動脈血 pH 7.22.

⇒相当体重（AFD）児，アシドーシスはなく，新生児の健康状態は良好です．

文献

1）日本産科婦人科学会編：産科婦人科用語集・用語解説集．改訂第 4 版，p.220，日本産科婦人科学会，2018.
2）藤森敬也：胎児心拍数モニタリング講座．改訂第 3 版，p.102，メディカ出版，2019.
3）前掲 2）pp.114-122.
4）日本産科婦人科学会，日本産婦人科医会編集・監修：CQ406.「産婦人科診療ガイドライン　産科編 2023」．pp.213-218，日本産科婦人科学会，2023.

参考文献

・山田 学，他：吸引・鉗子分娩．周産期医学，41：363-367，2011.
・日本産科婦人科学会，日本産婦人科医会編集・監修：CQ407.「産婦人科診療ガイドライン　産科編 2023」．pp.219-221，日本産科婦人科学会，2023.

Ⅲ ハイリスク産婦・新生児のアセスメントとケア

1．妊娠高血圧症候群のある産婦

1 アセスメントに必要な知識

1 妊娠高血圧症候群（hypertensive disorders of pregnancy；HDP）の定義と病態，成因について確認しましょう．

- **定義**：妊娠時に高血圧を認めた場合，妊娠高血圧症候群とする（日本産科婦人科学会，2018年）．
- **病態**：本疾患は妊娠負荷に対する恒常性の維持機能が破綻し，適応不全を起こした状態であると考えられている．
- **成因**：成因は血管内皮障害，血管攣縮，血管新生障害，凝固異常，血小板・好中球の活性化などによる末梢循環不全であるという考え方が主流である．これらの因子は単独ではなく互いに影響しながら病態を悪化・進展させ，最終的に妊娠高血圧症候群の病態を完成すると考えられている．

2 妊娠高血圧症候群の病型分類について確認しましょう（表1）．

表1　妊娠高血圧症候群の病型分類

（1）妊娠高血圧腎症（preeclampsia）

1）妊娠20週以降に初めて高血圧を発症し，かつ，蛋白尿を伴うもので，分娩12週までに正常に復する場合

2）妊娠20週以降に初めて発症した高血圧に，蛋白尿を認めなくても以下のいずれかを認める場合で，分娩12週までに正常に復する場合

　ｉ）基礎疾患のない肝機能障害（肝酵素上昇【ALTもしくはAST>40 IU/L】，治療に反応せず他の診断がつかない重度の持続する右季肋部もしくは心窩部痛）

　ⅱ）進行性の腎障害（Cr>1.0 mg/dL，他の腎疾患は否定）

　ⅲ）脳卒中，神経障害（間代性痙攣・子癇・視野障害・一次性頭痛を除く頭痛など）

　ⅳ）血液凝固障害（HDPに伴う血小板減少【<15万/μL】・DIC・溶血）

3）妊娠20週以降に初めて発症した高血圧に，蛋白尿を認めなくても子宮胎盤機能不全（胎児発育不全【FGR】，臍帯動脈血流波形異常，死産）を伴う場合

（2）妊娠高血圧（gestational hypertension）

妊娠20週以降に初めて高血圧を発症し，分娩12週までに正常に復する場合で，かつ妊娠高血圧腎症の定義に当てはまらないもの

(3) 加重型妊娠高血圧腎症（superimposed preeclampsia）

1）高血圧が妊娠前あるいは妊娠 20 週までに存在し，妊娠 20 週以降に蛋白尿，もしくは基礎疾患のない肝腎機能障害，脳卒中，神経障害，血液凝固障害のいずれかを伴う場合

2）高血圧と蛋白尿が妊娠前あるいは妊娠 20 週までに存在し，妊娠 20 週以降にいずれかまたは両症状が増悪する場合

3）蛋白尿のみを呈する腎疾患が妊娠前あるいは妊娠 20 週までに存在し，妊娠 20 週以降に高血圧が発症する場合

4）高血圧が妊娠前あるいは妊娠 20 週までに存在し，妊娠 20 週以降に子宮胎盤機能不全を伴う場合

(4) 高血圧合併妊娠（chronic hypertension）

高血圧が妊娠前あるいは妊娠 20 週までに存在し，加重型妊娠高血圧腎症を発症していない場合.

（日本産科婦人科学会：妊娠高血圧症候群新定義・臨床分類．2018．をもとに作表）

3 妊娠高血圧症候群における高血圧と蛋白尿の診断基準について確認しましょう[1].

- **血圧**：収縮期血圧 140 mmHg 以上，または拡張期血圧 90 mmHg 以上.
- **蛋白尿**：① 24 時間尿でエスバッハ法などによって 300 mg/ 日以上の蛋白尿が検出された場合.
  ②随時尿で protein/creatinine（P/C）比が 0.3 mg/mg・CRE 以上である場合.
  ③ 24 時間蓄尿や随時尿での P/C 比測定のいずれも実施できない場合には，2 回以上の随時尿を用いたペーパーテストで 2 回以上連続して尿蛋白 1+ 以上陽性が検出された場合.

【重症】次のいずれかに該当する場合.

- **血圧**：① 妊娠高血圧・妊娠高血圧腎症・加重型妊娠高血圧腎症・高血圧合併妊娠において，血圧が次のいずれかに該当する場合.
  収縮期血圧 160 mmHg 以上の場合／拡張期血圧 110 mmHg 以上の場合.
  ②妊娠高血圧腎症・加重型妊娠高血圧腎症において，母体の臓器障害または子宮胎盤機能不全を認める場合.
- **蛋白尿**：蛋白尿の多寡による重症分類は行わない.

4 妊娠高血圧症候群の発症時期による分類について確認しましょう[1].

- **早発型**：妊娠 34 週未満に発症
- **遅発型**：妊娠 34 週以降に発症

発症時期は，重症度や予後に強く関連し，早発型は，胎児の発育が障害されていることが多く，遅発型は障害されていないことが多い.

5 妊娠高血圧症候群の母体のリスク要因を考えてみましょう[1].

①**年齢**：15 歳以下，35 歳以上
②**体型**：肥満（BMI 25 以上）
③**合併症**：高血圧症，腎症，糖尿病，抗リン脂質抗体症候群

④**遺伝的素因**：妊娠高血圧腎症，高血圧，２型糖尿病の家族歴
⑤**出産回数**：初産
⑥**妊娠関連**：妊娠間隔（5年以上），妊娠高血圧症候群の既往，多胎妊娠，妊娠初期血圧高値
⑦**遺伝子多型**
⑧**生殖補助医療**

6 妊娠高血圧症候群の母児への影響を考えてみましょう[2)]．

- **母体への影響**：子癇（痙攣），脳出血，皮質盲[*1]，浮腫性網膜剥離，肺水腫，HELLP症候群，肝機能障害，腎機能障害，常位胎盤早期剥離
- **胎児・新生児への影響**：胎児発育不全（FGR），胎児低酸素症，羊水過少，低出生体重児，新生児仮死，子宮内胎児死亡

7 妊娠高血圧症候群の治療について理解しましょう[3)]．

- 妊娠高血圧症候群と診断された妊婦には，おもに安静，食事療法，薬物療法による治療を行う．
- 妊娠高血圧腎症，加重型妊娠高血圧腎症，重症妊娠高血圧，重症高血圧合併妊娠は原則として入院管理を行う．
- 収縮期血圧≧160 mmHgかつ/または拡張期血圧≧110 mmHgを複数回認める場合は，「高血圧緊急症」を念頭におき速やかに降圧を行い，原則入院とする．

8 子癇（eclampsia）について確認しておきましょう．

- **定義・病態**

子癇は，妊娠高血圧症候群の重症型とされ，脳血管攣縮による一過性脳虚血や脳血流量の自動調節機能破綻に伴う脳血流量増加によって痙攣発作が生じるとされる．

子癇の発作は意識消失に始まり，瞳孔散大，眼球上転などから全身性の強直性痙攣（後弓反張），次いで間代性痙攣に移行する．痙攣は1～2分で弱まり，その後昏睡に陥る．軽症では次第に意識を回復するが，重症では昏睡状態のまま，発作を繰り返す．前駆症状には頭痛，頭重，嘔気，眼華閃発，腱反射亢進，上腹部痛などがある．

- **子癇と脳血管障害の鑑別**[3)]

子癇を診断する際，脳血管障害（くも膜下出血，脳出血，脳梗塞）などの疾患に伴う痙攣発作との鑑別が重要である．片麻痺などの局所神経症状がみられる場合，昏睡が持続する場合，硫酸マグネシウム水和物を投与しても痙攣が続く場合などは，脳血管障害の可能性も考慮する．

[*1] 皮質盲とは，後頭領皮質の病変による視覚障害であり，すでに高血圧脳症が起こっているため子癇発作移行の可能性が高くなる．

9 子癇発作時の対応について考えながら，助産師としての行動を整理してみましょう[3)].

①転落を防止する（分娩台のサイドフェンスやサイドレールを使用する）.
②安静を保持し，外的刺激を避ける（室内カーテンを閉め，暗くする）.
③静脈ルート確保
④気道確保（顔を横に向ける）
⑤酸素投与
⑥モニター装着（ECG，パルスオキシメータなど）
⑦血圧測定（自動血圧計）
⑧薬剤の投与（抗痙攣薬，降圧剤，鎮静薬）
⑨胎児心拍数モニタリング
⑩子癇再発予防のために硫酸マグネシウム水和物を急速投与し，引き続き持続投与を行う.
⇒その後，母体の症状が落ち着いたら，児の健康状態を把握し，急速遂娩の是非を判断する.

10 HELLP（ヘルプ）症候群の定義と症状を確認しておきましょう.

- **定義**：HELLP 症候群とは妊産婦に発症し，妊娠高血圧症候群と共通の病態を有しており，Hemolysis（溶血），Elevated Liver enzyme（肝酵素上昇），Low Platelet（血小板減少）という 3 徴がみられる症候群をいう．90% に妊娠高血圧症候群の合併を認める.
- **症状**：症状は妊娠末期から産褥 3 日目に多く出現し，突然の上腹部・季肋部痛，悪心，嘔吐などがみられる．合併症として，子癇，DIC，常位胎盤早期剥離，腎不全，肺水腫を起こすことがある．胎児機能不全の頻度が高いため，急速遂娩として帝王切開術を要することが多い.

11 HELLP 症候群の診断基準と治療について知識を確認しましょう.

- **診断基準**：**表 2** 参照.

表 2　HELLP 症候群の診断基準（Sibai の基準）

溶血	・血清間接ビリルビン値＞1.2 mg/dL ・血清 LDH 値＞600 IU/L ・病的赤血球の出現
肝機能	・血清 AST(GOT) 値＞70 IU/L ・血清 LDH＞600 IU/L
血小板数減少	・血小板数＜ 10 万 /mm^3

- **治療**：妊娠の終結が唯一の治療である．速やかに妊娠を終結することが望ましい．分娩様式は必ずしも帝王切開術を行う必要はなく，軽症例では一般の産科適応に準じ，経腟分娩を試みる.

⑫経腟分娩時の妊娠高血圧症候群の管理について考えてみましょう．

①静脈ラインの確保と輸液
②降圧薬，抗痙攣薬，硫酸マグネシウム水和物などの薬剤準備
③自動血圧計を使用し，定期的な血圧測定
④救急カートの準備
⑤環境整備（安静を保持し，部屋を暗くし外的刺激をなるべく避ける）
⑥胎児心拍数モニタリング

2 事例の情報整理と情報の分析・解釈・統合（アセスメント）

あなたは陣痛室でまき子さんを受け持つことになりました．この事例をアセスメントして，援助していくプロセスを一緒に考えましょう．

まき子さんの妊娠・分娩状況

36 歳，美容師，夫は 32 歳（美容師），両親学級受講なし．
身長 158 cm，体重 72 kg（非妊時体重 65 kg，BMI 26.0），血液型 O 型（Rh＋）．
既往歴：なし．
家族歴：実母が高血圧症．
産科歴：1 妊 0 産．
検査：感染症なし．
　前期　RBC $352 \times 10^4/\mu L$，WBC 7,200/μL，Hb 11.2 g/dL，Ht 34%，PLT $30 \times 10^4/\mu L$．
　後期　RBC $348 \times 10^4/\mu L$，WBC 8,400/μL，Hb 10.8 g/dL，Ht 33%，PLT $32 \times 10^4/\mu L$．
妊娠経過：
　妊娠 10 週　血圧 122/86 mmHg，尿蛋白（－），尿糖（－），浮腫（－）．
　妊娠 26 週　血圧 130/88 mmHg，尿蛋白（＋），尿糖（－），浮腫（＋），自覚症状なし．
　　前回の妊婦健診より 2 週間で体重増加＋ 2 kg　助産師より自宅安静と栄養指導（減塩食）が行われた．
　妊娠 28 週　血圧 120/80 mmHg，尿蛋白（－），尿糖（－），浮腫（－）．
　　前回の妊婦健診より体重増加＋0.8 kg．
　妊娠 34 週　血圧 142/90 mmHg，尿蛋白（＋），尿糖（－），浮腫（＋）．
　　高血圧の自覚症状なし，栄養指導（2 回目）．
　妊娠 37 週　血圧 146/96 mmHg，尿蛋白（＋），尿糖（－），浮腫（＋＋），GBS（－）．
　　ときどき頭が痛くなることがある．体重増加＋6 kg．
　　内診所見は子宮口開大 2 cm，展退 30%．
　　胎児推定体重 2,676 g（±0 SD），AFI 18 cm，NST は reactive，胎位は第 1 頭位．

分娩経過：妊娠 38 週 0 日
5:00　陣痛発来.
6:00　夫に付き添われて入院する.
体温 36.4℃，脈拍 78 回/分，血圧 144/96 mmHg，高血圧の自覚症状なし.
陣痛周期 9〜10 分，陣痛持続時間 20〜30 秒.
内診所見は子宮口開大 2 cm，展退 30%，St−3，子宮頸部の硬度：中，子宮口位置：後方．未破水，CTG 所見は well-being.
10:00　陣痛周期 7〜9 分，陣痛持続時間 30 秒.
内診所見は子宮口開大 3 cm，展退 40%，St−3，子宮口位置：後方.
子宮頸部の硬度：中，破水なし，CTG 所見は well-being，血圧 148/98 mmHg，自覚症状なし，朝食は数口摂取しただけでその後は水分のみ摂取している．入院時はベッド上座位で過ごしていたが，現在は臥床し，夫が腰部をマッサージしている.
「陣痛がこんなに痛いとは思わなかった．いつになったら赤ちゃんは産まれてくるの？」陣痛間欠時も全身に力を入れている.

1 まき子さんの全体像の把握のために情報を整理し，以下の項目についてアセスメントしましょう.

- 年齢，初経産
  ⇒36 歳の初産婦です.
- 身長，体重，BMI
  ⇒身長 158 cm，体重は非妊時 65 kg，BMI 26.0 の肥満（1 度）です．妊娠高血圧症候群のため栄養指導も受け，体重は 7 kg 増加に抑えられています.
- 既往歴，産科歴，家族歴
  ⇒実母に高血圧症の既往があり，今回の妊娠高血圧症候群発症は高年初産婦と肥満に加えて遺伝的素因が考えられます.
- 今回の妊娠経過
  ⇒感染症はありません．Hb 10.8 g/dL の妊娠性貧血ですが，その他の血液データに異常は認められません．血圧は妊娠 10 週では正常でしたが，妊娠 26 週より上昇傾向になり，2 週間で 2 kg の体重増加も認められたことから，安静と減塩食の栄養指導が行われました．妊娠 28 週に血圧は一度下降したものの，妊娠 34 週から再び上昇，尿蛋白（＋）から妊娠高血圧症候群と診断されました.
- 胎児の発育状況
  ⇒妊娠 37 週で胎児推定体重 2,676 g（± 0 SD），AFI 18 cm，NST は reactive より胎児は順調な発育であるといえます.

3 事例の助産診断の導き方と助産診断の決定

1 現在の分娩進行状況について判断してみましょう．

・**時期診断**

⇒妊娠 38 週 0 日　正期産，分娩期（潜伏期）である．

・**根拠**

⇒最終妊婦健診時（妊娠 37 週）は子宮口開大 2 cm，陣痛開始 5 時間後は子宮口開大 3 cm であるため．

2 分娩開始から現在までの経過診断をしましょう．まき子さんの分娩への適応を含め，以下の分娩の 4 要素の項目について必要な情報を挙げ，アセスメントしましょう．

1）娩出力

情報　36 歳，初産婦，陣痛周期 7～9 分，陣痛持続時間 30 秒，子宮口開大 3 cm，朝食は数口摂取でその後は水分のみ．入院時はベッド上座位で過ごしていたが，現在は臥床で過ごしている．

⇒陣痛開始後 5 時間で初産婦の分娩経過としては良好です．

2）産道

情報　初産婦，身長 158 cm，非妊時 BMI 26.0，体重増加＋7 kg，子宮口開大 3 cm，胎児推定体重 2,676 g（± 0 SD）

⇒非妊時 BMI 26.0 と肥満でしたが，栄養指導により体重は 7 kg の増加に抑えられています．産婦の身長と胎児の胎児推定体重からも児頭骨盤不均衡の可能性は低く，骨産道・軟産道に分娩進行を大きく妨げる要因はありません．

3）胎児およびその付属物

情報　妊娠 38 週 0 日，胎児推定体重 2,676 g（±0 SD），胎児異常なし，AFI 18 cm，胎位：第 1 頭位，CTG は well-being，未破水

⇒産婦は妊娠高血圧症候群ですが，CTG 所見より胎児の well-being が確認されており，胎児の健康状態は良好です．

4）母体精神

情報　初産婦，夫が腰部をマッサージしている，「陣痛がこんなに痛いとは思わなかった．いつになったら赤ちゃんは産まれてくるの？」，陣痛間欠時も全身に力を入れている．

⇒初産婦のため先の見えない分娩経過と陣痛に対し不安が強いことがわかります．しかし，夫

による温かいサポートが得られており，体位を工夫しながら分娩第 1 期を過ごすことができています．

3 まき子さんの現在の身体的健康状態について情報を挙げ，アセスメントしましょう．

情報 体温 36.4℃，脈拍 78回/分，血圧 144/96 mmHg（6 時）→ 146/98 mmHg（10 時），子癇前駆症状なし，未破水，朝食は数口摂取でその後は水分のみ

⇒血圧は分娩経過に伴い上昇傾向にあり，妊娠高血圧症候群に該当します．頭痛や嘔気など子癇前駆症状は出現していません．しかし，食事が十分に摂取できておらず，エネルギー不足であるといえます．

4 現在の胎児の健康状態について情報を挙げ，アセスメントしましょう．

情報 妊娠 38 週 0 日．胎児推定体重 2,676 g（±0 SD），胎児異常なし，AFI 18 cm，胎位は第 1 頭位，CTG は well-being，未破水

⇒妊娠 38 週 0 日の正期産であり，胎児推定体重から順調な発育であるといえます．羊水量も正常で，CTG 所見から現在のところ心拍数の異常も認めず，胎児の健康状態は良好です．

5 リスクとウェルネスの視点でアセスメントし，分娩第 4 期までの経過について予測して，助産ケアのポイントを考えてみましょう．

- 分娩進行

⇒これまでの経過および高年初産婦，肥満，エネルギー不足という点から，ゆっくりとした分娩進行が予測されます．妊娠高血圧症候群のため，血圧は分娩進行に伴い上昇する可能性が高いです．子癇や HELLP 症候群を発症する危険性も考えられるため，分娩中から自動血圧計を使用した定期的な血圧測定，静脈ラインの確保と補液，環境整備（安静が保持できるよう部屋を暗くする）などの予防的ケアが必要です．さらに，血圧上昇や子癇発症に備えて，必要な薬剤や救急カートなどを準備したうえで援助することが大切です．

また，産婦や胎児の健康状態から急速遂娩の可能性もあるため，できれば帝王切開術に関する準備もしておくことが望ましいです．経腟分娩の場合，妊娠高血圧症候群のため弛緩出血のリスクもあり，分娩第 3 期の胎盤娩出後はすぐに子宮収縮状態を観察し，腹部の冷罨法や子宮収縮薬の使用もあらかじめ検討しておく必要があります．分娩第 4 期では血圧や子癇前駆症状に十分注意するとともに，産褥子癇も考慮して，帰室する部屋の環境に配慮することが大切です．

- 産婦の健康状態

⇒現在，血圧は 146/98 mmHg と妊娠高血圧症候群に該当しますが，自覚症状もなく落ち着いています．分娩進行に伴い血圧は上昇する可能性が高く，子癇や HELLP 症候群を発症す

る危険性もあります．分娩中は脱水を防ぐために適切な補液管理をします．また，分娩第1期からの点滴や分娩監視装置の装着，定期的な血圧測定など，産婦の行動を制限してしまうため，できるだけ落ち着いた気持ちで過ごせるよう体位を工夫し，分娩進行に合わせた言葉かけや環境整備のほか，夫からのサポートが十分に受けることができるよう配慮します．

- **胎児の健康状態**

⇒現在，胎児の健康状態は良好です．しかし，今後血圧上昇に伴い，胎児は低酸素状態を引き起こしやすくなります．また，胎児機能不全のリスクも高いため，継続的な胎児心拍数モニタリングが必要です．

6 助産診断はどのように設定されるでしょうか．優先順位も考えてみましょう．

1）妊娠高血圧症候群に関連した血圧上昇に伴う子癇やHELLP症候群の発現のリスクがある．
2）妊娠高血圧症候群に関連した胎児機能不全のリスクがある．

4　助産計画の立案（目標と具体策）

1 どのような助産目標が考えられますか．

1）子癇やHELLP症候群を起こすことなく進行し，分娩が終了する．
2）胎児機能不全を起こすなど胎児の健康状態が悪化しない．

2 助産目標 1）に対して，どのような具体策が考えられますか．

ここでは，正常分娩のケア以外に妊娠高血圧症候群の特徴的なケアについて考えてみましょう．

（正常分娩のケアはpp.21～23参照）

【観察プラン】

①血圧
②子癇前駆症状（頭重感，頭痛，眼華閃発など）
③上腹部痛や上腹部違和感
④血液データ（血算，凝固系，肝機能など）
⑤食事摂取量の把握（絶飲食，もしくは状況に合わせた飲食）

【ケアプラン】

①静脈ラインの確保と輸液
②降圧薬，抗痙攣薬，硫酸マグネシウム水和物などの薬剤準備
③自動血圧計を使用し，定期的な血圧測定
④救急カートの準備
⑤環境整備（部屋を暗くする，アロマ，音楽をかけるなど）
⑥継続的な胎児心拍数モニタリング
⑦緊急帝王切開の準備

【指導・説明・支持プラン】

①安静の必要性を説明し，安楽な体位をとるように促す．

②子癇前駆症状や上腹部痛などの症状がみられたら，ナースコールで知らせるよう説明する．

3 助産目標 2）に対して，どのような具体策が考えられますか．

【観察プラン】

正常分娩 pp.21〜23 に準ずる．

【ケアプラン】

①新生児蘇生の準備の準備をする．

②救急カートの準備をする．

③小児科医，NICU（小児科）スタッフにも分娩進行状態，胎児の様子を報告する．

【指導・説明・支持プラン】

なし．

文献

1）日本妊娠高血圧学会：妊娠高血圧症候群の診療指針 2021 Best Practice Guide．メジカルビュー社，2021．
2）日本妊娠高血圧学会編：よくわかる妊娠高血圧症候群 Q&A―新基準のガイダンス．p.11，金原出版，2011．
3）日本産科婦人科学会，日本産婦人科医会編集・監修：CQ309-1〜3．「産婦人科診療ガイドライン　産科編 2023」．pp.176-188，日本産科婦人科学会，2023．

参考文献

・吉留厚子，古山美穂：妊娠高血圧症候群．「今日の助産―マタニティサイクルの助産診断・実践過程―」．北川眞理子，内山和美編，改訂第 4 版，pp.206-216，南江堂，2019．
・江口勝人：妊娠高血圧症候群のすべて―保健指導・妊産婦管理へのアドバイス―．pp.46-51，pp.90-97，メディカ出版，2007．
・武谷雄仁，他：妊娠高血圧症候群．「プリンシプル産科婦人科学 2」．第 3 版，pp.320-342，メジカルビュー社，2014．
・岡本愛光監修：高血圧性疾患．「ウィリアムス産科学」．原著第 25 版，pp.878-936，南山堂，2019．

2. 妊娠糖尿病のある産婦・新生児
1）産 婦

1 アセスメントに必要な知識

1 妊娠糖尿病（gestational diabetes mellitus；GDM）の定義について確認しましょう（表1）.

妊娠糖尿病とは，妊娠中にはじめて発見，または発症した糖代謝異常のことである．しかし，overt diabetes in pregnancy（妊娠時に診断された明らかな糖尿病）は妊娠糖尿病に含めない.

2 妊娠が糖代謝異常を誘発しやすい理由について考えてみましょう.

妊娠すると，胎盤の形成とともに，卵巣に代わって胎盤からエストロゲン，プロゲステロン，ヒト胎盤性ラクトゲン，ヒト絨毛性ゴナドトロピンなどの産生が増加する．特にヒト胎盤性ラクトゲンなどはインスリン抵抗ホルモンでもあるため，インスリンが効きにくい状態を引き起こし，母体から胎児へ送るブドウ糖を多くすることで，胎児に栄養を与える働きがある．つまり，このインスリン抵抗性が妊娠中の糖代謝異常を誘発する状態をつくっている.

この状況は，妊娠すると生理的な変化として起こるものである．しかし，妊娠中は妊娠していないときより多くのインスリンが必要になり，血糖値が高くなりやすい状態であることから，妊婦自身が高年妊娠（35歳以上）や肥満傾向，糖尿病の家族歴があるなど糖尿病の素因がある場合には，妊娠中に糖代謝異常が顕在化する可能性が高くなる.

3 妊娠糖尿病の診断基準について確認しましょう（表1）.

75 gOGTT[*1]において次の基準の1点以上を満たした場合に診断する.
- 空腹時血糖値　≧ 92 mg/dL
- 1時間値　≧ 180 mg/dL
- 2時間値　≧ 153 mg/dL

*1 OGTT（oral glucose tolerance test）とは，ブドウ糖を経口的に投与した後，尿糖および血糖値の変動を調べることでブドウ糖の処理能力を検索する検査.

表 1　妊娠中の糖代謝異常と診断基準（2015 年 8 月より使用）

妊娠中に取り扱う糖代謝異常 hyperglycemic disorders in pregnancy には，1）妊娠糖尿病 gestational diabetes mellitus（GDM），2）妊娠中の明らかな糖尿病 overt diabetes in pregnancy，3）糖尿病合併妊娠 pregestational diabetes の 3 つがある．

妊娠糖尿病 gestational diabetes mellitus（GDM）は，「妊娠中にはじめて発見または発症した糖尿病に至っていない糖代謝異常である」と定義され，妊娠中の明らかな糖尿病，糖尿病合併妊娠は含めない．

3 つの糖代謝異常は，次の診断基準により診断する．

【診断基準】

1）妊娠糖尿病 gestational diabetes mellitus（GDM）

75 gOGTT において次の基準の 1 点以上を満たした場合に診断する．

①空腹時血糖値　≧ 92 mg/dL　（5.1 mmol/L）
②1 時間値　≧ 180 mg/dL　（10.0 mmol/L）
③2 時間値　≧ 153 mg/dL　（8.5 mmol/L）

2）妊娠中の明らかな糖尿病 overt diabetes in pregnancy（註 1）

以下のいずれかを満たした場合に診断する．

①空腹時血糖値　≧ 126 mg/dL
② HbA1c 値　≧ 6.5%
＊随時血糖値≧ 200 mg/dL あるいは 75 gOGTT で 2 時間値≧ 200 mg/dL の場合は，妊娠中の明らかな糖尿病の存在を念頭に置き，①または②の基準を満たすかどうか確認する（註 2）．

3）糖尿病合併妊娠 pregestational diabetes mellitus

①妊娠前にすでに診断されている糖尿病
②確実な糖尿病網膜症があるもの

註 1　妊娠中の明らかな糖尿病には，妊娠前に見逃されていた糖尿病と，妊娠中の糖代謝の変化の影響を受けた糖代謝異常，および妊娠中に発症した 1 型糖尿病が含まれる．いずれも分娩後は診断の再確認が必要である．
註 2　妊娠中，特に妊娠後期は妊娠による生理的なインスリン抵抗性の増大を反映して糖負荷後血糖値は非妊時よりも高値を示す．そのため，随時血糖値や 75 gOGTT 負荷後血糖値は非妊時の糖尿病診断基準をそのまま当てはめることはできない．

これらは妊娠中の基準であり，出産後は改めて非妊娠時の「糖尿病の診断基準」に基づき再評価することが必要である．
〔日本糖尿病・妊娠学会：妊娠中の糖代謝異常と診断基準の統一化について．糖尿病と妊娠，15(1)，2015．より引用〕

4 妊娠糖尿病のリスク要因を考えてみましょう[1]．

- 肥満
- 2 型糖尿病の家族歴
- 妊娠糖尿病の既往
- 多胎妊娠
- 多嚢胞性卵巣症候群
- 巨大児分娩の既往
- 高齢出産

5 高血糖が母児に与える影響を考えてみましょう．

1）母体への影響

- 高血糖は細小血管障害を引き起こす要因となりやすく，これに起因する糖尿病合併症（糖尿病性網膜症・糖尿病性腎症など）を悪化させやすい．
- 妊娠高血圧症候群の合併が多い．

2）胎児への影響

- 母体の高血糖は，妊娠初期では先天性形態異常，中期から末期では胎児のインスリン過多を引き起こす．
- 胎児のインスリン過多は胎児の成長を促進し，巨大児になる．巨大児では分娩時の肩甲難産のリスクに留意する．
- 胎児の高血糖は血管内の浸透圧を上昇させ，浸透圧利尿のため多尿となり，羊水過多症の原因となる．

6 妊娠中の妊娠糖尿病のスクリーニング法について確認しましょう[2)].

- **糖代謝異常のスクリーニングを全妊婦に行う．**
- **スクリーニングは以下に示す 2 段階法を用いて行う．**
  ①妊娠初期に随時血糖を測定する（カットオフ値は 95 もしくは 100 mg/dL など各施設で独自に設定する）．
  ②妊娠中期（妊娠 24～28 週）に検査を行い，50 gGCT ≧ 140 mg/dL を陽性，あるいは随時血糖≧ 100 mg/dL を陽性とする．
- **血糖値が基準を超えた場合に診断検査（妊娠初期は 75 gOGTT か HbA1c，妊娠中期は 75 gOGTT）を行う．**

7 妊娠糖尿病の治療についておもなものを挙げてみましょう[3)].

妊娠糖尿病の多くは食事療法と運動療法で十分とされるが，いずれの方法においても低血糖発作に十分注意し，妊婦の状態に合わせて実施する．

- **目標血糖値**
  目標血糖値については明らかなエビデンスがないが，以下の指標を参考にする．
  ①空腹時 95 mg/dL 未満かつ食後 1 時間値 140 mg/dL 未満，あるいは空腹時 95 mg/dL 未満かつ食後 2 時間値 120 mg/dL 未満．
  ② HbA1c 6.5％未満，グリコアルブミン（GA）15.8％未満．
- **食事療法**
  ① 1 日あたりの推定エネルギー必要量の目安（付加量は施設によって異なる）
  非肥満妊婦（非妊時 BMI ＜ 25）：標準体重（kg）[*2]× 30 kcal ＋ 200 kcal あるいは
  標準体重（kg）[*2]× 30 kcal ＋ 50～450 kcal（時期により変更）
  肥満妊婦（非妊時 BMI ≧ 25）：標準体重（kg）[*2]× 30 kcal
  ②高血糖を予防し，血糖の変動を少なくするために，1 日 5～6 回に分けて摂る分割食が有効である．

[*2] 標準体重＝身長（m）^{2}×22

・**運動療法**

妊娠期は安静の必要がないかぎり，妊婦体操や散歩といった妊婦自身が実行できるような運動を選択する．

・**自己血糖測定（self-monitoring of blood glucose；SMBG）**

SMBGの回数やタイミングに決まりはないが，妊婦の血糖管理状況，妊娠週数，インスリン療法実施の有無，心理的負担などを考慮して行う．SMBG実施のタイミングとしては，早朝空腹時，食前，食後（1時間ないし2時間），就寝前などがある．

・**インスリン療法**

適正な食事療法や運動療法を行っても血糖管理目標が達成できない場合は，インスリン療法を開始する．通常は毎回の食事前の速効型（または超速効型）および就寝前の中間型インスリン頻回皮下注射による強化インスリン療法[*3]やインスリン持続皮下注入療法を行う．経口血糖降下薬は催奇形性などに関して胎児の安全性が確認されておらず，胎盤通過性もあるため，妊婦への投与は一般的に禁忌である．授乳中も，経口血糖降下薬は乳汁に移行するので使用しない．

8 分娩中から分娩直後の血糖コントロールの注意点について考えてみましょう[2)].

- 妊娠糖尿病を含む糖代謝異常妊婦の分娩時期や分娩法は，各症例にあわせて決定する．
- 分娩進行中のインスリン必要量は，分娩第1期には減少し，第2期にはやや増加する．さらに分娩進行に伴い食事摂取が困難になるため，注意深い血糖管理が必要になる．
- 妊娠中の血糖コントロールが良好であっても，分娩進行中の血糖コントロールが不良であれば，新生児は低血糖を起こす可能性が高くなる．
- インスリンによる血糖コントロールを行っているケースでは，分娩中は5％ブドウ糖液100 mL/時の輸液を行い，1〜4時間おきに血糖値を測定し，血糖値を70〜120 mg/dLに維持し，必要に応じて速効型インスリンを使用する．
- 分娩直後（分娩後24時間以内）は，血糖コントロールが非常に難しい時期である．胎盤が娩出されても，まだ完全には胎盤産生ホルモンの影響が残っていること，分娩によるストレスホルモンの影響などがあることから，一時的に血糖の上昇がみられる場合がある．分娩時に糖分が入った点滴を行えば，その影響を受けることも考えておかなければならない．その後は胎盤ホルモン低下に伴い，インスリン需要量が低下するので低血糖に十分注意し，適宜インスリンの減量など行い血糖値を維持していく．
- 緊急時の対応として，分娩直後の新生児の状況によってはNICUへの入院も考えられるため，小児科医，NICUスタッフと連携をとりながら，分娩進行状況，胎児の様子など逐次伝えていく．

---

*3 強化インスリン療法：生理的なインスリン分泌パターンに近づけるためインスリン注射の種類・回数・方法に力点をおいた方法．

2 事例の情報整理と情報の分析・解釈・統合（アセスメント）

あなたは，妊娠糖尿病のあるゆう子さんを分娩室で午前8時から受け持つことになりました．この事例をアセスメントして，援助していくプロセスを一緒に考えていきましょう．

ゆう子さんの妊娠・分娩状況

29歳，初産婦，小学校教諭．夫は会社員，両親学級の受講あり．
身長158 cm　非妊時体重53 kg，BMI 21.2，血液型A型Rh（＋）．
既往歴：なし
家族歴：実母が2型糖尿病で経口血糖降下薬（スルフォニール尿素剤）内服中．
産科歴：1妊0産
検査：感染症なし
　前期　RBC 350×10^4/μL，WBC 7,200/μL，Hb 11.2 g/dL，Ht 34%，PLT 30×10^4/μL．
　後期　RBC 348×10^4/μL，WBC 8,600/μL，Hb 10.2 g/dL，Ht 32%，PLT 32×10^4/μL．
妊娠経過：
　妊娠9週　随時血糖値96 mg/dL，血圧112/84 mmHg
　妊娠24週　50 gGCT：145 mg/dL．
　妊娠26週　75 gOGTT：空腹時血糖値90 mg/dL，1時間値190 mg/dL，2時間値144 mg/dL，HbA1c 5.9%．管理栄養士により栄養指導1,900 kcal．
　妊娠28週　血圧124/82 mmHg，妊娠26週健診より体重増加＋3 kg，栄養指導1,900 kcal．
　妊娠30週　随時血糖値102 mg/dL，HbA1c 5.6%．
　妊娠38週　胎児推定体重3,650 g，AFI 17 cm，NST所見reactive，胎位 第2頭位．体重増加＋10 kg，骨盤入口部撮影法（Marutius）と骨盤側面撮影法（Guthmann）にて児頭骨盤不均衡なし．
分娩経過：
　妊娠38週3日
　0:00　陣痛開始で入院となる．「2日前からお腹の張りがあって，あまり眠れていません」
　体温36.6℃，脈拍72回/分，血圧130/88 mmHg，血糖値95 mg/dL．
　陣痛周期9～10分，陣痛持続時間20～30秒．
　内診所見は子宮口開大2 cm，展退30%，St−3，子宮頸部の硬度：中，子宮口位置：後方，破水なし．CTG所見はwell-being，夕食摂取，夫が付き添っている．
　8:00　陣痛周期6分，陣痛持続時間20～30秒．
　子宮口開大4 cm，展退50%，St−2，破水なし．
　CTG所見はwell-being，体温36.9℃，脈拍82回/分，トイレにて自尿あり．
　食事は朝食を数口摂取したのみであとはお茶のみ．血糖値88 mg/dL．
　現在，陣痛室で座位になり夫と手を握りながら過ごしている．陣痛発作時は苦痛様表情，間欠期にはウトウトしている．
　「陣痛はつらい．でも，私の母もこうやって私を産んでくれたと思うと頑張れそうです．早く子どもの顔が見たい」

1 ゆう子さんの全体像の把握のために情報を整理し，以下の項目をアセスメントしましょう．

- 年齢，初経産
  ⇒29 歳の初産婦です．
- 身長，体重，BMI
  ⇒身長 158 cm，体重は非妊時 53 kg，BMI 21.2 の普通体型です．妊娠糖尿病のため栄養指導を行い，体重増加は＋10 kg と妊娠中の体重増加指導の目安の範囲内です．
- 既往歴，産科歴，家族歴
  ⇒今回の妊娠糖尿病の発症は，妊娠期の過度の体重増加に加えて，実母が 2 型糖尿病であることから遺伝的素因も考えられます．
- 今回の妊娠経過
  ⇒血糖値は妊娠 9 週に正常（96 mg/dL）でしたが，妊娠 24 週の糖代謝異常スクリーニングで 50 gGCT が 145 mg/dL と基準値の 140 mg/dL 以上を超えたため陽性と判断されました．75 gOGTT では 1 時間値が 190 mg/dL と基準値を超え，診断基準を 1 点満たしているために妊娠糖尿病と診断されました．そのため，妊娠 26 週から食事療法が始まり，妊娠 30 週には HbA1c 5.6%に低下し，血糖値はコントロール良好といえます．
- 胎児の発育状況
  ⇒妊娠 38 週で胎児推定体重 3,650 g と過剰な発育が予測されますが，AFI 17 cm，NST は reactive であることからは胎児は well-being な状態であるといえます．

3 事例の助産診断の導き方と助産診断の決定

1 ゆう子さんの現在の分娩進行状態について判断してみましょう．

- 時期診断
  ⇒妊娠 38 週 3 日正期産，分娩期（潜伏期）である．
- 根拠
  ⇒陣痛を認めるが，陣痛開始後 8 時間で子宮口開大 2 cm → 4 cm であるため．

2 分娩開始から現在までの経過診断をしましょう．ゆう子さんの分娩への適応を含め，以下の分娩の 4 要素の項目について必要な情報を挙げ，アセスメントしましょう．

1）娩出力

情報　29 歳，初産婦，陣痛周期 6 分，陣痛持続時間 20～30 秒，陣痛開始後 8 時間で子宮口開大 4 cm，陣痛発作時は苦痛様表情で，間欠期にはウトウトしている．

⇒初産婦の分娩進行状況としては順調な経過です．

2）産道

情報 初産婦，身長 158 cm，非妊時 BMI 21.2，体重増加＋10 kg，胎児推定体重 3,650 g，骨盤入口部撮影法（Marutius）・骨盤側面撮影法（Guthmann）の結果から児頭骨盤不均衡なし，子宮口開大 4 cm，St－2.

⇒児は妊娠週数と比して胎児推定体重 3,650 g と過剰な発育です．しかし，X 線撮影結果から児頭骨盤不均衡は否定され，入院時と比較し，少しずつではありますが児の下降は促されています．

3）胎児およびその付属物

情報 妊娠 38 週 3 日，胎児推定体重 3,650 g，胎児異常なし．
胎位は第 2 頭位，CTG 所見は well-being，AFI 17 cm，未破水．

⇒正期産であり，CTG 所見より胎児の well-being が確認されていることから，胎児の健康状態は良好です．

4）母体精神

情報 初産婦．夫が陣痛開始から側に付き添っている，「陣痛はつらい．でも，私の母もこうやって私を産んでくれたと思うと頑張れそうです．早く子どもの顔が見たい」，間欠時はウトウトしている．

⇒はじめての出産ではありますが，夫による精神的なサポートもあり，前向きに陣痛を受けとめて分娩第 1 期を過ごすことができています．

3 ゆう子さんの現在の身体的健康状態について情報を挙げ，アセスメントしましょう．

情報 体温 36.9℃ 脈拍 82 回/分，破水なし．入院時血糖値 95 mg/dL →陣痛開始後 8 時間血糖値 88 mg/dL，朝食を数口摂取したのみで，あとはお茶を飲んでいる．

⇒バイタルサインは安定しています．分娩進行中の一般的な目標血糖値（70～120 mg/dL）は維持されており，血糖コントロールは良好な状態であるといえます．分娩第 1 期のインスリン必要量は減少しますが，分娩進行に伴い食事摂取が困難になっているため，注意深く血糖管理をすることが必要です．

4 胎児の健康状態について情報を挙げ，アセスメントしましょう．

情報 妊娠 38 週 3 日，胎児推定体重 3,650 g，胎児異常なし，AFI 17 cm，胎位は第 2 頭位，CTG 所見は well-being，未破水．

⇒妊娠 38 週 3 日の正期産であり，CTG 所見から現在のところ心拍数の異常も認めず，胎児の健康状態は良好です．

5 リスクとウェルネスの視点でアセスメントし，分娩第 4 期までの経過について予測して，助産ケアのポイントを考えてみましょう．

・分娩進行

⇒これまでの経過から，初産婦の順調な経過であるといえます．しかし，X 線撮影結果より児頭骨盤不均衡は否定されたものの，児の推定体重が大きいことから回旋異常により微弱陣痛となり，分娩が長時間となる可能性が考えられます．そのため，分娩体位にも十分に配慮し，分娩を遷延させないようにしていくことが重要なポイントになります．また，妊娠糖尿病は糖尿病合併妊娠のように，原則として連続モニタリングを行う必要性はありませんが，ドップラーを用いながら児心音や陣痛状態を注意深く観察することが大切です．

さらに，児の推定体重から，娩出時に肩甲難産のリスクも考えられます．そのため，娩出時には児頭と骨盤出口部の大きさから肩甲難産の有無をアセスメントする必要があります．さらに，産婦や胎児の健康状態から急遂分娩の可能性もあるため，できれば帝王切開術の準備をしたうえで援助することが望ましいです．

・産婦の健康状態

⇒ゆう子さんの分娩進行で注意すべき点は血糖コントロールです．分娩時にはインスリン必要量は急激に変化し，分娩第 1 期には減少し，第 2 期にはやや増加します．必要に応じて血糖値を測定し，血糖値を 70～120 mg/dL に維持します．合わせて食事摂取量も確認します．食事はジュース・ゼリーやプリンなど食べやすく，糖分の補給ができるものをベッドサイドに準備します．また，必要に応じて，医師の指示のもと速効型インスリンを使用します．緊急時の対応として，分娩直後の新生児の状況によっては NICU への入室も考えられるため，産科医，小児科医，NICU スタッフと連携をとりながら，分娩進行状況，胎児の様子など逐次報告します．

・胎児の健康状態

⇒現在，胎児の健康状態は良好です．しかし，娩出時の肩甲難産による上腕神経麻痺や骨折にも注意が必要です．また，出生時にはインスリン過多の児は低血糖，新生児呼吸窮迫症候群が発症しやすいため，小児科医，NICU スタッフと連携をとりながら分娩を進めます．

6 助産診断はどのように設定されるでしょうか．優先順位も考えてみましょう．

1）分娩進行は良好であるが，妊娠糖尿病のため，血糖コントロールが必要である．

2）胎児の健康状態は良好であるが，妊娠糖尿病の妊婦からの出生に伴う肩甲難産の可能性がある．

4 助産計画の立案（目標と具体策）

1 どのような助産目標が考えられますか.

1）血糖コントロールが良好に進行し，分娩が終了する.
2）胎児の健康状態が悪化しない.

2 助産目標 1）に対して，どのような具体策が考えられますか.

ここでは正常分娩のケア以外に必要となる妊娠糖尿病のある産婦の分娩で特徴的なケアについて考えてみましょう（正常分娩のケアは pp.21～23 参照）.

【観察プラン】
①血糖値
②低血糖症状（冷汗，脱力感，震えなど）
③骨盤入口部撮影と骨盤側面撮影の結果，ザイツ法[*4]
④食事摂取量の把握（血糖管理のため）

【ケアプラン】
①必要に応じて血糖測定や輸液を行う.
②分娩進行中の血糖値を見て，医師の指示（スライディングスケールなど）によるインスリン注射を実施する.
③低血糖予防のため，ジュース・ゼリーやプリンなど糖分の補給ができるものをベッドサイドに準備する.
④肩甲難産の場合，軽く産婦に努責を加えさせ，マックロバーツ法で産道の骨盤出口部の拡大を図る．この体位でも娩出できない場合は，恥骨結合上から児の肩甲を押す．またはウッドスクリュー操作[*5]を行う.
⑤救急カートの準備をする.
⑥緊急帝王切開術の準備をする.

【指導・説明・支持プラン】
①低血糖症状について説明し，症状が出現した場合はナースコールで知らせるよう説明する.

[*4] ザイツ法：児頭骨盤不適合の臨床的診断法の一つ．妊婦を仰臥位にして，外診上，恥骨結合の全面の高さに比べて児頭の前面のほうが突出している場合に陽性とし，児頭骨盤不適合の疑いがあると判定する（後藤　稠編：最新医学大辞典．第3版，p.672，医歯薬出版，2005．より）

[*5] ウッドスクリュー操作とは，肩甲難産の際に，術者の手を後在の肩甲の下に入れ，時計回りに 180° 回旋させることで，恥骨結合に引っかかっている前在の肩甲を出す操作.

3 助産目標 2）に対して，どのような具体策が考えられますか．

（正常分娩 pp.21～23，次項 2）新生児 pp.186～189 参照）

【観察プラン】

正常分娩に準ずる．

【ケアプラン】

①出生後の血糖測定の準備をする．

②出生後の低血糖に備えて，糖水もしくはブドウ糖の持続点滴を準備する．

③救急カートの準備をする．

④できれば小児科医，NICU（小児科）スタッフにも分娩進行状態，胎児の様子を報告する．

文献

1）日本糖尿病・妊娠学会編：妊婦の糖代謝異常　診療・管理マニュアル．第 3 版，p.23，メジカルビュー社，2022.
2）日本産科婦人科学会，日本産婦人科医会編集・監修：CQ005-1，CQ005-2.「産婦人科診療ガイドライン　産科編 2023」．pp.20-27，日本産科婦人科学会，2023.
3）前掲 1）　p.97，p.117.

参考文献

・吉留厚子，古山美穂：妊娠糖尿病・耐糖能異常.「今日の助産　マタニティサイクルの助産診断・実践過程」．改訂第 4 版，北川眞理子，他編，pp.220-233，南江堂，2019.
・仁志田博司：新生児の糖代謝と血糖管理.「新生児学入門」．第 5 版，医学書院，2018.
・日本糖尿病・妊娠学会編：妊婦の糖代謝異常　診療・管理マニュアル．第 3 版，メジカルビュー社，2022.
・福井トシ子，井本寛子編：助産師のための妊娠糖尿病ケア実践ガイド．医歯薬出版，2019.
・岡本愛光監修：妊娠糖尿病.「ウィリアムス産科学」．原著第 25 版，pp.1389-1402，南山堂，2019.

2. 妊娠糖尿病のある産婦・新生児
2）新生児

1 アセスメントに必要な知識

1 高血糖の母体が児へ及ぼす影響について確認しておきましょう.

- インスリン過多は肺成熟を遅延させるため，新生児呼吸窮迫症候群（respiratory distress syndrome；RDS）の発生率が高まる.
- 新生児はインスリン過多のため低血糖を呈し，多血症による高ビリルビン血症や低カルシウム血症を伴う.

2 新生児低血糖症では，どのような症状がみられるでしょうか[1].

- **定義**：新生児低血糖症については厳密な定義は確立していないが，臨床的には症状を呈する前に血糖値 45～50 mg/dL 未満で治療を開始することが多い.
- **症状**：異常な啼泣，易刺激性，無呼吸，チアノーゼ発作，過敏・振戦，哺乳障害，嗜眠，呻吟・多呼吸，低体温，発汗過多，筋緊張低下・不活発，頻脈などを呈する.

2 事例の情報整理と情報の分析・解釈・統合（アセスメント）

あなたは，妊娠糖尿病のあるゆう子さん（p.180～185）の新生児，奏一朗くんを分娩直後から受け持つことになりました．奏一朗くんのアセスメントを進めていくために必要な情報を確認し，アセスメントしましょう.

ゆう子さんの分娩経過（妊娠・分娩状況は p.180 参照）

妊娠 38 週 3 日

0:00	陣痛開始で入院.
8:00	陣痛周期 6 分，陣痛持続時間 20～30 秒，子宮口開大 4 cm，展退 50%，St−2，破水なし.
15:30	子宮口全開大
16:00	排臨　軽度変動一過性徐脈あり
16:20	発露，酸素 10 L 吸入開始.
16:25	分娩.

出生直後の奏一朗くんの状態

男児，在胎週数38週3日，分娩所要時間16時間25分で出生．羊水混濁なし，出生時体重3,580 g．Apgar score　1分後9点（皮膚色−1）／5分後10点．
臍帯動脈血ガス　pH 7.301，PCO_2 55 mmHg，HCO_3^- 25 mmHg，BE −4.5 mEq/L．
SpO_2　3分78%，5分89%，10分90〜98%．
直腸温36.8℃，心拍数138回/分，呼吸数44回/分，異常呼吸なし．
早期母子接触を実施．
〈出生後1時間〉
SpO_2 95〜100%，心拍数128回/分，異常呼吸なし，全身色良好．
血糖値66 mg/dL，初回直接母乳実施，両乳頭とも吸着（ラッチ・オン）・吸啜良好．
初回排尿あり．鎖骨骨折や上腕神経麻痺などの分娩外傷はみられなかった．
〈出生後2時間〉
直腸温37.0℃，心拍数124回/分，呼吸数36回/分，異常呼吸なし，血糖値75 mg/dL．

1 出生直後の情報から，奏一朗くんのwell-beingについてアセスメントしましょう．

情報　在胎週数38週3日，分娩所要時間16時間25分で出生．羊水混濁なし，出生時体重3,580 g．Apgar score　1分後9点（皮膚色−1）／5分後10点．
臍帯動脈血ガス　pH 7.301，PCO_2 55 mmHg，HCO_3^- 25 mmHg，BE −4.5 mEq/L．
SpO_2　3分78%，5分89%，10分90〜98%．
直腸温36.8℃，心拍数138回/分，呼吸数44回/分，異常呼吸なし．

⇒分娩所要時間は初産婦としては標準的であり，軽度変動一過性徐脈を認めましたが，羊水混濁はなく，Apgar score，臍帯動脈血ガスデータから胎児機能不全はありませんでした．出生時体重は3,580 gで巨大児ではありません．SpO_2やバイタルサインは正常範囲です．

2 出生後1時間の情報から，奏一朗くんのwell-beingについてアセスメントしましょう．

情報　SpO_2 95〜100%，心拍数128回/分，異常呼吸なし，全身色良好．
血糖値66 mg/dL，初回直接母乳実施，両乳頭とも吸着（ラッチ・オン）・吸啜良好．
初回排尿あり．鎖骨骨折や上腕神経麻痺などの分娩外傷はみられなかった．

⇒鎖骨骨折や上腕神経麻痺などの分娩外傷はありません．SpO_2やバイタルサインは正常範囲です．異常呼吸はなく，胎外生活適応が進んでいます．血糖値は66 mg/dLであり，低血糖は起こしていません．初回直接母乳を行い，乳首にうまく吸着できていました．排尿に問題はありません．

3 出生後 2 時間の情報から，奏一朗くんの well-being についてアセスメントしましょう．

情報 直腸温 37.0℃，心拍数 124 回/分，呼吸数 36 回/分，異常呼吸なし，血糖値 75 mg/dL．

⇒バイタルサインに異常はなく，血糖値は 75 mg/dL と低血糖ではありません．胎外生活適応に問題はなく，以後も観察を続けながら母子の愛着形成を図ります．

3 事例の健康課題の導き方と健康課題の決定

1 奏一朗くんの出生直後から生後 24 時間までの健康課題はどのように設定されるでしょうか．

1）妊娠糖尿病の母体から出生した児であるが，現在のところ呼吸障害・低血糖もなく，胎外生活に適応できている．
2）高ビリルビン血症を発症するリスクがある．

4 看護計画の立案（目標と具体策）

1 どのような看護目標が考えられますか．

1）肺呼吸を確立し，体温を維持し，胎外生活に適応する．
2）低血糖・高ビリルビン血症を発症しない．

2 看護目標 1）に関して，どのような具体策が考えられますか．

【観察プラン】
①観察項目は新生児の項（pp.82～83）を参照．
②呼吸障害の有無について，多呼吸・鼻翼呼吸・呻吟・陥没呼吸がないかを観察する．

【ケアプラン】
新生児の項（pp.82～83）を参照．

【指導・説明・支持プラン】
①新生児の呼吸状態の観察ポイントについて説明し，気になることがあれば看護師に知らせるように伝える．

3 看護目標 2）に関して，どのような具体策が考えられますか．

【観察プラン】

①観察項目は新生児の項（pp.82～83）を参照．観察の頻度を増やす．

②糖尿病母体から出生した児（infants of diabetic mothers；IDM）は，出生直後から低血糖になりやすいため，特に以下のことに注意する．

- Not doing well（不活発，哺乳力低下，傾眠傾向，筋緊張低下，筋緊張亢進など）のサイン．
- 無呼吸，呼吸障害，痙攣，チアノーゼ．

【ケアプラン】

①指示された時間に血糖測定を行う．

② Not doing well のサインがあるときは血糖測定を行う．

③低血糖の場合はミルク補足を考慮し，必要時は経静脈的にブドウ糖が投与されるので，静脈ルートの管理を行う．

④黄疸が増強したら，光線療法適応基準に従って光線療法を行う．

【指導・説明・支持プラン】

①親に観察プランの内容を伝え，Not doing well のサインや呼吸の異常があれば，看護師に知らせるように伝える．

文献

1）飯田浩一：血糖値の異常．「周産期医学 2011 年 41 巻増刊号 周産期医学必修知識」．第 7 版，pp.524-525，東京医学社，2011.

参考文献

・日本産科婦人科学会，日本産婦人科医会編集・監修：CQ005-1，005-2.「産婦人科診療ガイドライン　産科編 2023」．pp.20-27，日本産科婦人科学会，2023.
・仁志田博司：新生児の糖代謝と血糖管理．「新生児学入門」．第 5 版，医学書院，2018.
・日本糖尿病・妊娠学会編：妊婦の糖代謝異常　診療・管理マニュアル．第 3 版，メジカルビュー社，2022.
・福井トシ子，他編：助産師のための妊娠糖尿病ケア実践ガイド．医歯薬出版，2019.

3. 早産（妊娠32～36週）となる産婦・新生児

1）産 婦

1 アセスメントに必要な知識

1 早産，切迫早産，前期破水の定義について確認しましょう．

- **早産**：妊娠22週以降から37週未満の分娩
- **切迫早産**：妊娠22週0日から妊娠36週6日までの妊娠中に，規則的な子宮収縮が認められ，かつ子宮頸管の開大度，展退度に進行が認められる場合，あるいは初回の診察で子宮頸管の開大が2cm以上となっているなど，早産の危険性が高いと考えられる状態
- **前期破水（premature rupture of membranes；PROM）**：分娩開始以前に卵膜の破綻をきたしたもの．妊娠37週未満の前期破水はpreterm PROMといい，早産率の増加，児の未熟性に伴う後遺症の増加の要因である．

2 早産，切迫早産について知識を整理しましょう．

- 早産・切迫早産の病因は子宮収縮と頸管熟化である[1]．これらの病態にはサイトカイン（IL1-β，IL-8など）により誘導される子宮収縮物質やプロテアーゼなどが関与している[1]．IL-8は精液中にも含まれ，早産予防のために妊娠期の性行為ではコンドームを装着する必要がある．サイトカインの産生は細菌感染や非特異的炎症反応（組織の伸展など）が起点となっている．

切迫早産の診断と管理については，「産婦人科診療ガイドライン　産科編2023」[2]に示されています（**表1**）．

3 前期破水について知識を整理しましょう．

- 前期破水（PROM）の原因は卵膜の脆弱化であり，羊膜緻密層におけるタイプⅢコラーゲンの減少に特徴がある．タイプⅢコラーゲンを分解する酵素は主として好中球に由来するエラスターゼと胎便中に存在するトリプトシンである．
- 卵膜の脆弱化の主たる原因は，腟および頸管に存在する病原菌の上行性感染である．
- 細菌性腟症や子宮頸管炎によって絨毛膜羊膜炎が生じる．

前期破水の取り扱いについては，「産婦人科診療ガイドライン産科編2023」[2]で示されています（**表2**）．

表 1　切迫早産の取り扱い

・子宮収縮は常位胎盤早期剝離の初発症状のひとつであることを認識し，特に胎児心拍数パターン異常を伴う場合は，常位胎盤早期剝離を念頭において診療を行う．（B）
・以下を認めたら，流早産ハイリスクと認識する．（B）
　既往歴：後期流産歴，早産歴，円錐切除術歴，広汎子宮頸部摘出術後
　現症：多胎妊娠，頸管短縮，細菌性腟症
・妊娠 18〜24 週頃の経腟超音波検査による子宮頸管長の測定が流早産ハイリスク症例の抽出には有効であると認識する．（B）
・切迫早産の診断後，分娩を遅延させる必要がある場合には，以下を行う．
　1）子宮収縮抑制薬等を投与する．（B）
　2）分娩後の対応も含めて自施設での管理が困難な場合，ハイリスク新生児管理可能施設への紹介もしくは母体搬送を試みる．（B）
　3）胎児の脳保護を目的として硫酸マグネシウム水和物投与を行う．（C）
・子宮収縮抑制薬を投与する際には有害事象に注意し，症状が軽快したら減量や中止を検討する．（C）
・以下の場合が予想される場合には，児の肺成熟や頭蓋内出血予防を目的として，母体にベタメタゾン 12 mg を 24 時間ごと，計 2 回，筋肉内投与する．
　1）妊娠 24 週以降 34 週未満の早産が 1 週以内に予想される場合（B）
　2）妊娠 22 週以降 24 週未満の早産が 1 週以内に予想される場合（C）
・母体体温，白血球数，CRP 値などを適宜測定し，臨床的絨毛膜羊膜炎が疑われる場合には，抗菌薬を投与し，臨床的絨毛膜羊膜炎の管理に準じて児娩出時期を検討する．（C）
・切迫早産と診断したら，GBS 培養検査を行い，新生児早発型 GBS 感染症の予防に努める．（C）

B，C：推奨レベル（p.vii参照）
（日本産科婦人科学会，日本産婦人科医会編集・監修：CQ301，302.「産婦人科診療ガイドライン　産科編 2023」．pp.140-150，日本産科婦人科学会，2023．より．赤字は筆者による）

表 2　前期破水の取り扱い

・前期破水と診断したら，以下のことを適宜行う．（C）
　1）身体所見と血液検査所見から，臨床的絨毛膜羊膜炎の有無を確認する．
　2）NST（妊娠 26 週以降）等で胎児健常性（well-being）を評価する．
・臨床的絨毛膜羊膜炎と診断した場合は，その後の分娩進行と感染増悪とを予測して分娩誘発もしくは帝王切開を行う．（C）
・胎児健常性（well-being）が確認できない場合には，臍帯脱出，常位胎盤早期剝離も念頭において原因検索を行う．（C）
・妊娠 34 週未満では，原則としてハイリスク新生児管理可能施設での管理，あるいはこうした施設と連携した管理を行う．（B）
・臨床的絨毛膜羊膜炎がなく胎児健常性（well-being）が確認された場合は，以下のように対応する．
　1）妊娠 37 週以降では，分娩誘発を行うか陣痛発来を待機する．（B）
　2）妊娠 34 週以降 37 週未満では，上記 1）に準ずる．（C）
　3）妊娠 24 週以降 34 週未満では，抗菌薬投与下での待機を原則とするが，施設の対応能力なども加味して総合的に判断する．（C）
・妊娠 24 週未満であれば臨床的絨毛膜羊膜炎の有無・推定体重・妊娠週数・施設の低出生体重児対応能力を考慮して小児科医と相談し治療方針を決める．（B）
・母体発熱下（38.0℃以上）では，母体敗血症などの監視を強めるとともに，胎児心拍数モニタリング（妊娠 26 週以降）を頻回に行う．（B）
・妊娠 37 週未満では，抗菌薬を投与する．（B）

B，C：推奨レベル（p.vii参照）
（日本産科婦人科学会，日本産婦人科医会編集・監修：CQ303.「産婦人科診療ガイドライン　産科編 2023」．pp.151-155，日本産科婦人科学会 2023．より．赤字は筆者による）

4 子宮収縮抑制薬に関する知識を確認しておきましょう．

子宮収縮抑制薬としては，リトドリン塩酸塩や硫酸マグネシウム水和物などが用いられる．

1）リトドリン塩酸塩

- 50 mg（1A）を5%ブドウ糖注射液500 mLに溶解し50 μg/分より開始し，子宮収縮の状態により漸増し，最大200 μg/分まで投与可能である．
- 副作用には肺水腫，顆粒球減少症，横紋筋融解症などがある．特に長期間投与している場合は，適宜血算を行い，顆粒球減少症の発症の有無を観察する．

2）硫酸マグネシウム水和物

- リトドリン塩酸塩の投与が副作用などで制限される場合，あるいはリトドリン塩酸塩で収縮が抑制されない場合に投与される．硫酸マグネシウム水和物（濃度10 g/100 mL）は，初回40 mLを20分以上かけてゆっくり静脈投与し，その後10 mL/時間で持続投与する．硫酸マグネシウム水和物の投与は48時間を原則とする．血中マグネシウム濃度を適宜測定しながら過剰投与に注意する．硫酸マグネシウム濃度と治療域は1 mmol/L＝2 mEq/L＝2.4 mg/dLである．血中濃度を4～8 mg/dLまで上げて治療する．
- 産婦の副作用としては，頭痛，腱反射低下，顔面紅潮，嘔気，嘔吐，脱力感，肺水腫，低血圧がある．血中濃度10 mg/dLで中毒症状の出現，9～12 mg/dLで腱反射の消失，15 mg/dLで呼吸麻痺・停止が起こる危険がある．
- 胎児への副作用は，CTGで基線細変動の減少，超音波断層法で呼吸様運動の抑制がないかを確認する．

2 事例の情報整理と情報の分析・解釈・統合（アセスメント）

あなたは妊娠34週1日で分娩が開始した桜子さんを受け持つことになりました．この事例をアセスメントして援助していくプロセスを一緒に考えていきましょう．

特に早産の場合，分娩進行を注意深く観察し判断すること，出生後の児の予後を予測すること，産婦や家族が早産という状況をどのように受容しているかを見極めることがポイントになります．

桜子さんの現在の状態

26歳，看護師，初産婦

身長158 cm，非妊時体重48 kg（BMI 19.2），現在は体重55 kg．

既往歴：なし　**家族歴**：なし　**産科歴**：1妊0産　**感染症**：なし

妊娠経過：

妊娠初期・中期とも経過には特に問題はなかった．

妊娠32週

腹部緊満感があり受診．子宮頸管長25 mm．切迫早産と診断され，リトドリン塩酸塩内服薬を処方される．仕事は病休，そのまま産休に入る．

妊娠 33 週 4 日
破水感があり受診，前期破水で入院となる．子宮頸管長 20 mm．funneling 所見あり．リトドリン塩酸塩と抗生物質の点滴を開始し，安静加療を開始した．
妊娠 34 週 1 日
子宮収縮が 5〜6 分周期となったため，リトドリン塩酸塩点滴が中止された．子宮口開大 4 cm，子宮頸管長 20 mm，展退 60〜70%，St−2，粘稠出血あり．母体感染徴候はない．胎児推定体重 2,200 g．
CTG 所見：胎児心拍数基線 150 bpm，胎児心拍数基線細変動 10〜20 bpm，一過性頻脈 15 bpm 以上　20 秒持続，一過性徐脈なし．

1 桜子さんの全体像を把握するために，以下の項目をアセスメントしましょう．

- 娩出力

⇒妊娠 32 週に切迫早産と診断され休職し，1 週間の自宅安静後，破水で入院となりました．入院 4 日後の今日，分娩を迎えようとしています．薬物療法や安静といった行動をとっても分娩は進行しました．前期破水に加え，子宮収縮抑制薬の投与を中止したため，さらに娩出力は増強し，分娩は急速に進行すると考えられます．

- 産道

⇒身長 158 cm，非妊時 BMI 19.2 の標準体型，体重増加量も 7 kg で産道の通過障害のリスクは低いです．内診所見（子宮口開大 4 cm，展退 60〜70%，St−2）から軟産道の熟化が進んでおり，粘稠な出血も出現しているため，娩出力の増強とともにさらに熟化は進むと思われます．

- 娩出物

⇒妊娠 34 週の早産になる可能性がかなり高く，急速に分娩が進行すると考えられます．胎児は在胎週数に見合った発育であり，感染徴候もなく，CTG 所見から在胎週数としては健康状態に問題はありません．胎児の肺成熟に関しては，妊娠 32 週以前の早産よりは妊娠週数が進むにつれリスクは低くなるといわれていますが，妊娠 34 週であっても重篤な呼吸障害を起こす可能性はあります．胎児にストレスをかけないような分娩管理と，胎児の継続的な健康状態の把握，異常時の迅速な対応，出生後のケアの準備をする必要があります．

- 産婦の身体的健康状態

⇒年齢，既往歴，切迫早産以外の妊娠の経過に問題はありません．現時点で母体の感染徴候はありませんが，今後もバイタルサインや血液検査で感染徴候を確認していく必要があります．

- 産婦の心理的健康状態

⇒妊娠 32 週の切迫早産の診断から，休職，前期破水，入院，分娩開始といった急激な変化に適応できているか確認する必要があります．また，桜子さんは看護師という職業柄，早産や早産児に対する知識をもっている可能性があり，思いや受けとめ方などが一般の女性と異なる場合もあります．また看護師であっても，はじめての分娩，はじめて親になる機会でもあるということも念頭に，先入観をもたず，産婦の個別性に配慮する必要があります．

・**産婦の社会的状態**
⇒職場の理解や支援，夫との関係，夫や家族の入院や早産に対する理解や受容，支援者の存在や支援内容など，自分の身体と子どものために療養に専念できる環境にあるかを確認する必要があります．

3 事例の助産診断の導き方と助産診断の決定

桜子さんは，このまま分娩が進行し早産になると考えられます．桜子さんが，現在の状態を受け入れ，分娩期に出現する症状に対処し，主体的に分娩に臨めるよう援助する必要があります．

1 桜子さんの時期診断はどのように設定されるでしょうか．

・妊娠34週1日，分娩は開始している．分娩第1期活動期である．

2 桜子さんの経過診断はどのように設定されるでしょうか．

・産道の通過には問題がなく，娩出力は今後急激に増強すると考えられるため，分娩進行は早く，在胎週数34週の小さい胎児に大きなストレスがかかると思われる．胎児の健康状態を確認しながら，産婦にリラックスや呼吸法を促し，少しでも胎児への負荷を少なくすることと，産婦が主体的に分娩に臨み，満足感が得られるように援助する必要がある．

3 助産診断はどのように設定されるでしょうか．優先順位も考えてみましょう．

1）早産により胎児，新生児の健康状態が悪くなる可能性がある．
2）急速な分娩進行に伴い，心身の不適応状態を起こす可能性がある．

4 助産計画の立案（目標と具体策）

1 どのような助産目標が考えられますか．

1）胎児の健康状態が悪化せず出生し，低血糖や呼吸障害を起こさない．
2）産婦が現状を受け入れ，主体的に分娩に臨むことができる．

2 助産目標 1）に対して，どのような具体策が考えられますか．

早産で生まれた新生児の項 pp.196～200 参照．

3 助産目標 2）に対して，どのような具体策が考えられますか．

正常分娩の助産計画 pp.21〜23 参照．桜子さんの場合，分娩が急速に進行しないか，感染徴候はないか，胎児の健康状態はどうかがポイントになります．

【観察プラン】

①陣痛（子宮収縮）の状態（周期，持続時間，産痛部位）

②児心音聴取部位の変化

③努責感の有無と強さ

④感染徴候（羊水の性状，バイタルサイン，血液検査データ，CTG モニタリング所見）

⑤胎児の健康状態（CTG モニタリング所見，胎動）

【ケアプラン】

①分娩の準備を行う（p.28 参照）．

②新生児ケアの準備を行う（pp.196〜200 参照）．

【指導・説明・支持プラン】

産婦，家族のレディネスに合わせて現状や見通しを伝える．

- 分娩進行に伴う症状を産婦に伝え，正産期と比べ，分娩進行がどれほど早くなると考えているのか，経過に応じて説明する．
- 早産であっても分娩経過は同じであることを説明し，分娩期が快適に過ごせるようケアする（体位，食事，排泄，保清など）．
- 特に早産の場合は，産婦が胎児の健康状態を心配することが多いため，産婦と胎児の健康状態については経過に応じてていねいに説明していく．
- 出生後の新生児にどのような観察やケアを行うのかをあらかじめ説明し，出生後もスタッフが褥婦のそばにいて，わからないことがあればいつでも質問に答えることを伝える．

文献

1）日本産科婦人科学会：産婦人科専門医のための必修知識 2022 年度版．p.B57，日本産科婦人科学会，2022．

2）日本産科婦人科学会，日本産婦人科医会編集・監修：CQ301-303．「産婦人科診療ガイドライン　産科編 2023」．pp.140-155，日本産科婦人科学会，2023．

参考文献

・山本樹生：切迫早産，早産　6．異常妊娠　D．産科疾患の診断・治療・管理，研修コーナー．日本産科婦人科雑誌，59(11)：668-669，2007．

3. 早産（妊娠 32～36 週）となる産婦・新生児
2）新生児

1 アセスメントに必要な知識

1 在胎 34～36 週の早産（late preterm）児の定義と管理について理解しましょう.

・妊娠 34 週以上 37 週未満で出生した早産児を late preterm 児という.
・NICU が満床や搬送先がないなど入院の受け入れができない場合は，正期産児が入院する病棟で管理・ケアされることもあり，助産師がケアすることが多い児といえる（**表 3**）.
・late preterm 児を含む早産児は，正期産児よりもあらゆる点で脆弱性があることを念頭においてケアを考えていく必要がある.

表 3　在胎 34～36 週の早産（late preterm）児の管理

1. 出生直後に蘇生の初期処置を行う.（B）
2. 低血糖や呼吸障害が起こりやすいので，児の血糖測定や呼吸監視を行う.（C）
3. 34～35 週の出生児については，退院前に RSV（respiratory syncytial virus）感染に関する以下の情報を提供する.（B）
   1）RSV に感染すると重症化しやすい.
   2）重症化予防薬を RSV 感染流行期に投与すると症状軽減が期待できる.
   3）重症化予防薬の投与可能施設.

B，C：推奨レベル（p.vii参照）
（日本産科婦人科学会，日本産婦人科医会編集・監修：CQ803.「産婦人科診療ガイドライン産科編 2023」. p.373，日本産科婦人科学会，2023. より．赤字は筆者による）

2 早産児の特徴について知識を整理しましょう.

・**外観**：皮膚や皮下脂肪が薄く，全体がピンク色で静脈が透けて見える．全身に胎脂がみられ，毳毛は背部全体にみられる．耳介は平坦でやわらかい.
・**呼吸器**：脳幹部の呼吸中枢が未熟であるため，無呼吸発作を起こしやすい．気道が狭く，姿勢の変化や気道内の分泌物貯留により気道閉塞をきたしやすい．34 週頃には肺胞内の肺サーファクタントが十分産生されていることが多いが，正期産児とは違うため，新生児呼吸窮迫症候群を発症していないかの観察が重要である．一般に胎児期は生理的に肺高血圧状態にあり，出生後，肺が拡張して円滑に循環が移行すれば改善する．しかし正期産に近づいてきたとはいえ，早産児であるため遷延性肺高血圧症に陥っていないか呼吸状態を観察し，医師の診断・治療につなげる必要がある．まれではあるが，32 週未満あるいは 1,500 g 未満の早産児は，ウィルソン－ミキティ症候群の発症にも注意を払っておく.

- **循環器**：胎児循環から新生児循環への移行が円滑に行われたかの観察が重要である．特に早産児は心不全になりやすく，動脈管開存がある場合，心筋の未熟性の程度も相まって，心疾患がなくても心不全になるリスクがある．在胎週数が短いほど，脳血管の脆弱性により，脳室内出血，脳室周囲白質軟化症を生じるリスクが高い．腸管血管の脆弱性により壊死性腸炎のリスクもある．
- **体温**：正期産児と比べ皮下組織が少なく，皮膚の角化が進んでいないため，不感蒸泄が多く，体重のわりに体表面積が広いため熱の喪失が大きい．熱産生に関連する褐色脂肪細胞も少ないため，低体温を生じやすい．低体温は代謝性アシドーシスや遅発性敗血症の発症を増加させる．敗血症の原因となる菌を保有していないか確認が必要である．
- **消化器・代謝**：正期産児と比べ消化・吸収機能，運動機能が不十分なため，イレウスなどを起こしやすい．グリコーゲンの貯蔵量が少ないため，低血糖も起こしやすい．肝機能も未熟で，ビリルビン代謝が不十分であるため，黄疸が正常から逸脱しやすい．

3 ディベロップメンタルケアの定義・目的・ケアの内容について理解しましょう．

- **定義**：外的ストレスを最小限にし，胎内に近い環境を整えるケアをディベロップメンタルケアという．
- **目的**：早産で生まれた新生児や疾患・障害をもった新生児へのディベロップメンタルケアの目的は，高次脳機能の発達不全を予防することにある．
- **ケアの内容**：ケアのポイントと留意点は以下の通りである．

①音刺激への配慮をする

- アラーム音やモニター音は必要最小限の音量にする．
- 保育器の開閉時，保育器やコットのそばを通る時，ケア時などは，ぶつかったり，乱暴に作業したりするなど不要な音を出さないように配慮する．

②光刺激への配慮をする

- 機器類の光度を必要最小限に落とす．
- 生活リズムを整える意味もあり，夜間は部屋の照明を落とす．
- 保育器を利用している場合は，観察に支障がない範囲で保育器自体をカバーで覆う．

③ポジショニング

- 胎内での姿勢に近い，四肢を屈曲させ，手は口元や胸のほうに置いて背中を丸めた良肢位をとらせる．早産児は全身の筋緊張が低いため，クッションやタオルを使って良肢位が保持できるよう補う（図1）．

④ホールディング

- ポジショニングする際などは，優しい言葉かけをしながら子ども全体を温かい両手で密着させて覆うように触れる．ケアを提供する看護職者だけでなく，家族にも伝えて行ってもらう．

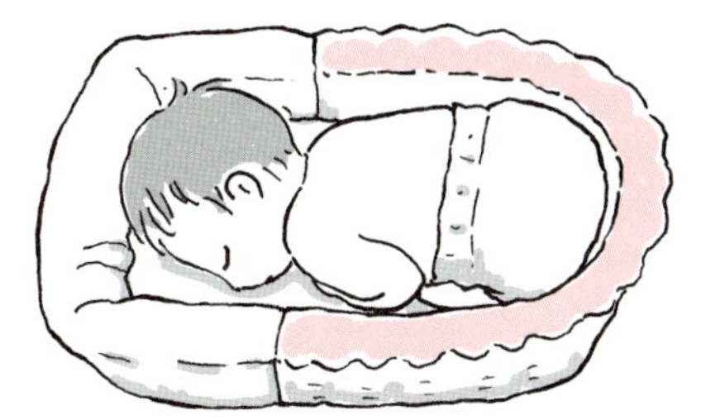

図1　新生児のポジショニング

⑤睡眠の確保

- 中枢神経系の発達に従い，REM睡眠，non-REM

睡眠の周期（睡眠-覚醒リズム）がつきやすくなる．児の state レベル（p.75 参照）を観察し，睡眠を妨げないようにする．体動がほとんどなく規則的な呼吸をしている non-REM 睡眠時は不要なケアは避け，睡眠を確保する．

⑥痛みを最小限にする

・ホールディングをしたり，おしゃぶりや手で吸啜運動をさせたりして痛みを軽減させる．

2 事例の情報整理と情報の分析・解釈・統合（アセスメント）

あなたは分娩直後から桜子さんの新生児，大祐くんを受け持つことになりました．この事例をアセスメントして援助していくプロセスを一緒に考えていきましょう（桜子さんの情報については pp.192～193 参照のこと）．

出生時の大祐くんの状態

在胎週数 34 週 1 日　分娩所要時間 8 時間 20 分で出生．男児．羊水混濁なし．
臍帯動脈血ガス　pH 7.220，PCO_2 60 mmHg，PO_2 13 mmHg，BE −8.6 mEq/L.
Apgar score 1 分後 6 点（呼吸−1，筋緊張−1，刺激に対する反応−1，皮膚色−1）．
直腸温 37.1℃，心拍数 152 回/分，呼吸数 50 回/分．

1 出生直後の情報から，大祐くんの well-being についてアセスメントしましょう．

情報　Apgar score 1 分後 6 点，臍帯動脈血ガス分析データ：pH 7.220，PCO_2 60 mmHg，PO_2 13 mmHg，BE −8.6 mEq/L.

⇒ Apgar score は 1 分後が 6 点であり，軽度仮死状態です．臍帯動脈血ガス分析データもアシドーシスを呈しており，蘇生が必要な状況です．新生児蘇生法アルゴリズムに従って蘇生を進めていきます（蘇生法については pp.72～73 参照）．

追加情報

酸素マスクとバッグによる蘇生を実施．Apgar score 5 分後 8 点（呼吸−1，皮膚色−1）．
出生後 5 分　SpO_2 90%，心拍数 136 回/分，努力呼吸なし，チアノーゼなし．
出生時体重　2,345 g（−1.5 SD），
Dubowitz 法による成熟度判定：34 週相当，スカーフ徴候は陰性（p.76 の**表 5** 参照）

情報　酸素マスクとバッグによる蘇生を実施．Apgar score 5 分後 8 点．
出生後 5 分 SpO_2 90%，出生時体重 2,345 g（−1.5 SD）
Dubowitz 法による成熟度判定：34 週相当，スカーフ徴候は陰性

⇒出生体重から低出生体重児ですが，在胎 34 週として，週数相当に神経学的には成熟している light-for-dates infant です．臍帯動脈血ガスデータは軽度アシドーシスを示していましたが，酸素マスクとバッグによる蘇生により，出生後 5 分の SpO_2 は正常範囲であり，Apgar score も順調に上がり，回復は良好だといえます．

3　事例の健康課題の導き方と健康課題の決定

1 大祐くんの出生直後から生後 5 日までの健康課題はどのように設定されるでしょうか．

・在胎 34 週 1 日で出生した late preterm 児であるが，低体温，低血糖，排泄障害を起こす可能性がある．

4　看護計画の立案（目標と具体策）

1 この健康課題に対して，どのような看護目標が考えられますか．

・低体温，低血糖，排泄障害を起こすことなく，胎外生活に適応する．

2 この看護目標に対して，どのような具体策が考えられますか．

【観察プラン】

①正常新生児の観察項目（p.82）に加えて，医師の指示により血糖・血清ビリルビンのチェックを行う．

②必要時は心電図モニタ，SpO_2 モニタを装着して観察を行う．

【ケアプラン】

①保育器に収容し，器内温を調整しながらコット保育への準備を進める．

②衣類による体温調節（肌着を追加する，襟元をはだけないようにする）．

③電気保温器を使用する場合は，取扱説明書をよく読み，正しく使用する．誤った使い方をすると事故の原因になる．低温やけどの恐れがあるので，身体から離して使用する．低い温度（40〜60℃）でも長時間皮膚の同じ部位に触れていると低温やけどの恐れがあるため注意する．

④体重の増減・黄疸の状態・排泄・脱水症状・血糖値・母親の母乳分泌状態などを総合的に判断し，適切な栄養を与える．

⑤排便管理として，8 時間に 1 回は排便を促すように，必要時は肛門刺激を行う．

⑥ディベロップメンタルケアを行う．

【指導・説明・支持プラン】

- 上記の観察・ケアプランについて母親にわかりやすく説明を行い，ケアが行えるように支援する．

文献

1）日本産科婦人科学会，日本産婦人科医会編集・監修：CQ803.「産婦人科診療ガイドライン　産科編 2023」. pp.373-375，日本産科婦人科学会，2023.

4. 無痛分娩を行う産婦

1 アセスメントに必要な知識

1 無痛分娩とその適応について確認しましょう.

- 無痛分娩[*1]を行う分娩施設は約3割[1, 2]であり，無痛分娩率は2016年6.1%[1]，2020年8.6%[2]と増加傾向にある.
- 無痛分娩の最大の利点は妊産婦の苦痛軽減であり，禁忌事項がなければ妊産婦の希望が適応の十分条件となる.
- 医学的適応としては，妊娠高血圧症候群，母体心疾患，脳血管疾患既往などを合併する妊産婦に無痛分娩を用いる場合がある.

2 無痛分娩時の麻酔方法と助産師の役割について確認しましょう.

- 無痛分娩の主要な麻酔方法としては，硬膜外麻酔，脊髄くも膜下硬膜外併用麻酔（combined spinal and epidural analgesia；CSEA），硬膜穿刺硬膜外麻酔（dural puncture epidural；DPE）などが挙げられる.
- 無痛分娩で留置した硬膜外カテーテルは，緊急帝王切開時の麻酔に用いる場合がある（図1）.

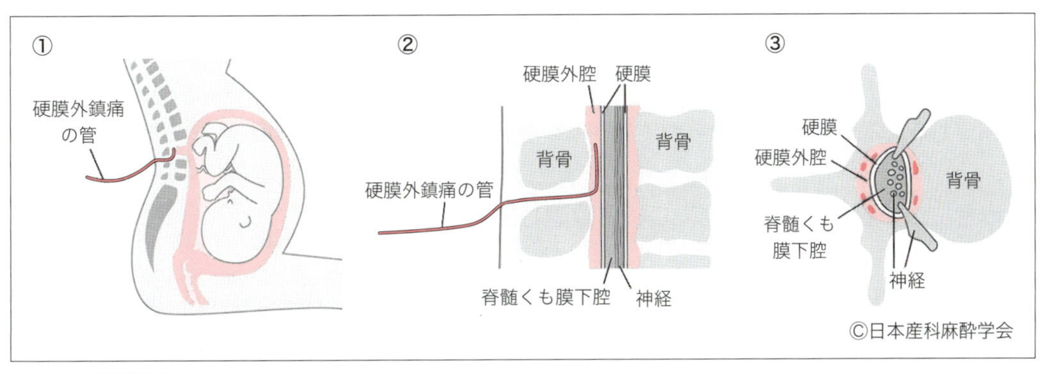

図1 硬膜外鎮痛
①背中に入った硬膜外鎮痛の管（縦断面），②管付近の拡大図（背骨部分の縦断面），③背骨部分の横断面.
（日本産科麻酔学会：無痛分娩 Q&A．https://www.jsoap.com/general/painless/q14 より許諾を得て転載）

---

*1 本書における「無痛分娩」は，麻酔を用いて産痛を緩和する分娩方法を指す.

- 硬膜外麻酔の持続投与方法には，シリンジポンプを用いた持続投与の方法，持続点滴装置を用いて，一定の時間間隔を空ければ産婦自身でボタンを押して薬液を投与できる自己調節硬膜外鎮痛法（patient control epidural analgesia；PCEA），設定量を一定の時間間隔で間欠的に自動投与する計画的間欠ボーラス投与法（programmed intermittent bolus；PIB）などがある．麻酔方法の選択は，分娩の状況や施設の方針などにより検討される．
- 帝王切開時の麻酔と比較すると，分娩時間に応じて長時間の麻酔を行うことが特徴であり，いずれも低濃度の局所麻酔薬と麻薬を用いて，間欠的もしくは持続的な投与を行う．
- 無痛分娩にかかわる助産師は，無痛分娩に関連して生じる母体・胎児への影響について理解し，分娩進行のアセスメントと同時に麻酔の評価と麻酔合併症の早期発見，対応を行う．
- 産婦の希望を尊重しながら，良好な鎮痛により産痛を緩和し，分娩進行を妨げず，母児ともに安全な分娩を達成することが重要となる．

3 麻酔の評価方法について確認しましょう．

- 数値評価スケール（numeric rating scale；NRS）やコールドテスト（感覚神経ブロック評価）を用いて陣痛の痛みを評価し，麻酔効果の範囲を確認する．下肢の運動制限についてはBromage スケール（運動神経ブロック評価）などで判定を行う．

1）**NRS**：痛みを「痛みがない：0」から「想像しうる最大の痛み：10」までの11段階に分け，産婦自身に現在の痛みに相応する数値を示してもらい評価する方法．

2）**コールドテスト**：麻酔効果の範囲を産婦の冷覚で確認する方法．麻酔が効いていない部位（前額部など）と同程度の冷たさを感じた部位より1つ下のレベルがブロック範囲（麻酔効果の範囲）となる．麻酔効果の範囲は，T4（乳頭の高さ），T6（剣状突起），T10（臍），T12（鼠径部），L2,3（大腿前面），S1-3（大腿裏面）などで確認する．無痛分娩ではT10以下の麻酔効果が必要であり，分娩第2期ではS領域まで麻酔効果が必要となる．

3）**Bromage スケール**：下記の運動遮断について，左右で評価を行う．

0（運動遮断なし）＝膝を伸ばしたまま，足を挙上できる．
1（部分遮断ブロック）＝膝は曲げられるが，伸ばしたまま足は挙上できない．
2（ほぼ完全遮断ブロック）＝膝は曲げられないが，足首は曲げられる．
3（完全遮断ブロック）＝まったく足が動かない．

4 麻酔による副作用・合併症について確認しましょう．

- 麻酔の副作用には，低血圧およびそれに伴う一過性の胎児徐脈，発熱，掻痒感，嘔気，嘔吐などがある．
- 麻酔合併症では，コールドテストで冷感低下がない場合には血管内迷入・硬膜外カテーテル位置異常に伴う局所麻酔薬中毒，T6以上で冷感がある場合には効果範囲の拡大から高位脊髄くも膜下麻酔や過剰投与を疑う．また，硬膜外血腫・膿瘍などにも注意を要する．
- 急な低血圧，胎児徐脈，産痛，下肢の知覚・運動異常，そのほか産婦の訴えなどが変化した場合には麻酔合併症を疑い，速やかに医師へ報告し対処する．

5 無痛分娩の流れ（手順）と留意点を確認しましょう.

1）無痛分娩前

①無痛分娩の適応について，産婦が希望しているか（バースプラン，本人・家族の言動など），医学的適応か（既往歴，妊娠経過，妊娠合併症など）を確認する．また，無痛分娩が可能か，妊娠期の検査（血液検査の血小板数や凝固機能），麻酔科医師の診察（神経学的症状，気道評価，背中の形状）などを確認する.

②文書による説明と同意を得ておく.

③麻酔開始時期について，施設方針（例：計画分娩での実施，陣痛発来後に産婦の希望での実施など）に応じた準備を行う．緊急時に備えて点滴ルートを確保し，輸液を開始しておくことが望ましい.

④無痛分娩の安全な実施のため，施設ごとに人員体制やマニュアルの整備，無痛分娩に関する情報開示などを行う必要がある．麻酔合併症に対応するための蘇生設備および医療機器を配備し，すぐに使用できる状態で管理しておく（**表 1**）.

表 1　無痛分娩の実施に際して準備しておくことが望ましい設備，機器，医薬品

蘇生のための設備・機器	酸素ボンベ，酸素流量計，バッグバルブマスク，マスク，酸素マスク，喉頭鏡，気管チューブ（内径 6.0，6.5，7.0 mm），スタイレット，経口エアウエイ，吸引装置，吸引カテーテル，麻酔器，除細動器または AED（自動体外式除細動器）
救急用医薬品	アドレナリン，硫酸アトロピン，エフェドリン，フェニレフリン，静注用キシロカイン，ジアゼパム，チオペンタールまたはプロポフォール，スキサメトニウムまたはロクロニウム，スガマデックス，硫酸マグネシウム，精製大豆油（静注用脂肪乳剤），乳酸加（酢酸加，重炭酸加）リンゲル液，生理食塩水
母体用生体モニター	心電図，非観血的自動血圧計，パルスオキシメータ

〔海野信也，他：平成 29 年度厚生労働行政推進調査事業費補助金（厚生労働科学特別研究事業）「無痛分娩の実態把握及び安全管理体制の構築についての研究」「無痛分娩の安全な提供体制の構築に関する提言」．厚生労働科学研究成果データベース，2018．https://mhlw-grants.niph.go.jp/system/files/2017/171031/201706027 A_upload/201706027 A0018.pdf　より引用〕

2）麻酔導入時

①体位は座位または側臥位となるように産婦の身体を支える．また，陣痛発来後の産婦は同じ姿勢を続けることが困難な場合があり，陣痛の間欠にスムーズに穿刺できるよう，穿刺中に陣痛がきた場合は呼吸を整え，体位の維持を支援する.

② L2/3 または L3/4 椎間より硬膜外カテーテルを挿入後，test dose（試験投与）を行う．脊髄くも膜下腔に迷入していれば，下肢の急激な知覚・運動低下が起こる．麻酔開始直後は，低血圧や子宮筋過収縮およびそれらに起因した一過性の胎児徐脈を引き起こす可能性に注意する.

③硬膜外カテーテル留置後は，褥瘡予防のため脊椎や肩甲骨などを避けて背部にテープで固定する．最終飲食の時間にかかわらず，麻酔開始後は誤嚥予防のため食事摂取を制限し，清澄水などの飲水のみとする.

3）麻酔開始後

①無痛分娩中は，CTG モニタ，非観血的自動血圧計，パルスオキシメータ，心電図など，必要な生体モニタを継続装着する．

②麻酔開始または追加から少なくとも 30 分間は，産婦のそばを離れず観察し記録する．麻酔効果が安定した後は，定期的（間隔 1～2 時間以内）に産婦の状態を観察し，麻酔の評価や副作用・麻酔合併症の有無，硬膜外カテーテルの位置と刺入部を観察し記録する．

③無痛分娩開始時より，中止後ならびに分娩後も，麻酔の影響がなくなるまで観察し記録する．

4）無痛分娩中の分娩進行

①無痛分娩では，微弱陣痛や回旋異常に注意を要する．下肢の運動制限や硬膜外カテーテルなどを確認しながら，産婦の希望に寄り添った座位などのベッド上でも可能な体位の工夫や，促進ケア（p.136 参照）を実施する．

②分娩進行に伴い肛門圧迫感や産痛の変化を認めるが，産痛緩和の程度により，産婦の訴えが分娩経過と一致せずに進行している可能性もある．また，無痛分娩中は尿意を感じにくい場合があり，排尿障害に注意する．CTG モニタリングと定期的な触診，導尿と内診を行い，変化を見逃さないよう評価する必要がある．

5）無痛分娩後の母体と出生児の評価

①無痛分娩では分娩第 2 期遷延，器械分娩が増加することがわかっており，それらに伴う弛緩出血，産道裂傷および多量出血の発生に備える．

②産後は無痛分娩による影響と合併症として，排尿障害，下肢の運動制限，硬膜穿刺後頭痛（post-dural puncture headache；PDPH）などの可能性を考慮し，全身状態を観察する．

③出生児に無痛分娩の麻酔が直接影響する可能性はきわめて低いが，分娩経過と母体の状態が間接的に影響する可能性（低血圧・低酸素による臍帯血流量低下，一過性の子宮過収縮による胎児徐脈など）を考えて観察を行う．

2 事例の情報整理と情報の分析・解釈・統合（アセスメント）

あなたは，分娩室で 9:00 から無痛分娩を行う歩美さんを受け持つことになりました．この事例をアセスメントして，援助していくプロセスを一緒に考えていきましょう．

歩美さんの妊娠・分娩状況

30歳，身長158 cm，体重66 kg(非妊時56 kg，BMI 22.4)，会社員，飲酒・喫煙なし，夫は自営業．

既往歴・現疾患・アレルギー・家族歴：なし．

産科歴：2妊0産（2年前に妊娠9週で自然流産）

検査：血液型A型（Rh+），不規則抗体（−），感染症なし，妊娠35週 GBS（−）．
胸部レントゲン・心電図の異常なし．
妊娠35週　RBC 380×10^4/μL，WBC 8,400/μL，Hb 10.8 g/dL，Ht 33%，
PLT 29×10^4/μL，PT 12秒，APTT 24秒，フィブリノゲン450 mg/dL．

妊娠経過：特に問題なし．無痛分娩希望あり，麻酔科診察にて異常なし，同意書あり．
妊娠20週～　血圧100～120/60～80 mmHg台，尿蛋白（−），尿糖（−），浮腫（−）．
妊娠40週　胎児推定体重3,125 g（±0 SD），AFI 6 cm，胎児異常なし．
胎位第2頭位，NST所見reactive．

バースプラン

・夫立ち会い希望．両親学級・無痛分娩学級の受講あり．
・歩美さんは「はじめてのお産でとても不安，痛みに弱いので，無痛分娩をしたい．できるだけ痛みを気にせずリラックスして過ごしたい．生まれてくる子の安全を第一に，夫とお産を頑張りたい」と話す．
・夫は無痛分娩に対し，「妻の希望を尊重したいが，麻酔科の説明でリスクも聞いて心配ではある．母子ともに安全にお産してほしい」との発言あり．

分娩経過：妊娠40週2日，陣痛発来を主訴に入院となる．

8:00 「夜は痛みで目が覚めて，まったく眠れなかった．朝は何も食べられなかった」
前日22時頃より不規則な子宮収縮に伴う痛みでほとんど眠れず，2:00頃より陣痛周期10分，6:00頃より陣痛周期5分おきで電話があり，来院となる．

8:30 「電話した時より痛みが強くなってきました，早く痛みをとりたい」
来院時，陣痛周期3～4分，陣痛持続時間50秒，発作時には苦悶様表情と発汗を認める．CTG所見はwell-being．内診所見は子宮口開大4 cm，展退60%，St−3，子宮口位置後方，赤色出血少量，未破水．本人より無痛分娩の希望あり．
体温37.2℃，血圧122/80 mmHg，脈拍90回/分，SpO_2 98%．
産科・麻酔科医師と連携し無痛分娩準備を進め，血管確保し輸液を開始する．

9:00 麻酔科医師にてDPE（硬膜穿刺硬膜外麻酔）実施，PIB（計画的間欠ボーラス投与）開始となる．CTG所見はwell-being．下肢の知覚・運動に異常なし．
体温37.2℃，血圧124/84 mmHg，脈拍96回/分，SpO_2 98%．

9:30 「痛みがとれてきた気がする，騒いですみませんでした」表情は穏やか．
陣痛周期2～3分，陣痛持続時間40秒，CTG所見はwell-being．
内診所見は子宮口開大5 cm，展退80%，St−2，子宮口位置前方，発作時胎胞形成あり．
体温37.8℃，血圧118/78 mmHg，脈拍90回/分，SpO_2 99%．
NRS 2，コールドテストT9～S1，下肢運動制限なし．

1 歩美さんの全体像の把握のために情報を整理し，以下の項目についてアセスメントしましょう．

- 年齢，初経産
  ⇒ 30 歳，初産婦です．これらの情報についてリスク因子はありません．
- 身長，体重，BMI
  ⇒身長 158 cm，非妊時体重 56 kg，BMI 22.4 の普通体型です．体重増加は 10 kg で，体重増加指導の目安の範囲内です．これらの情報からリスク因子はないと判断できます．
- 既往歴，産科歴
  ⇒妊娠初期の自然流産を一度経験しています．
- 今回の妊娠経過
  ⇒感染症はありません．Hb 10.8 g/dL の妊娠性貧血ですが，そのほかの血液検査に異常は認めません．血圧，尿検査などの結果を統合して考えると，妊娠経過は正常であったといえます．
- 胎児の発育状況と健康状態
  ⇒妊娠 40 週では胎児推定体重 3,125 g（± 0 SD），AFI 6 cm，胎児異常なし，胎位第 2 頭位，NST 所見 reactive より，胎児の健康状態は良好です．AFI 6 cm は正常範囲内ですが，羊水量はやや少ないといえます．分娩期の胎児機能不全に注意が必要です．
- 無痛分娩の適応
  ⇒歩美さんは痛みへの不安があり，産痛の緩和を目的に無痛分娩を希望しています．妊娠期に無痛分娩学級を受講し，検査，麻酔科診察での異常はなく，同意書を提出しており，無痛分娩の適応となりました．夫は歩美さんの希望を尊重する一方で，無痛分娩への心配があるようです．分娩期には，歩美さんの状況や希望の確認とともに，夫を含めた説明と声かけに注意して，無痛分娩を行う必要があります．

3 事例の助産診断の導き方と助産診断の決定

1 現在の分娩進行状態について判断してみましょう．

- 時期診断
  ⇒妊娠 40 週 2 日，正期産，分娩第 1 期の活動期である．
- 根拠
  ⇒ 9:30 の時点で，陣痛周期 2〜3 分，陣痛持続時間 40 秒，子宮口開大 5 cm，展退 80%，St−2，子宮口位置前方，発作時胎胞形成を認め，8:30 より所見進行しているため．

2 現在までの経過診断をしましょう．歩美さんの分娩への適応を含め，以下の分娩の4要素の項目について必要な情報を挙げ，アセスメントしましょう．

1）娩出力

情報 40週2日，2:00頃より陣痛周期10分，6:00頃より陣痛周期5分おき．
8:30　陣痛周期3～4分，陣痛持続時間50秒，子宮口開大4 cm.
9:00　無痛分娩開始.
9:30　陣痛周期2～3分，陣痛持続時間40秒，子宮口開大5 cm，発作時胎胞形成あり.

⇒陣痛開始から約7時間，直近の1時間で子宮口開大4 cmから5 cmまで進行しており，分娩第1期としては，それまでの娩出力は良好です．しかし，9:00より無痛分娩の麻酔を開始しており，娩出力が変化している可能性があります．

2）産道

情報 身長158 cm，胎児推定体重3,125 g（±0 SD），非妊時BMI 22.4，体重増加は10 kg.
9:30は子宮口開大5 cm，St－2.

⇒これまでの分娩経過からは，骨産道・軟産道ともに異常は認めません．

3）胎児およびその付属物

情報 胎児推定体重3,125 g（±0 SD），AFI 6 cm，胎児異常なし.
9:30のCTG所見はwell-being．子宮口開大5 cm，St－2，発作時胎胞形成あり.

⇒これまでの分娩経過における異常は認めません．AFI 6 cmは正常範囲内ですが，破水や分娩進行に伴う胎児機能不全には注意が必要です．

4）母体精神

情報 8:00　「夜は痛みで目が覚めて，まったく眠れなかった．朝は何も食べられなかった」
8:30　「電話した時より痛みが強くなってきました．早く痛みをとりたい」
9:00　無痛分娩開始.
9:30　「痛みがとれてきた気がする，騒いですみませんでした」．表情は穏やか.

⇒歩美さんは，陣痛の痛みに対する不安が強いですが，無痛分娩の開始により，痛みへの不安は軽減していくと考えられます．

3 歩美さんの現在の身体的健康状態について情報を挙げ，アセスメントしましょう．

情報 分娩開始から約7時間，陣痛周期2～3分，陣痛持続時間40秒，子宮口開大5 cm．無痛分娩開始から30分，体温37.8℃，血圧118/78 mmHg，脈拍90回/分，SpO_2 99%，未破水，夜間睡眠できず，朝食摂取できず，NRS 2，コールドテスト T9～S1，下肢運動制限なし．

⇒分娩第1期の活動期です．無痛分娩開始後に発熱を認めますが，そのほかの異常はみられず産痛が緩和されているため，麻酔の副作用と考えられます．麻酔合併症は認めず，麻酔の効果は安定しています．睡眠や食事摂取ができておらず，生理的ニードが不足している可能性が考えられます．
無痛分娩中の麻酔効果と分娩進行，感染徴候の有無には引き続き注意が必要です．

4 胎児の健康状態について情報を挙げ，アセスメントしましょう．

情報 妊娠40週2日．胎児推定体重3,125 g（±0 SD），AFI 6 cm，胎児異常なし．胎位第2頭位．8:30～9:30のCTG所見はwell-being．未破水．

⇒羊水量はやや少なめですが，無痛分娩開始後も胎児心拍数の異常を認めず，胎児の健康状態は良好であるといえます．

5 これまでの経過から，今後の分娩経過について経過予測診断を行いましょう．

⇒無痛分娩での産痛緩和により，母体の身体的・精神的ストレス抑制の効果が期待され，産婦の訴えが分娩経過と一致せずに進行していく可能性があります．
一方で，歩美さんは陣痛の痛みにより睡眠と食事摂取ができておらず，無痛分娩開始後は食事を制限し飲水のみとなり，麻酔の副作用と考えられる発熱を認めています．そのため，生理的ニードが不足したまま疲労回復できないと，微弱陣痛となる可能性も考えられます．麻酔効果の範囲や合併症の有無と併せて，定期的な観察と診察から分娩進行を評価していく必要があります．分娩進行が停滞した場合には，分娩第2期遷延や器械分娩の可能性にも注意します．
これまでの胎児の健康状態は良好で，児に無痛分娩の麻酔が直接影響する可能性はきわめて低いですが，分娩経過・母体の状態が間接的に影響する可能性を考えて，観察と蘇生の準備を行う必要があります．

6 助産診断はどのように設定されるでしょうか．優先順位も考えてみましょう．

1）無痛分娩による産痛緩和と同時に，麻酔の副作用や合併症発現のリスクがある．
2）産婦の生理的ニードの不足と無痛分娩開始に伴う娩出力低下の可能性がある．
3）胎児発育状態，分娩開始後のCTG所見より，胎児の健康状態は良好である．

4 助産計画の立案（目標と具体策）

1 どのような助産目標が考えられますか．

1）産痛が緩和され，麻酔合併症の早期発見と対処により安全に分娩が進行する．
2）産婦の生理的ニードが充足され，無痛分娩と分娩経過を理解し，主体的に分娩促進のための行動に取り組むことができる．
3）胎児の健康状態が維持される（具体策は正常分娩 pp.21〜23 参照）．

2 助産目標 1）に対して，どのような具体策が考えられますか．ここでは，正常分娩のケア以外に無痛分娩の特徴的なケアについて考えてみましょう．（正常分娩のケアは pp.21〜23 参照）

【観察プラン】

①バイタルサイン，麻酔の副作用（低血圧，発熱，掻痒感，嘔気など）の有無
②陣痛の痛みの評価（NRS），産婦の自覚症状，表情，言動，最終排尿，内診所見
③麻酔効果の範囲（コールドテスト），麻酔合併症（局所麻酔中毒，高位脊髄くも膜下麻酔，過剰投与など）の有無，硬膜外カテーテルの位置
④下肢運動機能の評価（Bromage スケール），知覚異常（しびれ，放散痛）の有無
⑤CTG 所見（胎児徐脈の有無）

【ケアプラン】

①無痛分娩中は，CTG モニタ，自動血圧計，パルスオキシメータ，心電図を継続して装着する．
②医師への報告と指示のもと，持続点滴装置を使用した適切な麻酔の投与を行う．
③バイタルサイン，痛みの評価，麻酔効果の範囲，下肢運動機能を定期的（麻酔開始と追加後30分間はそばを離れず，以後は間隔1〜2時間以内）に確認し，必ず記録する．
④産婦の訴え，外診のみに依存せず，定期的な導尿（3時間おき），内診を行う．
⑤分娩経過が変化する時（促進分娩の開始，破水，子宮口全開大，胎児心拍数異常など）は，医師に報告し，麻酔について指示をもらう．有効陣痛が得られず分娩進行が停滞する場合には，医師とも相談し，子宮収縮薬による促進分娩の開始や，麻酔の減量などを検討する．
⑥観察から麻酔の副作用，麻酔合併症が予測される場合，CTG モニタリングから胎児心拍数の異常が確認された場合は，適切な初期対応（例：低血圧時は側臥位か子宮左方移動し，輸液を増量しながら人を呼ぶ，など）と速やかに医師へ報告する．

【指導・説明・支持プラン】

①急な産痛の変化（産痛の強さや部位の変化，肛門圧迫感など），麻酔合併症の症状（急な下

肢の運動制限，麻酔効果の消失，耳鳴り，金属味など味覚異常，しびれ，放散痛など）が出現した場合は，すぐにナースコールで知らせるよう説明する．

②産婦と夫に，麻酔の効果，陣痛の状態，胎児の健康状態を説明し，産婦の希望を尊重しながら主体的に分娩に臨めるよう促す．

5 その後の経過

歩美さんは麻酔の開始で痛みが軽減されました．その後，分娩の進行に伴う歩美さんの状態をアセスメントしましょう．

歩美さんの無痛分娩開始から子宮口全開大（分娩第２期）までの状態

10:00 「張る感じはわかるけど，痛みはなくなりました」と発作時も笑顔で話す．陣痛周期4分，陣痛持続時間30秒，CTG所見はwell-being．体温37.4℃，血圧120/80 mmHg，脈拍88回/分，SpO_2 99%．NRS 1，コールドテストT8～S2，下肢運動制限なし．安楽な体位に変換する．三陰交への指圧を行う．食事制限のため昼食は摂取せず．スポーツドリンクの飲水と休息を促す．

11:30 「少し眠れました．お腹は張るけど痛みは気にならない．いつ産まれますか」と話す．陣痛周期3～4分，陣痛持続時間40秒，CTG所見はwell-being．体温37.2℃，血圧120/80 mmHg，脈拍88回/分，SpO_2 99%．NRS 1，コールドテストT9～S2，あぐらで過ごし乳頭刺激を行う．内診所見は子宮口開大7 cm，展退80%，St−1，子宮口位置前方，発作時胎胞形成あり．導尿実施（採尿350 mL）．

13:30 「何か流れる感じがした．痛みはないけど，おしりのあたりに違和感がある」との発言．陣痛周期3分，陣痛持続時間40秒，胎児心拍数基線140 bpm，基線細変動10～15 bpm，一過性頻脈あり，早発一過性徐脈あり．導尿実施（採尿300 mL），内診にて自然破水を確認，子宮口全開大，展退100%，St±0，子宮口位置前方，小泉門12時，矢状縫合を縦径に触れる．超音波検査にて胎児の回旋異常がないことを確認する．NRS 2，コールドテストT10～S2．

14:00 夫が来院する．本人と夫に現状と今後の経過について説明を行う．

1 歩美さんの現在の分娩進行状態について必要な情報を挙げ，アセスメントしましょう．

情報
11:30 「少し眠れました．お腹は張るけど痛みは気にならない．いつ産まれますか」
体温37.2℃，血圧120/80 mmHg，脈拍88回/分，SpO_2 99%．
13:30 「何か流れる感じがした．痛みはないけど，おしりのあたりに違和感がある」．
陣痛周期3分，陣痛持続時間40秒，胎児心拍数基線140 bpm，基線細変動10～15 bpm，一過性頻脈あり，早発一過性徐脈あり．内診にて自然破水を確認，子宮口全開大，St±0，小泉門12時，矢状縫合を縦径に触れる．超音波検査にて回旋異常がないことを確認する．NRS 2，コールドテストT10～S2．
14:00 夫が到着する．本人と夫に現状と今後の経過について説明を行う．

⇒バイタルサインは正常範囲内です．13:30 より分娩第 2 期です．歩美さんの訴え，痛みの評価，麻酔効果の範囲から産痛緩和は良好で，麻酔合併症は起きていないと考えられます．小泉門の位置，超音波検査から児の回旋は良好です．破水し子宮口全開大しており，医師への報告と麻酔の指示を確認するとともに，児頭下降に応じた努責の開始時期を検討しなければなりません．
歩美さんと夫が分娩進行に伴う変化に戸惑わないようていねいな説明と声かけを行いながら，体位の工夫や努責のタイミングを指導していく必要があります．

2 現在の胎児の健康状態について情報を挙げ，アセスメントしましょう．

情報　13:30　子宮口全開大，St±0，自然破水．胎児心拍数基線 140 bpm，基線細変動 10～15 bpm，一過性頻脈あり，早発一過性徐脈あり．

⇒ CTG 所見より胎児機能不全に陥っている可能性は低いため，モニタリングを継続し，異常の早期発見に努める必要があります．

3 無痛分娩における分娩第 2 期に助産師が行うケアについて考えてみましょう．

- 無痛分娩では，分娩第 2 期遷延，器械分娩が増加することがわかっており，微弱陣痛や回旋異常に注意し，体位の工夫や努責のタイミングを指導する．
- 努責の開始は，子宮口全開大直後ではなく，児頭下降を待って開始するほうが有効な努責を得られる可能性がある．努責感の低下から産婦が努責のタイミングをうまくとれない場合は，CTG モニタリングや触診による子宮収縮の観察から分娩介助者が努責のタイミングを指導する．
- 遷延分娩や胎児機能不全などが生じる場合には，医師に連絡し麻酔の減量を検討する．
- 遷延分娩や器械分娩に伴う弛緩出血，産道裂傷および多量出血の発生に備える．
- 出生児の健康状態は，母体の状態が間接的に影響する可能性（低血圧・低酸素による臍帯血流量低下など）があるため蘇生の準備を行う．

歩美さんは，16:25 に分娩となりました．分娩後の歩美さんと新生児の健康状態についてアセスメントしましょう．

歩美さんの分娩第 2 期〜第 3 期の状態

13:30 子宮口全開大，St±0
15:30 自然破水，羊水混濁なし．導尿実施．内診にて St＋2，努責を開始する．
16:00 排臨，発作ごとに変動一過性徐脈あり，酸素 10 L 吸入開始．
16:20 発露，胎児心拍数基線 125 bpm，一過性徐脈なし．
16:25 児娩出，女児，体重 3,080 g，臍帯動脈血 pH 7.30，BE −4.5 mEq/L．
Apgar score 1 分後 8 点（皮膚色−2）／ 5 分後 9 点（皮膚色−1）
SpO_2：生後 3 分 84%，5 分 88%，10 分 94〜96%
直腸温 37.6℃，心拍数 158 回/分，呼吸数 58 回/分，異常呼吸なし．
16:30 胎盤娩出（シュルツェ様式）．胎盤娩出までの出血量 300 mL．
子宮底の高さ：臍下 2 横指，子宮底の硬度：硬式テニスボール様，下肢運動制限なし．
「気分は大丈夫，赤ちゃんがかわいい」と笑顔で話す．早期母子接触を実施．
体温 37.2℃，血圧 120/76 mmHg，脈拍 84 回/分，SpO_2 99%

歩美さんの分娩第 4 期の状態

17:00 軟産道精査，縫合終了．麻酔終了．子宮底の高さ：臍高，子宮底の硬度：良好．
出血量 36 mL．
導尿後に初回授乳を実施する．夫と 3 人で過ごす．気分不良なし．
17:30 麻酔科医師にて硬膜外カテーテルを抜去後，全身清拭・更衣．出血量 22 mL．
18:00 痛みは自制内，下肢知覚・運動の異常なし．座位で夕食を摂取できている．
「ほっとしたらお腹がすきました．少しトイレに行きたい感じがあります」と話す．
体温 37.4℃，血圧 118/76 mmHg，脈拍 84 回/分

4 歩美さんの分娩後の健康状態について情報を挙げ，アセスメントしましょう．

情報 16:25 女児娩出
16:30 胎盤娩出（シュルツェ様式）．胎盤娩出までの出血量 300 mL
17:00 麻酔終了，子宮底の高さ：臍高，子宮底の硬度：良好，出血量 36 mL，導尿実施
17:30 出血量 22 mL
18:00 下肢の知覚・運動に異常なし．座位で夕食を摂取できている．「少しトイレに行きたい感じがあります」 体温 37.4℃，血圧 118/76 mmHg，脈拍 84 回/分

⇒胎盤娩出，麻酔終了後の子宮収縮状態，全身状態は良好です．現在，分娩第 4 期であるため，注意深い観察が必要です．また，トイレを希望されており，下肢の知覚・運動機能を確認し，産後初回歩行が可能であるかを判断するとともに，排尿障害の有無を確認します．

5 出生直後の新生児の健康状態について情報を挙げ，アセスメントしましょう．

情報 16:25 出生，女児，体重3,080 g，臍帯動脈血 pH 7.30，BE −4.5 mEq/L
Apgar score 1分後8点（皮膚色−2）／5分後9点（皮膚色−1）
SpO_2：生後3分84%，5分88%，10分94〜96%
直腸温37.6℃，心拍数158回/分，呼吸数58回/分，異常呼吸なし．

⇒相当体重（AFD）児，アシドーシスはなく，バイタルサインは正常，新生児の健康状態は良好です．

今後は引き続き，無痛分娩に伴う影響・合併症に留意しながら母児のケアを行いましょう．また，麻酔終了後の疼痛（創部痛，後陣痛など）や全身復古の状態に留意しながら育児支援を開始しましょう．

文献

1）日本産婦人科医会 医療安全部会：分娩に関する調査．日本産婦人科医会 HP，2017．https://www.jaog.or.jp/wp/wp-content/uploads/2017/12/20171213_2ver.2.pdf （2023/7/10 アクセス）
2）厚生労働省 政策統括官付参事官付保健統計室：令和2（2020）年 医療施設（静態・動態）調査（確定数）・病院報告の概況．p.20，厚生労働省 HP，2022．https://www.mhlw.go.jp/toukei/saikin/hw/iryosd/20/dl/02sisetu02.pdf （2023/7/10 アクセス）

参考文献

・分娩期ケアガイドライン翻訳チーム訳：WHO 推奨 ポジティブな出産体験のための分娩期ケア．pp.97-108，142，155-159，164-167，医学書院，2021．
・日本産科婦人科学会，日本産婦人科医会編集・監修：CQ421．「産婦人科診療ガイドライン 産科編 2023」，pp.281-283，日本産科婦人科学会，2023．
・海野信也，他：平成29年度厚生労働行政推進調査事業費補助金（厚生労働科学特別研究事業）「無痛分娩の実態把握及び安全管理体制の構築についての研究」「無痛分娩の安全な提供体制の構築に関する提言」．厚生労働科学研究成果データベース，2018．https://mhlw-grants.niph.go.jp/system/files/2017/171031/201706027 A_upload/201706027 A0018.pdf （2023/7/10 アクセス）

索　引

助産学実習プレブック　第2版
—助産過程の思考プロセス　ISBN978-4-263-71065-4

2015年11月10日　第1版第1刷発行
2021年1月10日　第1版第5刷発行
2024年1月10日　第2版第1刷発行

編著者　町　浦　美智子
山　田　加奈子
発行者　白　石　泰　夫

発行所　医歯薬出版株式会社

〒113-8612　東京都文京区本駒込1-7-10
TEL. (03)5395-7618(編集)・7616(販売)
FAX. (03)5395-7609(編集)・8563(販売)
https://www.ishiyaku.co.jp/
郵便振替番号 00190-5-13816

乱丁，落丁の際はお取り替えいたします　印刷・あづま堂印刷／製本・皆川製本所